한국명품가사 100선 1

한국명품가사 100선 1

초판 1쇄 발행 2019년 6월 25일

역주자 최한선·박영주·백숙아 외
펴낸이 지현구 **펴낸곳** 태학사 **등록** 제406-2006-00008호
주소 경기도 파주시 광인사길 223
전화 마케팅부 (031)955-7580 **전송** (031)955-0910
홈페이지 www.thaehaksa.com **전자우편** thaehaksa@naver.com

값은 뒤표지에 있습니다.

ISBN 979-11-6395-068-4 94810
ISBN 979-11-6395-067-7 (세트)

한국 명품가사 100선

❶

최한선 · 박영주 · 백숙아 외

태학사

《한국명품가사 100선》 발간에 부쳐

2020년은 담양군에 소재한 한국가사문학관이 문을 연 지 20주년이 되는 해이다. 그간 한국가사문학관에서는 가사문학학술진흥위원회를 구성하여 담양군의 보조와 지원을 받아 20회에 걸친 가사문학전국학술대회, 가사문학전국낭송대회, 한국가사문학대상 공모전, 가사문학 청소년 유튜브 제작 대회를 개최했고, 가사문학자료의 구입, 해제 작성, 데이터베이스 구축을 진행했으며, 계간지 《오늘의 가사문학》 발간, 《한국 가사시歌辭詩 100인선》과 《한국 가사동화 100인선》 간행 등 여러 방면에 걸쳐 가사문학 연구와 홍보, 문화 콘텐츠화 방안 마련을 위해 심혈을 기울여왔으며 그에 걸맞은 적지 않은 결실을 거뒀다고 자부한다.

이와 같이 많은 사업들이 큰 성과를 이룬 반면, 한국가사문학의 진수를 감상하고 음미하는 데 도움을 줄 만한 마땅한 안내서를 마련하지 못한 것은 매우 아쉬운 일이었다. 만시지탄이나마 《한국명품가사 100선》을 발간하여 가사문학에 나타난 우리말의 아름다움과 미학적 성취를 감상함은 물론 가사문학에 투영된 삶의 지혜와 당대적 거울로써 오늘을 반추하고 내일을 설계하는 데 도움이 되기를 바란다. 나아가 가사문학에 관심을 가진 작가, 학생, 창작 지망생, 낭송가 등의 요구에 부응하는 등 가사문학의 대중화에 기여할 수 있다면 큰 보람이 될 것이다.

본서를 간행하기 위해 가사문학학술진흥위원회에서는 먼저 가사문학 전문가를 중심으로 '한국명품가사 100선 간행위원회'를 구성하여 작품을 선정하고 작자 소개, 출전, 해제, 현대역 등을 담당할 연구진을 꾸렸다. 하지만 1만여 편도 더 되는 가사문학 유산 가운데서 100여 편만을 선정한다는 것은 그리 만만한 작업이 아니었다. 간행위원회의 안목 부족과 작품 수의 제한 등으로 훌륭한 작품이 선정되지 못했다면 그것은 전적으로 우리의 책임이다.

《한국명품가사 100선》은 모두 109편의 가사를 대상으로 1권에 54편, 2권에 55편을 수록하여 두 권으로 편집했다. 109편 중 91편은 가사의 내용과 성격, 작품성에 따라 선정했고, 나머지 18편은 담양에서 창작했거나 담양과 관련 있는 인물의 작품을 수록하였다. 이른바 '담양가사' 18편이 모두 명품가사라고 단정할 수는 없겠으나, 담양은 한국가사문학관의 소재지며 담양과 관련 있는 〈면앙정가〉 등 여러 작품이 명품가사의 반열에 든다는 점에서 함께 수록하기로 했다.

본서의 기획과 발간에 수고를 아끼지 않으신 류연석 가사문학학술진흥위원회 위원장님과 가사문학 연구의 대가이신 김학성 성균관대 명예교수님, 그리고 김용찬, 이상원, 백숙아, 김교은, 한성금, 임준성, 황수정, 국윤주, 황민선 교수님 등 연구진 여러분께 감사드린다. 특히 연구와 교정에 수고를 아끼지 않으신 박영주 강릉원주대 교수님께 더욱 깊은 감사를 드린다. 또한 담양군 남면을 가사문학면으로 개명하는 등 가사문학에 남다른 애정과 열정으로 많은 예산과 지원을 해주신 최형식 담양군수님께 큰 감사를 드리며, 가사문학관 임윤택 관장님, 박명선 주사님 등 관계자 분들께도 고마운 인사를 드린다.

본서가 가사문학의 이해와 감상, 나아가 현대 가사시, 가사로 쓰는 동화, 수필, 소설 등의 창작에 도움이 됨은 물론, 현대 가사의 성격을 지닌 랩rap 문화 확산 등 가사문학 유산이 문화콘텐츠 개발의 원생성 자원이 되길 바란다. 무엇보다도 가사문학이 세계기록문화유산으로 등재되어 세계인이 함께 향유하고 누리며 계승·발전시켜 나아가기를 소망한다. 끝으로 본서의 간행에 도움을 주신 태학사 지현구 대표님을 비롯한 출판사 식구들께도 고마운 인사를 드린다.

2019년 5월 1일

간행위원 및 연구진 대표 최한선 근지

〈1권 목차〉

〈2권 목차〉

담양의 가사문학

1. 갑민가甲民歌

① 작품명 : 갑민가甲民歌

② 작자명 : 갑산민甲山民

《해동가곡海東歌曲》에 실려 있는 이 작품 말미의 "갑산의 백성이 지었다. 갑산민소작甲山民所作"이라는 내용으로 보아, 작자는 당시 군정軍丁의 횡포에 시달리던 함경도 갑산 지역에 살던 사람으로 파악된다.

③ 출전 : 필사본 《해동가곡海東歌曲》

④ 해제

이 작품은 조선 후기 대표적인 현실비판 가사이며, 군정軍丁의 폐단이 심했던 18세기 말엽 함경도 갑산 지역에 살았던 사람들의 열악한 현실을 배경으로 창작되었다. 두 사람의 화자가 등장해 대화체로 진행되고 있으며, 고향을 떠나지 말도록 권유하는 '화자 1(생원)'의 질문에 그럴 수밖에 없는 사정을 구구절절 설명하는 '화자 2(갑민)'의 답변으로 구성되어 있다. 작품의 앞부분에 제시된 '생원'의 진술은 정든 고향을 떠나 유리流離의 길로 나선 '갑민'의 처지를 이끌어내기 위한 문학적 장치로 역할하고 있다. 작품의 주제는 조선 후기 유리민의 현실을 사실적으로 보여주고 있는 '갑민'의 답변을 통해 제시되고 있다. '갑민'의 답변에는 북쪽의 변방에 살고 있던 민중들의 생활상이 제시되어 있을 뿐만 아니라, 지방 수령들의 가렴주구苛斂誅求로 인해 수탈당하는 기층민들의 비참한 현실이 구체적으로 형상화되어 있다. 이 작품은 필사본 《해동가곡》의 마지막 부분에 수록되어 있으며, 국한문이 병기되어 있다.

⑤ 원문과 현대역

어져 어져 저긔 가ᄂᆞᆫ 저 ᄉᆞᄅᆞᆷᄋᆞ
어져 어져 저기 가는 저 사람아
네 ᄒᆡᆼᄉᆡᆨ行色 보아니 군ᄉᆞ軍士 도망逃亡 네로고나
네 행색 보아하니 군사도망하는 너로구나
뇨상腰上으로 볼ᄌᆞᆨ시면 뵈젹ᄉᆞᆷ이 깃ᄆᆞᆫ 남고
허리 위로 볼 것이면 베적삼에 깃만 남고
허리 아ᄅᆡ 구버 보니 헌 ᄌᆞᆷ방이 노닥노닥
허리 아래 굽어보면 헌잠방이 노닥노닥
곱장 할미 압희 가고 전ᄐᆡ발이 뒤예 간ᄃᆞ
곱장 할미 앞에 가고 전태발이 뒤에 간다
십니十里 길을 할ᄂᆡ 가니 몃 니 가셔 업쳐디리
십리 길을 하루에 가니 몇 리 가서 엎어지리
내 고을의 양반兩班 사ᄅᆞᆷ ᄐᆞ도他道 ᄐᆞ관他官 온겨 살면
내 고을의 양반 사람 타도타관 옮겨 살면
천賤이 되기 상ᄉᆞ여든 본토本土 군청軍丁 슬타 ᄒᆞ고
천히 되기 상사거든 본토의 군정 싫다 하고
ᄌᆞᄂᆡ ᄯᅩᄒᆞᆫ 도방逃亡ᄒᆞ면 일국一國 일토一土 ᄒᆞᆫ 인심人心의
자네 또한 도망하면 일국일토 한 인심에
근본根本 숨겨 살녀 ᄒᆞᆫ들 어ᄃᆡ 간ᄃᆞᆯ 면ᄒᆞᆯ손가
근본 숨겨 살려한들 어디 간들 면할손가
ᄎᆞ라리 네 ᄉᆞ던 곳의 아모케나 ᄲᅮᆯ희 박여
차라리 네 살던 곳에 아무렇게 뿌리 박혀
칠팔월七八月의 ᄎᆡᄉᆞᆷ採蔘ᄒᆞ고 구십월九十月의 돈피獤皮 잡아
칠팔월에 채삼하고 구시월에 돈피[1] 잡아

공ᄎᆡ公債 신역身役 갑흔 후의 그 남저지 두엇ᄃᆞᄀᆞ

공채 신역 갚은 후에 그 나머지 두었다가

함흥咸興 북청北靑 홍원洪原 장ᄉᆞ 도라드러 ᄌᆞᆷᄆᆡ潛賣ᄒᆞᆯ 제

함흥 북청 홍원 장사 돌아들어 잠매[2]할 제

후ᄀᆞ厚價 밧고 파ᄅᆞᄂᆡ여 살기 됴흔 너른 곳의

후한 값 받고 팔아내어 살기 좋은 넓은 곳에

가ᄉᆞ家舍 뎐토田土 곳처 ᄉᆞ고 가장즙물家庄汁物 장ᄆᆞᆫᄒᆞ여

가사 전토 다시 사고 가장집물[3] 장만하여

부모父母 처ᄌᆞ妻子 보전保全ᄒᆞ고 새 즐거믈 누리려믄

부모 처자 보전하고 새 즐거움 누리려면

어와 ᄉᆡᆼ원生員인디 초관哨官인지 그ᄃᆡ 말ᄉᆞᆷ 그만두고

어와 생원인지 초관[4]인지 그대 말씀 그만 두고

이ᄂᆡ 말ᄉᆞᆷ 드러보소 이ᄂᆡ ᄯᅩ한 갑민甲民이라

이내 말씀 들어보소 이내 또한 갑산 백성이라

이 ᄯᅡ의셔 ᄉᆡᆼ장生長ᄒᆞ니 이 ᄣᆡ 일을 모를소냐

이 땅에서 생장하니 이 때 일을 모를소냐

우리 조상祖上 남듕南中 양반兩班 딘ᄉᆞ進士 급뎨及第 연면連綿ᄒᆞ여

우리 조상 남중 양반 진사 급제 연면[5]하여

금당金章 옥玉ᄑᆡ 빗기 ᄎᆞ고 시종신侍從臣을 ᄃᆞ니다가

금장 옥패 옆에 차고 시종신[6]을 다니다가

---

1 돈피獤皮가 바른 표기로 담비 종류의 모피를 통틀어 이르는 말.

2 법을 어기면서 물건을 몰래 팖.

3 가장집물家藏什物이 바른 표기. 집안의 살림에 쓰는 온갖 도구.

4 조선시대 종9품 무관직.

5 무슨 일이 오래 계속되어 끊어지지 아니함.

6 임금 옆에서 모시는 신하.

싀긔猜忌人의 참소 입어 전가全家 ᄉᆞ변徙邊 ᄒᆞ온 후의

시기인[7]의 참소 입어 전가 사변[8] 한 후에

국ᄂᆡ國內 극변極邊 이 ᄯᅡ의서 칠팔ᄃᆡ七八代을 ᄉᆞᄅᆞ오니

국내 극변[9] 이 땅에서 칠팔대를 살아오니

선음先蔭 이어 ᄒᆞ난 일이 읍듕邑中 구실 쳣ᄌᆡ로ᄃᆞ

선대 음덕 입어 하는 일이 읍중 구실 첫째로다

드러ᄀᆞ면 좌수座首 별감別監 나ᄀᆞ셔ᄂᆞᆫ 풍헌風憲 감관監官

들어가면 좌수 별감 나가서는 풍헌 감관

유ᄉᆞ有司 장의掌儀 ᄎᆡ지 ᄂᆞ면 톄면 보아 ᄉᆞ양터니

유사[10] 장의[11] 채 지나면 체면 보아 사양하니

애슬푸다 내 시졀의 원슈인怨讐人의 모ᄒᆡ謀害로서

애슬프다 내 시절에 원수인의 모해로서

군ᄉᆞ軍士 강졍降定 되단 말ᄀᆞ 내 ᄒᆞᆫ 몸이 허러 나니

군사 강정 됐단 말인가 내 한 몸이 헐어나니

좌우左右 전후前後 수ᄃᆞ數多 일ᄀᆞ一家 ᄎᆞᄎᆞ次次 츙군充軍 되거고야

좌우 전후 수다 일가[12] 차차 군역에 충당하게 되었구나

누ᄃᆡ累代 봉ᄉᆞ奉祀 이 ᄂᆡ 몸은 ᄒᆞᆯ 일 업시 ᄆᆡ와 잇고

누대 봉사[13] 이 내 몸은 하릴없이[14] 매어 있고

시름 업슨 졔諸 됵인族人은 ᄌᆞ최 업시 도망逃亡하고

시름 없는 제족인[15]은 자취 없이 도망하고

---

7 샘을 내고 미워하는 사람.
8 온 집안이 변방으로 이사함.
9 나라 안 변방 끝.
10 단체의 업무를 맡아보는 직무.
11 성균관, 향교의 으뜸 자리.
12 많은 일가 친척.
13 여러 대의 조상의 제사를 받듦.
14 어떻게 해볼 도리가 없이.

여러 ᄉᆞᄅᆞᆷ 모ᄃᆞᆫ 신역身役 ᄂᆡ ᄒᆞᆫ 몸의 모도 무니

여러 사람 모든 신역 내 한 몸에 모두 되니

ᄒᆞᆫ 몸 신역身役 ᄉᆞᆷ양三兩 오전五戔 돈피㹠皮 이장二張 의법依法이라

한 몸 신역 3냥5전 돈피 두 장 의법[16]이라

십이인명十二人名 업ᄂᆞᆫ 구실 합숨처 보면 ᄉᆞ십뉵냥四十六兩

열두 사람 없는 구실 합쳐 보면 46냥

연부연年復年의 맛ᄐᆞ 무니 석ᄉᆞᆼ石崇인들 당當ᄒᆞᆯ소냐

해마다 맡아 무니 석숭[17]인들 당할소냐

약간 농ᄉᆞ 전폐全廢ᄒᆞ고 ᄎᆡᄉᆞᆷ採蔘ᄒᆞ려 닙ᄉᆞᆫ入山ᄒᆞ여

약간 농사 전폐하고 채삼하러 입산하여

허항영虛項嶺 보ᄐᆡᄉᆞᆫ寶泰山을 돌고 돌아 ᄎᆞᄌᆞ보니

허항령 보태산을 돌고 돌아 찾아보니

인ᄉᆞᆷ人蔘 싹슨 전혀 업고 오ᄀᆞ五加 닙히 날 소긴다

인삼 싹은 전혀 없고 오가잎이 날 속인다

ᄒᆞᆯ 일 업시 공반空返ᄒᆞ여 팔구월八九月 고추苦椒바람

하릴없이 공반하여[18] 팔구월 고추 바람[19]

안고 도라 입ᄉᆞᆫ入山ᄒᆞ여 돈피㹠皮 ᄉᆞᆫᄒᆡᆼ山行 ᄒᆞ랴 ᄒᆞ고

안고 돌아 입산하여 돈피 산행 하려 하고

ᄇᆡᆨ두ᄉᆞᆫ白頭山 등의 디고 분계강ᄒᆞ分界江下 나려가셔

백두산 등에 지고 분계강 아래 내려가서

살이 젓거 누ᄃᆡ 치고 ᄋᆡ갈나무 우등 높고

싸리 꺾어 기대 치고 이깔나무 우등 높고

---

15 한 집안 사람 모두.

16 법에 근거함.

17 중국 서진西晉의 유명한 부호富豪.

18 헛되이 돌아옴.

19 살을 에는 듯이 매우 차갑고 매운 바람.

ᄒᆞᄂᆞ님게 츅수ᄒᆞ며 ᄉᆞᆫ신山神임게 발원ᄒᆞ여

하느님께 축수[20]하며 산신님께 발원하여

물ᄎᆡ츌을 ᄀᆞᆽ초 곶고 ᄉᆞ망 일기 원망ᄒᆞ되

물채줄을 갖춰 놓고 사망일기 원망하되

ᄂᆡ 뎡셩精誠이 불급不及ᄒᆞᆫ디 ᄉᆞ망 실이 아니 븟ᄂᆡ

내 정성이 불급[21]한지 사망 실이 아니 붙네

뷘손으로 도라서니 ᄉᆞᆷ디연三池淵이 잘 ᄎᆞᆷ이라

빈손으로 돌아서니 삼지연이 잘 참이라

닙동立冬 지ᄂᆞᆫ ᄉᆞᆷ일三日 후後의 일야셜一夜雪이 ᄉᆞ못 오니

입동 지난 삼일 후에 일야설[22]이 사뭇 오니

대ᄌᆞ 깁희 ᄒᆞ마 너머 ᄉᆞ오보四五步을 못 옴길ᄂᆡ

대자 깊이 하마 넘어 사오 보를 못 옮길래

양딘粮盡ᄒᆞ고 의박衣薄ᄒᆞ니 압희 근심 다 ᄯᅥᆯ티고

양진[23]하고 의박[24]하니 앞에 근심 다 떨치고

목숨 ᄉᆞᆯ려 욕심ᄒᆞ여 디ᄉᆞ위ᄒᆞᆫ至死爲限 길을 허여

목숨 살려 욕심하여 지사위한[25] 길을 헤어[26]

인ᄀᆞ처人家處를 ᄎᆞᄌᆞ 오니 검천劍川 거이巨里 첫 목이라

인가처를 찾아오니 검천 거리 첫목이라

계초명鷄初鳴이 이윽ᄒᆞ고 인ᄀᆞ人家 적적寂寂 ᄒᆞᆫᄌᆞᆷ일네

계초명[27] 이윽하고 인가적적[28] 한잠일레

---

20 축수祝壽. 오래 살기를 빎.
21 미치지 못함.
22 한밤 중에 내린 눈.
23 양식이 다 떨어짐.
24 옷이 얇음.
25 죽을 때까지 자기의 의견을 굽히지 아니하고 뻗대어 나감.
26 어려운 상황 속에서 벗어나려고 애씀.
27 새벽 닭울음 소리.

집을 ᄎᆞᄌᆞ 드러가니 혼비ᄇᆡᆨᄉᆞᆫ魂飛魄散 반半 주검이

집을 찾아 들어가니 혼비백산 반 주검이

언불출구言不出口 너머지니 더온 구돌 ᄋᆞ른목의

언불출구[29] 넘어지니 더운 구들 아랫목에

송장 갓치 누엇ᄃᆞᄀᆞ 인ᄉᆞ人事 수습收拾 ᄒᆞ온 후의

송장 같이 누웠다가 인사 수습 한 후에

두 발 ᄭᅳᆺ흘 구버보니 열ᄀᆞ락이 간 ᄃᆡ 업ᄂᆡ

두 발 끝을 굽어보니 열 가락이 간 데 없네

간신艱辛 됴리調理 ᄉᆡᆼ명生命ᄒᆞ여 쇠게 실려 도라오니

간신조리[30] 생명하여 소에 실려 돌아오니

팔십당연八十當年 우리 노모老母 마됴 ᄂᆞ와 일던 ᄆᆞᆯᄉᆞᆷ

팔십당년 우리 노모 마중 나와 이른 말씀

ᄉᆞᄅᆞ왓ᄃᆞ ᄂᆡ ᄌᆞ식아 ᄉᆞ망 업시 도라온들

살아왔다 내 자식아 사망 없이 돌아온들

모ᄃᆞᆫ 신역身役 걱뎡ᄒᆞ랴 전토田土 가장家庄 진ᄆᆡ盡賣ᄒᆞ여

모든 신역 걱정하랴 전토 가장 다 팔아서

ᄉᆞ십뉵양四十六兩 돈 ᄀᆞ디고ᄑᆞ긔소疤記所 ᄎᆞᄌᆞ가니

46냥 돈 가지고 파기소[31] 찾아가니

듕군中軍 ᄑᆞ통把摠 호령號令ᄒᆞ되 우리 ᄉᆞ도使道 분分부 ᄂᆡ內의

중군[32] 파총[33] 호령하되 우리 사또 분부 내려

---

28 사람 사는 집이 조용하고 쓸쓸함.

29 말도 꺼내지 못함.

30 겨우 건강이 회복되도록 몸을 잘 보살핌.

31 병정, 죄인 등을 검사하여 그 특징을 적은 기록을 보관하는 곳.

32 조선시대 각 군영의 대장.

33 각 군영의 종4품의 무관 벼슬.

각各 됴군哨軍의 뎨諸 신역身役을 돈피㹠皮 외外에 ᄇᆞᆺ디 ᄆᆞᆯ라
각 초군의 모든 신역을 돈피 외에 받지 말라
관官령 녀ᄎᆞ如此 디엄至嚴ᄒᆞ니 ᄒᆞ릴 업서 퇴ᄒᆞ놋ᄃᆞ
관령여차[34] 지엄하니 하릴없이 퇴하였다
돈 ᄀᆞ디고 물너ᄂᆞ와 원뎡原情 디어 발괄ᄒᆞ니
돈 가지고 물러나와 원정[35] 지어 발괄[36]하니
물勿위 번소煩訴 뎨ᄉᆞ題辭ᄒᆞ고 군노軍奴 댱교將校 ᄎᆡᄉᆞ差使 노아
물위번소[37] 제사[38]하고 군노장교 차사[39] 놓아
셩화星火 ᄀᆞᆺ티 ᄌᆡ촉ᄒᆞ니 노부모老父母의 원ᄒᆡᆼ遠行 치댱治裝
성화 같이 재촉하니 노부모의 원행치장[40]
팔승八升 네필匹 두엇더니 팔냥八兩 돈을 비러 ᄇᆞᆺ고
8승 4필 두었더니 여덟냥 돈을 빌어 받고
파라다가 ᄎᆡ와 ᄂᆡ니 오십녀냥五十餘兩 되거고야
팔아다가 채워 내니 50여 냥 되겠구나
ᄉᆞᆷ슈三水 각딘各鎭 두로 도라 니십뉵댱二十六張 돈피㹠皮 ᄉᆞ니
삼수 각진 두루 돌아 26장 돈피사니
십여일十餘日 쟝근將近이라 셩화星火 ᄀᆞᄐᆞᆺ 관ᄀᆞ官家 분부分付
10여일 다 되었구나 성화 같은 관가 분부
ᄎᆞ디次知 ᄌᆞ버 ᄀᆞ도왓ᄂᆡ 불샹ᄒᆞᆯᄉᆞ 병病든 텨妻ᄂᆞᆫ
차지[41] 잡아 가두었네 불상하다 병든 처는

---

34 관령이 이와 같이.
35 원정怨情이 바른 표기. 원망하는 마음.
36 억울한 사정을 관아에 말이나 글로 하소연 하는 일.
37 번거롭게 소송하지 말라.
38 백성의 소장이 원서 따위에 쓰는 관부의 판결이나 지령.
39 고을 원님이 죄인을 잡기 위해 보내는 관원.
40 먼 길 갈 때 매만져 곱게 꾸미거나 모양을 냄. 여기서는 장례준비.
41 대가를 받고 다른 사람을 대신하여 형벌을 받는 사람.

영오듕囹圄中의 더디여셔 결항치ᄉᆞ結項致死 ᄒᆞ단 말ᄀᆞ
감옥 중에 던져서 결항치사[42] 했단 말인가
ᄂᆡ 집 문뎐門前 도라드니 어미 불너 우는 소ᄅᆡ
내 집 문전 돌아드니 어미 불러 우는 소리
구텬九天의 ᄉᆞ못ᄒᆞ고 의디 업슨 노부모老父母는
구천에 사무치고 의지 없는 노부모는
불성인ᄉᆞ不省人事 누어시니 긔뎔氣絕ᄒᆞ온 ᄐᆞ시로ᄃᆞ
인사불성 누웠으니 기절하신 탓이로다
여러 신역身役 밧친 후의 시체屍體 ᄎᆞᄌᆞ 장ᄉᆞᄒᆞ고
여러 신역 바친 후에 시체 찾아 장사하고
ᄉᆞ묘祠廟 뫼서 ᄯᅡ희 뭇고 ᄋᆡ끈토록 통곡痛哭ᄒᆞ니
사묘[43] 모셔 땅에 묻고 애끊도록 통곡하니
무지미물無知微物 뭇 됴작鳥雀이 저도 ᄯᅩᄒᆞᆫ 설니 운다
무지미물[44] 조작[45]이 저도 또한 설워 운다
막중 변디邊地 우리 인ᄉᆡᆼ人生 나ᄅᆞ ᄇᆡᆨ성百姓 되어나서
막중 변지 우리 인생 나라 백성 되어서
군ᄉᆞ軍士 슬ᄐᆞ 도망逃亡ᄒᆞ면 화외민化外民이 되려니와
군사 싫다 도망하면 화외민[46] 되려니와
ᄒᆞᆫ 몸의 여러 신역身役 무ᄃᆞ가 ᄒᆞᆯ세 업서
한 몸에 여러 신역 물다가 할 수 없어
ᄯᅩ 금년니 도ᄅᆞ오니 유리무뎡流離無定 ᄒᆞ노ᄆᆡ라
또 금년이 돌아오니 유리무정[47] 하노라

---

42 목을 매어 죽음.
43 가묘家廟. 조상의 위패를 모셔놓고 제사를 지내기 위해 집안에 설치한 사당.
44 작고 보잘것없는 물건이나 동물.
45 새와 참새.
46 아직 임금의 교화를 입지 아니한 백성.

나라님긔 알외ᄌᆞ니 구듕천문九重天門 머러 잇고
나랏님께 아뢰자니 구중천문 멀어 있고
뇨순堯舜 갓ᄐᆞᆺ 우리 셩쥬聖主 일월日月 갓티 발그신들
요순 같은 우리 성주 일월 같이 밝으신들
점沾불 셩화聖化 이 극변邊의 복분ᄒᆞ覆盆下라 빗칠소냐
점불성화[48] 이 극변[49]에 복분 아래에 비칠소냐[50]
그ᄃᆡ 쏘ᄒᆞᆫ ᄂᆡ 말 듯소 ᄐᆞ관他官 소식消息 드러보게
그대 또한 내 말 듣소 타관 소식 들어보게
북텽北靑 부ᄉᆞ府使 뉘실런고 셩명姓名은 ᄌᆞᆷ간 이저 잇ᄂᆡ
북청 부사 누구인가 성명은 잠깐 잊어 있네
허다許多 군졍軍丁 안보安保ᄒᆞ고 ᄇᆡᆨ골도망白骨逃亡 해원解怨일ᄅᆡ
허다 군정 안보하고 백골도망 해원[51]일레
각ᄃᆡ各隊 초관哨官 제諸 신역身役을 ᄃᆡ소大小 민호民戶 분징分徵ᄒᆞ니
각대 초관 제 신역을 대소 민호 분징[52]하니
만흐면 닷돈 ᄑᆞᆫ수 저그며ᄂᆞᆫ 서돈이라
많으면 닷돈 정도 적으면 석돈이라
인읍隣邑 ᄇᆡᆨ셩百姓 이 말 듯고 남부녀ᄃᆡ負女戴 모다 드니
인읍 백성 이 말 듣고 남부여대[53] 모여 드니
군뎡軍丁 허오虛伍 업서지고 민호民戶 졈졈漸漸 느러간다
군정 허오[54] 없어지고 민호 점점 늘어간다

---

47 정해진 곳 없이 이리저리 떠돌아다님.
48 나랏님의 은혜를 받지 못함.
49 변방 끝.
50 엎어진 항아리에 빛이 들지 못함.
51 원통함을 풀어줌.
52 여러 사람에게 나누어 거둬들임.
53 남자는 짐을 지고 여자는 짐을 인다는 뜻. 가난한 사람이 정처를 찾지 못하고 온갖 고생하며 이리저리 떠돌아다님을 비유.

나도 ᄯᅩᄒᆞᆫ 이 말 듯고 우리 고을 군정軍丁 신역身役

나도 또한 이 말 듣고 우리 고을 군정 신역

북청北靑 일례一例 ᄒᆞ여디라 영문營門 의송議送 정모ᄐᆞᆫ 말가

북청 일례 하여달라 영문 의송 정탄 말인가[55]

본읍本邑 맛겨 데ᄉᆞ題辭 맛다 본本 관ᄋᆞ官衙의 붓치온즉

본읍 맡겨 제사 맡아 본 관아에 부쳤으니

불문시비不問是非 올여 ᄆᆡ고 형문刑門 일ᄎᆞ一次 맛ᄃᆞᆫ 말ᄀᆞ

불문시비 올려 매고 형문 일차[56] 맞단 말인가

천신만고千辛萬苦 노녀ᄂᆞ셔 고향故鄕 ᄉᆡᆼᄋᆡ生涯 다 ᄯᅥᆯ치고

천신만고 놓여나서 고향 살림 다 떨치고

닌리 친구親舊 ᄒᆞ직 업시 부노扶老 휴유ᄌᆞ携幼子 야반夜半의

인리 친구 하직 없이 부로 휴우자[57] 야밤에

후티령노厚峙嶺路 빗겨 두고 금챵령金昌嶺을 허위 너머

후치령길 곁에 두고 금창령을 허위[58] 넘어

단천端川 ᄯᅡ을 바라 지나 셩ᄃᆡᄉᆞᆫ星岱山을 너머 서면

단천 땅을 바로 지나 성대산을 넘어 서면

북청北靑 ᄯᅡ이 긔 아닌가 거처居處 호부好否 다 ᄯᅥᆯ치고

북청 땅이 그 아닌가 거처 호부 다 떨치고

모ᄃᆞᆫ 가속 안보ᄒᆞ고 신역身役 업ᄉᆞᆫ 군ᄉᆞ軍士되세

모든 가속[59] 보살피고 신역 없는 군사 되세

---

54 등록만 되어 있고, 실제는 없는 군정軍丁.

55 관가에 의견을 보냄.

56 형벌 한 차례.

57 노인을 부축하며 어린 자식 끼고.

58 팔다리를 자꾸 이리저리 내젓는 모양.

59 가속家屬. 한 집안에 딸린 식구.

ᄂᆡ 곳 신역身役 이러ᄒᆞ면 이친기묘離親棄墓 ᄒᆞ올소냐
내 곧 신역 이러하면 이친기묘[60] 하올소냐
비ᄂᆡ이다 비ᄂᆡ이다 하나님게 비ᄂᆡ이다
비나이다 비나이다 하나님께 비나이다
충군忠君 ᄋᆡ민愛民 북청北青 원님 우리 고을 빌이시면
충군애민 북청원님 우리 고을 빌리시면
군뎡軍丁 도탄塗炭 그려다가 헌폐상軒陛上의 올이리라
군정도탄 그려다가 임금님께 올리리라
그ᄃᆡ ᄯᅩᄒᆞᆫ 명연明年 잇ᄣᆡ 처ᄌᆞ妻子 동ᄉᆡᆼ同生 거ᄂᆞ리고
그대 또한 내년 이때 처자 동생 거느리고
이 령노嶺路로 잡아들 ᄌᆡ 긋ᄣᆡ ᄂᆡ 말 ᄭᆡ치리라
이 고갯길로 접어들 때 그때 내 말 깨치리라
ᄂᆡ 심듕心中의 잇날 말ᄉᆞᆷ 횡설수설橫設竪設 ᄒᆞ려 ᄒᆞ면
내 심중에 있는 말씀 횡설수설 하려 하면
내일來日 이 ᄣᆡ 다 지나도 반半 나마 모자라리
내일 이 때 다 지나도 반 남아 모자라리
일모총총日暮忽忽 갈 길 머니 하직ᄒᆞ고 가노ᄆᆡ라
일모총총[61] 갈 길 머니 하직하고 가노매라

---

60 가족과 헤어지고 조상의 묘를 버림.
61 날 저물어 하늘에 촘촘하게 뜬 별이 또렷하게 빛나는 모양.

2. 거사가居士歌

① 작품명 : 거사가居士歌

② 작자명 : 미상

③ 출전 : 이용기李用基 편, 《악부樂府》(고려대학교 중앙도서관 소장)

④ 해제

〈거사가〉는 작자와 창작 시기를 알 수 없는 조선 후기 가사이다. 거사居士는 일반적으로 출가하지 않았으면서도, 불교의 계戒를 받고 법명法名을 가진 남자를 지칭한다. 이 작품에는 불도佛道를 닦는 것에 전념해야 할 화자가 파계하기까지의 과정이 거사와 과부의 대화 형식을 통해 나타나고 있으며, 작품의 중간중간에 제3의 인물인 서술자의 목소리가 개입되어 있기도 하다. 먼저 속세를 떠나 산에 숨어 사는 거사가 산에서 우연히 여인을 발견하고, 한눈에 반하여 여인의 미모를 칭찬하며 희롱하는 것으로 시작한다. 하지만 여인은 일찍 남편을 잃은 과부로, 남편의 묘를 이장移葬하고자 여러 산을 돌아다니다가 그곳까지 오게 된 인물이다. 거사와 과부의 대화로 진행되는 이 작품은, 여인이 거사의 제안을 거절하자 결국 거사가 하산下山하는 것으로 마무리된다.

⑤ 원문과 현대역

어화 그 뉘신고 어ᄃᆡ로셔 오신ᄂᆞᆫ가

어와 그 뉘신가 어디에서 오시는가

뎐샹 ᄇᆡᆨ옥경을 엇지ᄒᆞ여 리별ᄒᆞ고

천상 백옥경[1]을 어찌하여 이별하고

이내 산즁 깁흔 곳에 뉘를 ᄎᆞᄌᆞ 오시ᄂᆞᆫ가
이내 산중 깊은 곳에 뉘를 찾아 오시는가
반갑기도 무궁ᄒᆞ고 깃브기도 측량업다
반갑기도 무궁하고 기쁘기도 측량[2]없다
허허 깃블시고 희희 대소로다
허허 기쁠시고 희희 대소[3]로다
이 ᄯᆡ가 ᄉᆞᆷ월인지 나물 ᄏᆡ려 오시ᄂᆞᆫ가
이 때가 삼월인지 나물 캐러 오시는가
산명을 반기 듯고 념불 공덕 오시ᄂᆞᆫ가
산 이름 반겨 듣고 염불 공덕 오시는가
하ᄂᆞᆯ노 ᄂᆡ려ᄂᆞᆫ가 ᄯᅡ으로 소삿ᄂᆞᆫ가
하늘에서 내려왔는가 땅으로 솟았는가
셰류 ᄀᆞᆺ흔 가는 허리 츈풍에 휘노ᄂᆞᆫ 듯
세류[4]같은 가는 허리 봄바람에 휘노는 듯
용모 거동 ᄇᆞ라보니 ᄇᆡᆨᄐᆡ천염 가즐시고
용모거동[5] 바라보니 백태천염[6] 갖추었네
팔ᄌᆞ 츈산 그린 눈썹 초ᄉᆡᆼ 반월 아니신가
팔자 봄산 그린 눈썹 초생반월[7] 아니신가
단슌을 반ᄀᆡᄒᆞ고 웃ᄂᆞᆫ 듯 찡기ᄂᆞᆫ 듯
단순[8]을 반쯤 열고 웃는 듯 찡그리는 듯

---

1 천상백옥경天上白玉京. 천궁天宮과 같은 말로 하늘에 있다는 천제의 궁전.
2 측량測量. 생각하여 헤아림.
3 대소大笑. 큰소리를 내어 웃음.
4 세류細柳. 가지가 매우 가느다란 버드나무.
5 용모거동容貌擧動. 사람 얼굴 모습과 몸의 움직임.
6 백태천염百態倩艶. 모든 태도가 예쁘고 곱다는 것을 일컬음.
7 초생반월初生半月. 갓 생겨난 반달.
8 단순丹脣. 붉은 입술.

한나라 왕소군가 읫 나라 셔시련가
한나라 왕소군[9]인가 이웃 나라 서시[10]런가
이 곳이 요지련가 셔왕모의 즈시로다
이 곳이 요지[11]런가 서왕모[12]의 모습이로다
형산의 팔션년가 남악에 위부인가
형산의 팔선녀[13]인가 남악의 위부인[14]인가
위 공ᄌᆞ의 ᄌᆞ란 인가 당 명황에 양구빈가
위 공자의 자란인가 당 명황의 양귀비인가
쳔ᄐᆡ 만ᄐᆡ 가ᄌᆞ스니 사ᄅᆞᆷ인지 귀신인지
천태만태[15] 갖췄으니 사람인지 귀신인지
반갑기도 ᄭᅳᆺ이 업고 깃브기도 측량 업다
반갑기도 끝이 없고 기쁘기도 측량 없다
이 내 몸 거ᄉᆞ되여 셰샹 공명 ᄒᆞ직ᄒᆞ고
이 내 몸 거사되어 세상 공명 하직하고
태산을 의지ᄒᆞ여 우락을 몰낫더니
태산을 의지하여 우락[16]을 몰랐더니
산즁에 도를 닥가 이 각시를 만나서라
산속에 도를 닦아 이 각시를 만났구나
귀신이 도으시고 신령이 도으신가
귀신이 도왔는가 신령이 도왔는가

9 왕소군王昭君. 중국 전한시대 때의 미인.
10 서시西施. 중국 춘추전국시대 때의 미인.
11 요지瑤池. 중국 전설상의 선녀인 서왕모가 살고 있다는 곤륜산의 선경仙境.
12 서왕모西王母. 중국 신화에 나오는 불사약을 가진 신녀.
13 김만중의 소설 《구운몽》에 등장하는 팔선녀를 가리킴.
14 위부인衛夫人. 《구운몽》의 여주인공 중의 하나.
15 천자만태千姿萬態가 바른 표기. 가지각색의 자태.
16 우락憂樂. 근심과 즐거움.

이 산즁에 깃슬 드려 목탁으로 졍을 붓쳐
이 산중에 깃들어 목탁으로 정을 붙여
산ᄎᆡ를 ᄏᆡ여 먹고 음양을 몰낫더니
산채를 캐어 먹고 음양을 몰랐더니
아모리 갈나 ᄒᆞᆫ들 오신 각시 갈 길 업다
아무리 가려 한들 오신 각시 갈 길 없다
ᄉᆞ면을 ᄉᆞᆲ혀보니 만류ᄒᆞ 리 뉘 잇ᄂᆞᆫ가
사면을 살펴보니 만류할 이 누가 있는가
거ᄉᆞ님아 거ᄉᆞ님아 내 ᄉᆞ졍 드러보소
거사님아 거사님아 내 사정 들어보소
청츈 팔ᄌᆞ 긔박ᄒᆞ여 이 내 몸 과부되이
청춘 팔자 기박하여 이 내 몸 과부되어
가부를 이장코져 명산을 두로 ᄎᆞᄌᆞ
가부[17]를 이장하고자 명산을 두루 찾아
태산을 평디 ᄉᆞᆷ고 대ᄒᆡ를 륙디 ᄉᆞᆷ아
태산을 평지 삼고 대해를 육지 삼아
ᄉᆞᄒᆡ를 구경ᄒᆞ고 명산에 도라드니
사해를 구경하고 명산에 돌아드니
우연이 이 곳 와셔 그ᄃᆡ의계 욕을 보니
우연히 이곳 와서 그대에게 욕을 보니
욕을 보고 살 양이면 렬녀라 칭찬ᄒᆞ리
욕을 보고 살 양이면 열녀[18]라 칭찬하리
비ᄂᆞ이다 비ᄂᆞ이다 거ᄉᆞ님 전 비ᄂᆞ이다
비나이다 비나이다 거사님 앞 비나이다

---

17 가부家夫. 부인이 자기 남편을 이르는 말.
18 열녀烈女. 죽음을 무릅쓰고 절개를 지킨 여자.

이 내 몸이 산 밧게 무ᄉᆞ이 나게 ᄒᆞ면
이 내 몸이 산 밖에 무사히 나가게 하면
머리털노 신을 ᄉᆞᆷ고 풀을 ᄆᆡᄌᆞ 갑흐리다
머리털로 신을 삼고 풀을 맺어 갚으리라
비ᄂᆞ이다 비ᄂᆞ이다 거ᄉᆞ님게 비ᄂᆞ이다
비나이다 비나이다 거사님께 비나이다
어화 뎌 거ᄉᆞ의 ᄒᆞᄂᆞᆫ 거동 괴이ᄒᆞ다
어와 저 거사의 하는 거동 괴이하다[19]
범증의 말ᄉᆞᆷ으로 급격물실 뎨일이라
범증[20]의 말씀으로 급격물실[21] 제일이라
쳐ᄉᆞ가 완완ᄒᆞ면 그 사이에 좀이 난다
처사[22]가 완완[23]하면 그 사이에 좀[24]이 난다
우리 두리 맛나기ᄂᆞᆫ 텬우신조 ᄒᆞ엿구나
우리 둘이 만나기는 천우신조[25] 하였구나
각식님 가련ᄒᆞ되 버서날 길 바이 업다
각시님 가련하되 벗어날 길 전혀 없다
함졍에 든 범이오 듕영에 든 파리로다
함정에 든 호랑이요 중영[26]에 든 파리로다
산 밧게 산이오 물 밧게 물이로다
산 밖에 산이요 물 밖에 물이로다

---

19 이상할 수 없을 만큼 이상야릇함.
20 범증范增. 중국 진나라 때 항우項羽의 모사謀士.
21 급격물실急擊勿失. 빨리 공격해서 때를 놓치지 아니함.
22 처사處事. 일을 처리함.
23 완완緩緩. 동작이 느리고 굼뜸.
24 나무에 붙어서 나무를 파먹는 나무굼벵이, 가라좀 따위를 통틀어 이르는 말.
25 천우신조天佑神助. 하늘과 신령이 도움.
26 중영中營. 한가운데.

거ᄉᆞ님 ᄒᆞᄂᆞᆫ 말이 ᄌᆞᄐᆡ도 그만 두오
거사님 하는 말이 자태도 그만 두오
이런 줄 알아스면 어ᄂᆡ 뉘가 거ᄉᆞ되리
이런 줄 알았으면 어느 누가 거사되리
아미타불 념불인들 깃불시고 닉어서라
아미타불 염불인들 기쁠시고 익혔어라
ᄇᆡᆨ팔념쥬 목탁 ᄀᆡᆼ증 부톄님ᄭᅴ 드리리라
백팔염주 목탁 갱증[27] 부처님께 드리리라
산신님게 표ᄇᆡᆨᄒᆞ고 부톄님ᄭᅴ 하직ᄒᆞᆫ 후
산신님께 표백[28]하고 부처님께 하직한 후
나ᄂᆞᆫ 간다 나ᄂᆞᆫ 간다 산 아ᄅᆡ로 나는 간다
나는 간다 나는 간다 산 아래로 나는 간다
나ᄂᆞᆫ 슬타 나ᄂᆞᆫ 슬타 가ᄉᆞ 발랑 나는 실타
나는 싫다 나는 싫다 가사 바랑[29] 나는 싫다
가다가 아모데나 산 됴코 물 됴흔 ᄃᆡ
가다가 아무데나 산 좋고 물 좋은 데
ᄌᆞ좌오향으로 슈간 쵸옥 지은 후에
자좌오향[30]으로 수간초옥[31] 지은 후에
셕뎐을 깁히 갈아 쵸식을 먹을만졍
석전[32]을 깊이 갈아 초식을 먹을망정

27 꽹과리의 방언.
28 표백表白. 생각이나 태도 따위를 드러내어 밝힘.
29 스님들이 어깨에 걸고 다니는 커다란 주머니.
30 자좌오향子坐午向. 자子는 정북正北, 오午는 정남正南이니, 자좌오향子坐午向은 남향南向을 말함.
31 수간초옥數間草屋. 몇 칸 안 되는 작은 초가.
32 석전石田. 돌이 많은 거친 밭.

창송취쥭 갓치 백년을 즐길 젹에

창송취죽[33] 같이 백년을 즐길 적에

유ᄌᆞᄉᆡᆼ녀 ᄒᆞ고 보면 목탁 ᄀᆡᆼ증 일흠ᄒᆞ세

유자생녀[34] 하고 보면 목탁 갱증 이름하세

이 셰상 다 진커든 후ᄉᆡᆼ 길을 닥그리라

이 세상 다 끝나거든 후생 길을 닦으리라

---

33 창송취죽蒼松翠竹. 푸른 소나무와 푸른 대나무를 아울러 이르는 말.

34 유자생녀有子生女. 아들딸을 많이 낳음.

3. 계자사戒子詞

① 작품명 : 계자사戒子詞

② 작자명 : 김상직(金商稷, 1750～1815)

조선 후기의 선비, 학자로, 본관은 울산이다. 자는 교여敎汝, 호는 죽국헌竹菊軒이다. 59세에 전북 장수에 있는 팔공산에 들어가 은거한 후 3년 만에 마을로 내려와 한거하였다. 저서로 《죽국헌유고竹菊軒遺稿》가 있으며, 여기에 시조 3수, 가사 3편이 실려 있다.

③ 출전 : 《죽국헌유고竹菊軒遺稿》

④ 해제

아이들을 훈계하는 노래로 지어 아침저녁으로 암송하게 하였다고 전하는 작품이다. 훈계의 핵심은 학문에 힘쓰라는 것이다. 인간이 금수와 다른 것은 인·의·예·지가 있기 때문이니 이를 깨우쳐 도를 행하기 위해서는 끊임없이 학문에 정진하여 성인의 도를 본받아야 함을 강조하고 있다. 아울러 젊은이들이 학문의 길을 가지 않고 탐욕을 일삼으며 살아가는 것을 안타까워하며, 그들이 행해야 할 올바른 자세를 제시하고 있다. 마지막 부분에서는 어려운 환경에서도 주경야독하는 자신의 삶을 말한 다음 젊은이들에게 세월을 게을리 흘려보내지 말 것을 충고한다.

⑤ 원문과 현대역

新學少生신학소생 아희덜아 이ᄂᆡ 訓戒훈계 들어설어
글 배우는 아이들아 이내 훈계 들어보라

人間世上인간세상 貴귀한 거시 學問학문박기 ᄯᅩ 이쓰랴
인간세상 귀한 것이 학문밖에 또 있으랴
天地人천지인 三才삼재 中중에 人生인생이 最貴최귀ᄒᆞᆯ사
천지인 삼재 중에 인생이 가장 귀해
禽獸금수와 다른 ᄠᅳᆺ은 仁義禮智인의예지 이씰ᄉᆡ라
금수와 다른 뜻은 인의예지 있을세라
孔孟공맹 ᄀᆞᆺᄐᆞᆫ 大聖人대성인도 學問학문으로 道通도통ᄒᆞ고
공맹같은 대성인도 학문으로 도통하고
董仲舒동중서 司馬遷사마천도 文章문장으로 되여셔라
동중서 사마천도 문장으로 되었도다
心神심신이 恍惚황홀ᄒᆞ야 萬古事만고사을 點檢점검차고
심신이 황홀하여 옛일을 점검하고
學海학해에 ᄇᆡ를 ᄯᅳ여 筆墨필묵으로 도ᄯᅢ ᄉᆞᆷ아
학문 바다 배를 띄워 필묵으로 돛대 삼아
八荒팔황을 귀경ᄒᆞ고 定處정처 업시 ᄃᆡᆼ기ᄃᆞᆫ니
팔황[1]을 구경하고 정처 없이 다니더니
五倫오륜으로 터을 닥거 六德육덕으로 집을 ᄉᆞᆷ아
오륜으로 터를 닦아 육덕[2]으로 집을 삼아
九容구용 九思구사 壁벽에 걸고 六行육행 六藝육예 길을 ᄉᆞᆷ아
구용[3] 구사[4] 벽에 걸고 육행[5] 육예[6] 길을 삼아

---

1 온 세상.

2 사람이 지켜야 할 6가지 덕. 곧 지智·인仁·성聖·의義·충忠·화和.

3 심신수양에 필요한 아홉 가지 태도와 몸가짐. 족용중足容重·수용공手容恭·목용단目容端·구용지口容止·성용정聲容靜·두용직頭容直·기용숙氣容肅·입용덕立容德·색용장色容莊.

4 유학에서 말하는 군자로서 가지고 있어야 할 아홉 가지 생각. 시사명視思明·청사총聽思聰·색사온色思溫·모사공貌思恭·언사충言思忠·사사경事思敬·의사문疑思問·분사난忿思難·견득사의見得思義.

三綱五常삼강오상 八條目팔조목은 身上신상에 거러두고

삼강오상[7] 팔조목[8]은 내 몸에 걸어두고

孝悌忠信효제충신 禮義廉恥예의염치 心中심중에 가득 ᄎᆡ와

효제충신 예의염치 마음속에 가득 채워

ᄂᆞᆷ의 長短장단 是非시비 말고 ᄂᆡ의 炎凉염량 進退진퇴 말아

남의 장단 시비 말고 나의 슬기 진퇴 마라

大丈夫대장부 되야거든 居天下之거천하지 廣居광거ᄒᆞ며

대장부 되었거든 천하의 넓은 거처에 살며

立天下之입천하지 正位정위ᄒᆞ며 行天下之행천하지 大道대도ᄒᆞ면

천하의 올바른 위치에 서며 천하의 위대한 도리를 행하면

뉘라셔 是非시비ᄒᆞ며 그 뉘라셔 禁금ᄒᆞᆯ손야

그 누가 시비하며 그 누가 금할쏘냐

今世上금세상에 面墻客면장객은 曠安宅而광안택이 不居불거ᄒᆞ고

지금 세상에 견문좁은 사람은 편안한 집 비워두고 거처하지 않고

捨正路而사정로이 不由불유ᄒᆞ니 그 안이 可哀가애ᄒᆞᆫ가

올바른 것을 버리고 그것을 걸으려 하지 않으니 그 아니 애석한가[9]

蹊茅혜모을 부여ᄂᆡ여 가ᄂᆞᆫ 길을 트이과ᄌᆞ

띠풀을 베어내어 가는 길을 트고 싶고

---

5 여섯 가지의 덕행德行. 효도·형제 우애·친족 화목·외척 친목·친구 간의 믿음·구휼.

6 고대 중국 교육의 여섯 가지 과목. 예禮·악樂·사射·어御·서書·수數.

7 삼강三綱은 군신·부자·부부 사이에서 지켜야 할 도리道理인 군위신강君爲臣綱·부위자강父爲子綱·부위부강夫爲婦綱을 말하고, 오상五常은 인仁·의義·예禮·지智·신信을 이름.

8 《대학大學》의 수기치인修己治人의 여덟 조목. 격물格物·치지致知·성의誠意·정심正心·수신修身·제가齊家·치국治國·평천하平天下이다.

9 《맹자》에 나오는 "인인지안택야仁人之安宅也, 의인지정로야義人之正路也, 광안택이불거曠安宅而不居, 사정로이불유捨正路而不由, 애재哀哉"를 인용한 것.

黃鶯황앵을 옴겨ᄂᆡ여 喬木교목에 올으과져

꾀꼬리 옮겨내어 큰 나무에 옮기고 싶네[10]

오날이ᄂᆞ ᄉᆞ람 될가 來日내일이ᄂᆞ ᄉᆞ람 될가

오늘이나 사람 될까 내일이나 사람 될까

이ᄒᆡ 져ᄒᆡ ᄇᆞᄅᆞ다가 어ᄂᆡ ᄒᆡᄂᆞ ᄇᆞᄅᆞᆯ손야

이해 저해 바라다가 어느 해나 바랄쏘냐

그렁져렁 四十사십 되니 無惑而무혹이 有惑유혹이랴

그럭저럭 사십 되니 무혹이 유혹이랴[11]

ᄂᆡ 도례 못ᄃᆞ ᄒᆞ고 ᄂᆞᆷ의 用心용심 ᄌᆞ아ᄂᆡᆯ가

내 도리 못다 하고 남의 용심[12] 자아낼까

日用動靜일용동정 云爲운위 間간에 縱慾恣暴종욕자폭 조심ᄒᆞ라

일상에서 말과 행동할 새에 종용자폭[13] 조심하라

仁心根於인심근어 天理천리ᄒᆞ고 利慾生於이욕생어 物我물아ᄒᆞ니

어진 마음 천리에서 이욕은 물아에서 생기니

鷄雛犬子계추견자 나가거든 불너들여 ᄎᆞᄌᆞ오되

병아리 강아지 나가거든 불러들여 찾아오되

이ᄂᆡ ᄆᆞᄋᆞᆷ 나가거든 ᄎᆞᄌᆞᆯ 줄 모를손야

이내 마음 나가거든 찾아올 줄 모를쏘냐

ᄂᆞᆷ의 富貴부귀 부러 ᄆᆞᆯ고 ᄂᆞᆷ의 絶色절색 부러 ᄆᆞᆯ나

남의 부귀 부러워 말고 남의 절색 부러워 마라

勸學歌권학가 옛 말ᄉᆞᆷ 너히ᄂᆞᆫ 이졋ᄂᆞ냐

권학가 옛 말씀 너희는 잊었느냐

---

10 중국 송나라 시인 유극장의 〈앵사鶯梭〉에 나오는 "버들에 던졌다가 교목으로 옮겼다가 마냥 다정스럽고(척류천교태유정擲柳遷喬太有情)"를 차용한 것임.

11 미혹됨이 없으니 혹함이 있겠는가.

12 어떤 일에 마음을 씀.

13 함부로 행동함.

公侯鍾祿공후종록 願원치 ᄆᆞᆯ나 글 ᄀᆞ온ᄃᆡ 잇ᄂᆞ니라
고관 녹봉 원치 마라 글 가운데 있느니라
奴婢노비 田地전지 貪탐치 ᄆᆞᆯ나 글 가온ᄃᆡ 인ᄂᆞ니라
노비 논밭 탐치 마라 글 가운데 있느니라
어화 설운지고 이ᄂᆡ 身勢신세 孑孑혈혈ᄒᆞ야
어와 서럽도다 이내 신세 외로워서
父母부모를 早喪조상ᄒᆞ고 浮萍世부평세에 托身탁신ᄒᆞ야
어려서 부모 잃고 세상에 몸을 맡겨
月懸嶝월현등 山水산수 間간에 竹菊軒죽국헌 지어 두고
월현등 산수 간에 죽국헌 지어 두고
님ᄌᆞ 업는 淸風明月청풍명월 ᄒᆞᆫᄌᆞ ᄆᆞᆺ더 희롱터니
임자 없는 청풍명월 혼자 맡아 희롱터니
陋巷簞瓢누항단표 그 뉘런고 安貧樂道안빈낙도 못ᄒᆞ야셔
누항단표[14] 그 누구인가 도 즐길 줄 못하여서
書册서책을 ᄒᆞ즉ᄒᆞ고 歸農귀농이 已久이구로다
서책을 하직하고 귀농한 지 오래로다
아모리 今世上금세상에 以食爲天이식위천 ᄒᆞ것만은
아무리 지금 세상 먹는 것이 중요하것만은
堯之水요지수 九年구년인ᄃᆞᆯ 泰山태산조차 무어지며
요임금 때 구년 홍수인들 태산까지 무너지며
湯之旱탕지한 七年칠년인달 河海하해조ᄎᆞ ᄆᆞᆯ을소냐
탕임금 때 칠년 가뭄인들 하해까지 마를쏘냐
아모리 窮困궁곤ᄒᆞᆫ달 學問학문을 바히 말냐
아무리 곤궁한들 학문을 전혀 않을소냐

14 소박한 시골 살림. 또는 청빈한 선비의 살림의 비유.

晝耕주경 夜讀야독ᄒᆞ면 古蹟고적을 이즐손냐
낮에 밭갈고 밤에 읽으면 옛 자취를 잊을쏘냐
有莘유신의 널운 들에 伊尹이윤을 三聘삼빙ᄒᆞ며
유신[15]의 넓은 들로 이윤을 세 번 찾아가며[16]
南陽남양 지픈 草廬초려 中중에 孔明공명을 三顧삼고ᄒᆞᆫ다
남양 깊은 초려로 제갈공명 세 번 찾아간다
南山남산에 시문 ᄑᆞᆺ슨 줌줌이 ᄆᆡ여 ᄂᆡ며
남산에 심은 팥은 줌줌이 매어 내며
안상에 ᄊᆞ인 ᄎᆡᆨ은 卷卷권권이 ᄅᆡᆯ거 ᄂᆡ여
책상 위에 쌓인 책은 권권이 읽어 내어
慕孔子之모공자지 三絕삼절ᄒᆞ고 惜大禹之석대우지 寸陰촌음ᄒᆞ니
공자는 끈 세 번 끊었고[17] 우임금은 촌음도 아꼈으니[18]
如流여류ᄒᆞᆫ 歲月세월을 懈惰해타히 말어셔라
흐르는 세월을 게을리 하지 마라

---

15 나라 이름.

16 伊尹이윤을 三聘삼빙ᄒᆞ며. 중국 은나라 탕왕이, 유신의 들녘에서 밭을 갈던 이윤이 요순의 도를 즐기는 위대한 현인이라는 소문을 듣고 돈과 비단을 갖추어 세 번이나 사람을 보내어서야 겨우 초빙할 수 있었던 것을 가리킴.

17 慕孔子之모공자지 三絕삼절ᄒᆞ고. 공자가 책을 묶은 끈이 세 번이나 끊어질 정도로 책을 열심히 읽은 것을 가리킴.

18 惜大禹之석대우지 寸陰촌음ᄒᆞ니. 우임금이 짧은 시간도 아껴 책을 읽은 것을 말함.

4. 고공가雇工歌

① 작품명 : 고공가雇工歌

② 작자명 : 허전(許㙉, 생몰년 미상)

허전은 조선시대 선조조의 인물로 정확한 활동 사항은 알려져 있지 않다. 이수광(李睟光, 1563~1628)은 《지봉유설芝峯類說》에 "〈고공가〉는 당시 진사로 무과에 급제하였던 허전이 지은 것이다"라는 기록을 남겼다.

③ 출전 : 필사본 《잡가雜歌》

④ 해제

이 작품은 〈고공답주인가〉와 더불어 이른바 '연작형 가사'라 할 수 있는데, 각각 주인(고공가)과 고공(고공답주인가)의 입장에서 한 집안을 어떻게 경영할 것인가에 대한 진단과 대응책을 제시하고 있다. 두 작품은 모두 필사본 가사집인 《잡가》(김동욱 소장본)에 수록되어 있으며, 작자와 관련해서는 '선조 창작설'과 '허전 창작설'이 전해지고 있다. 그러나 작품의 내용이나 성격으로 보아, 일반적으로 허전이 창작한 것으로 받아들여지고 있다. 이 작품은 작자의 창작 의도와는 상관없이 일찍부터 그 내용이 당대 현실에 대한 우의寓意로 받아들여졌으며, 특히 임진왜란 직후의 혼란스러운 정세에 대해서 비판한 것으로 이해되고 있다. 그러나 이 작품을 우의적으로 해석하기보다, 당시 영세 자영농의 상황을 그대로 반영한 것으로 보아야 한다는 견해가 제기되기도 하였다.

⑤ 원문과 현대역

집의 옷 밥을 언고 들먹ᄂᆞᆫ 져 雇工아
집의 옷과 밥을 얹고 들먹는 저 고공[1]아
우리 집 ᄀᆡ별을 아ᄂᆞᆫ다 모로ᄂᆞᆫ다
우리 집 기별[2]을 아느냐 모르느냐
비오ᄂᆞᆫ ᄂᆞᆯ 일 업ᄉᆞᆯ ᄌᆡ ᄉᆞᆺ ᄭᅩ면셔 니ᄅᆞ리라
비오는 날 일 없을 때 새끼 꼬면서 말하리라
처음의 한어버이 사ᄅᆞᆷᄉᆞ리 ᄒᆞ려 ᄒᆞᆯ ᄌᆡ
처음에 할아버지 살림살이 하려 할 때
仁心을 만히 쓰니 사ᄅᆞᆷ이 졀로 모다
어진 마음 많이 쓰니 사람이 절로 모여
플 쌧고 터을 닷가 큰집을 지어내고
풀 베고 터를 닦아 큰집을 지어내고
셔리 보십 장기 쇼로 田畓을 ᄀᆡ경ᄒᆞ니
써레 보습 쟁기 소로 논밭을 기경[3]하니
오려논 터밧치 여드레 ᄀᆞ리로다
올벼논 텃밭이 여드레갈이[4]로다
子孫에 傳繼ᄒᆞ야 代代로 나려오니
자손에 전계[5]하여 대대로 내려오니
논밧도 죠커니와 雇工도 근검터라
논밭도 좋거니와 고공도 근검하더라

---

1 품삯을 받고 남의 일을 하는 사람.
2 소식이나 어떤 내용을 전하여 알림.
3 기경起耕. 생땅이나 묵힌 땅을 갈아 일궈 논밭으로 만듦.
4 논밭의 넓이가 8일 동안 갈 수 있을 정도.
5 계속 전함.

저희마다 여름지어 가ᄋᆞᆷ여리 사던 것슬
저희마다 여름지이[6] 넉넉하게 살던 것을
요ᄉᆞ이 雇工들은 혬이 어이 아조 업서
요사이 고공들은 생각이 어이 아주 없어
밥사발 큰나 쟈그나 동옷시 죠코 즈나
밥사발 크나 작으나 동옷[7]이 좋거나 나쁘거나
ᄆᆞᄋᆞᆷ을 ᄃᆞ호ᄂᆞᆫ 듯 호슈을 ᄉᆡ오ᄂᆞᆫ 듯
마음을 다투는 듯 호수[8]를 시기하는 듯
무ᄉᆞᆷ 일 갸드러 흘긧할긧 ᄒᆞᄂᆞᄉᆞᆫ다
무슨 일 감추려 흘깃흘깃 하느냐
너희ᄂᆡ 일 아니코 時節좃ᄎᆞ ᄉᆞ오나와
너희네 일 않고 시절조차 사나워
ᄀᆞᆺ득의 ᄂᆡ 셰간이 플러지게 되야ᄂᆞᆫᄃᆡ
가뜩이나 내 세간이 흩어지게 되었는데
엇그ᄌᆡ 火强盜에 家産이 蕩盡ᄒᆞ니
엇그제 화강도[9]에 가산을 탕진하니
집 ᄒᆞ나 불타붓고 먹을 껏시 전혀 업다
집 하나 불타버리고 먹을 것이 전혀 없다
큰나큰 셰ᄉᆞ을 엇지ᄒᆞ여 니로려료
크나큰 세간을 어떻게 이루런가
金哥 李哥 雇工들아 ᄉᆡ ᄆᆞᄋᆞᆷ 먹어슬라
김가 이가 고공들아 새 마음을 먹어서라

---

6 농사의 다른 말.
7 남자가 입는 저고리.
8 호수戶首. 공물과 세금을 바치는 일을 책임진 사람.
9 한밤중에 횃불을 들고 들이닥친 강도.

너희ᄂᆡ 졀머ᄂᆞᆫ다 혬 혈나 아니ᄉᆞᆫ다
너희네 젊었으니 생각 설마 아니할까
ᄒᆞᆫ 소ᄐᆡ 밥 먹으며 매양의 仄仄ᄒᆞ랴
한 솥에 밥 먹으며 매번 아웅다웅하랴[10]
ᄒᆞᆫ ᄆᆞᄋᆞᆷ ᄒᆞᆫ 뜻으로 녀름을 지어스라
한 마음 한 뜻으로 농사를 짓자꾸나
ᄒᆞᆫ 집이 가음열면 옷밥을 分別ᄒᆞ랴
한 집이 풍족하면 옷밥을 분별하랴
누고ᄂᆞᆫ 장기 잡고 누고ᄂᆞᆫ 쇼을 몰니
누구는 쟁기 잡고 누구는 소를 모니
밧 갈고 논 살마 벼 셰워 더져두고
밭 갈고 논 삶아[11] 벼를 심어 던져두고
ᄂᆞᆯ 됴흔 호ᄆᆡ로 기음을 ᄆᆡ야스라
날 좋은 호미로 기음[12]을 매어서라[13]
山田도 것츠럿고 무논도 기워간다
산밭도 거칠었고 무논도 무성해져 간다
사립 피 ᄆᆞᆯ목 나셔 볏 겨ᄐᆡ 셰올셰라
싸리 피가 우뚝하게 나서 벼 곁에 쇠어질까 두려워라
七夕의 호ᄆᆡ 씻고 기음을 다 ᄆᆡᆫ 후의
칠석에 호미 씻고 기음을 다 맨 후에
ᄉᆡᆺ ᄭᅩ기 뉘 잘ᄒᆞ며 셤으란 뉘 엿그랴
새끼 꼬기 뉘 잘하며 섬[14]은 뉘 엮으랴

10 측측仄仄ᄒᆞ랴. 마음이 각자 자신에게 기울어 아웅다웅함.
11 쟁기로 일군 큰 흙덩이를 잘게 부수어 부드럽게 만듦.
12 '김'의 방언.
13 잡풀을 잘 골라 뽑아 없앰.
14 곡식을 담기 위해 짚으로 엮어서 만든 자루.

너희 ᄌᆡ조 셰아려 자라자라 맛스라
너희 재주 헤아려 자주자주 맡아라
ᄀᆞ을 거둔 후면 成造를 아니 ᄒᆞ랴
가을[15] 거둔 후에는 집짓기[16]를 아니 하랴
집으란 내 지으게 움으란 네 무더라
집일랑 내 지을게 움[17]은 네가 묻어라
너희 ᄌᆡ조을 내 斟酌 ᄒᆞ엿노라
너희 재주를 내 짐작 하였노라
너희도 머글 일을 分別을 ᄒᆞ려므나
너희도 먹을 일을 분별을 하려무나
명셕의 벼ᄅᆞᆯ 넌들 됴흔 ᄒᆡ 구름 ᄭᅵ여 벳뉘을 언ᄌᆡ 보랴
멍석에 벼를 널어 좋은 해 구름 끼어 볕뉘[18]를 언제 보랴
방하을 못 ᄶᅵ거든 거츠나 거츤 오려
방아를 못 찧거든 거칠고 거친 올벼
옥 ᄀᆞᆺ튼 白米 될 쥴 뉘 아라 오리스니
옥 같은 백미가 될 줄 뉘 알아보겠느냐
너희ᄂᆡ ᄃᆞ리고 새 ᄉᆞ리 사쟈 ᄒᆞ니
너희네 데리고 새 살림 살자 하니
엇그ᄌᆡ 왓던 도적 아니 멀리 갓다 ᄒᆞᄃᆡ
엇그제 왔던 도적 아니 멀리 갔다 하는데
너희ᄂᆡ 귀 눈 업서 져런 쥴 모르관ᄃᆡ
너희네 귀와 눈이 없어 저런 줄 모르고서

15 농작물을 거두어 들이는 일.
16 성조成造. 일반적으로 집터를 담당하는 신을 말하는데, 여기서는 집을 새로 짓는 것을 의미함.
17 땅을 파고 위에 거적 따위를 얹고 흙을 덮어 추위와 비바람을 막게 한 곳.
18 작은 틈을 통해 잠깐 비치는 햇볕.

화살을 젼혀 언고 옷 밥만 닷토ᄂᆞᆫ다
화살을 제쳐두고 옷과 밥만 다투느냐
너희ᄂᆡ 다리고 칩ᄂᆞᆫ가 주리ᄂᆞᆫ가
너희네 데리고 추운가 굶주리는가
粥早飯 아ᄎᆞᆷ 져녁 더 ᄒᆞ다 먹엿거든
죽으로 아침 저녁 더 해다 먹였거든
은혜란 ᄉᆡᆼ각 아녀제 일만 ᄒᆞ려 ᄒᆞ니
은혜는 생각 않고 제 일만 하려 하니
혬 혜ᄂᆞᆫ 새 들이리 어ᄂᆡ 제 어더이셔
생각 깊은 새 일꾼을 어느 때 얻어서
집일을 맛치고 시름을 니즈려뇨
집일을 맡기고 시름을 잊겠는가
너희 일 ᄋᆡᄃᆞ라ᄒᆞ며셔 ᄉᆞᆺ ᄒᆞᆫ ᄉᆞ리 다 ᄭᅩ래라
너희 일 애달파하면서 새끼 한 사리[19] 다 꼬겠구나

19 실, 새끼 따위를 헝클어지지 않도록 감은 뭉치.

5. 고공답주인가雇工答主人歌

① 작품명 : 고공답주인가雇工答主人歌

② 작자명 : 이원익(李元翼, 1547～1634)

이원익은 조선 중기의 문인으로, 자는 공려公勵, 호는 오리梧里이다. 1569년(선조 2) 별시문과에 급제하여, 여러 벼슬을 지내다 광해군 때 폐모론廢母論에 반대하다 유배되었고, 인조반정 후 다시 영의정에 올랐다가 은퇴했다.

③ 출전 : 필사본《잡가雜歌》

④ 해제

이 작품은 〈고공가〉에 대한 답변 형식으로 이원익에 의해 창작되었으며, '고공이 주인에게 답하는 노래'라는 뜻을 지니고 있다. 하지만 이 작품의 화자는 애초부터 '고공'이 아니라 '종'의 신분으로 나타나고 있는데, 작품의 내용은 결국 고공이 아닌 종의 입장에서 주인에게 복종하는 것이 당연하다고 할 수 있다. 일반적으로 '고공'이란 일정한 대가를 받고 고용되어 그 집의 일을 해주는 사람을 일컫는데, 신분적으로 주인에게 예속된 '종' 또는 '노비'와 구별되는 존재이다. 조선 후기에는 이 작품이 〈고공가〉와 함께 전해지면서 향유되었기에, 이 작품들은 '연작형 가사' 혹은 '문답체' 형식으로 이해되고 있다. 〈고공답주인가〉는 화자가 종의 입장에서 집안의 형편을 진단하고, 가정 경영의 방도를 제시하는 내용으로 되어 있다. 하지만 화자가 제시한 내용은 암울한 현실에 대한 정확한 진단이라기보다 다소 관념적이고 추상적인 방안에 그치고 있다고 할 수 있다.

⑤ 원문과 현대역

어와 져 반하야 도라안자 내 말 듯소
어와 저 반하[1]야 돌아앉아 내 말 듣소
엇지ᄒᆞᆫ 져믄 소ᄂᆡ 혬 업시 단니ᄂᆞᆫ다
어찌하여 젊은 손에 생각 없이 다니느냐
마누라 말ᄉᆞᆷ을 아니 드러 보ᄂᆞᆫ다
상전님[2] 말씀을 아니 들어 보았는가
나ᄂᆞᆫ 일얼만뎡 外方의 늙은 툐이
나는 이럴망정 지방의 늙은 종이
공 밧치고 도라갈 ᄌᆡ ᄒᆞᄂᆞᆫ 일 다 보왓ᄂᆡ
공 바치고 돌아갈 때 하는 일 다 보았네
우리 ᄃᆡᆨ 셰간이야 녜붓터 이러튼가
우리 댁 세간이야 예부터 이렇던가
田民이 만탄 말리 一國에 소ᄅᆡ 나데
전민[3]이 많단 말이 한 나라에 소리났네
먹고 입ᄂᆞᆫ 드ᄂᆞᆫ 죵이 百餘口 나마시니
먹고 입고 드는 종이 백여 명 넘었으니
므ᄉᆞᆷ 일 ᄒᆞ노라 터밧ᄎᆞᆯ 무겨ᄂᆞᆫ고
무슨 일 하느라 텃밭을 묵혔는가
農莊이 업다 ᄒᆞᆯ가 호ᄆᆡ 연장 못 갓던가
농장이 없다 할까 호미 연장 못 가졌던가

---

1 반하班下. 양반의 집 하인이라는 뜻으로, 종들끼리 서로 부르는 말.
2 일반적으로 윗사람을 지칭하는 말로, 여기서는 〈고공가〉의 화자를 일컬음.
3 농민.

날마다 무슴ᄒᆞ려 밥 먹고 단기면셔
날마다 무엇하러 밥 먹고 다니면서
열 나모 亭子 아릐 낫ᄌᆞᆷ만 자ᄂᆞ손다
열 나무 정자 아래 낮잠만 자는가
아ᄒᆡ들 타시런가 우리 ᄃᆡᆨ 죵의 버릇 보거든 고이ᄒᆞ데
아이들 탓이런가 우리 댁 종의 버릇 볼수록 괴이하네
쇼 먹기ᄂᆞᆫ ᄋᆞᄒᆡ드리 샹ᄆᆞ름을 凌辱ᄒᆞ고
소 먹이는 아이들이 상마름[4]을 능욕[5]하고
進止ᄒᆞᄂᆞᆫ 어린 손ᄂᆡ 한 계대를 긔롱ᄒᆞᆫ다
오고 가는 어린 손들 한 어른을 기롱[6]한다
쌔쌔름 제급 못고 에에로 제 일 ᄒᆞ니
삐뚜름하게 제급[7] 모으고 딴 꾀로 제 일 하니
ᄒᆞᆫ 집의 수한 일을 뉘라셔 심써 ᄒᆞᆯ고
한 집의 여러 일을 뉘라서 힘써 할까
穀食庫 븨엿거든 庫直인들 어이 ᄒᆞ며
곡식창고 비었거든 고직[8]인들 어찌 하며
셰간이 흐터거니 딜자힌들 어이 ᄒᆞᆯ고
세간이 흩어지니 옹기인들 어찌 할까
내 왼 쥴 내 몰나도 남 왼 줄 모ᄅᆞᆯ넌가
내 그릇된 줄 내 몰라도 남 그릇된 줄 모르는가
플치거니 ᄆᆡᆺ치거니 할거니 돕거니
풀치거니 맺히거니 헐뜯거니 돕거니

---

4 마름의 우두머리. '마름'은 지주 대신에 소작인을 관리하는 사람.
5 업신여겨 욕보임.
6 기롱欺弄. 속이거나 빗대어 놀림.
7 제급除給. 돈이나 물건 따위를 덜고 줌.
8 창고를 살피고 지키는 사람.

ᄒᆞ로 열둣 ᄯᆡ 어수선 핀거이고

하루 열두 때 어수선 핀 것인가

밧별감 만하이ᄉᆞ 外方舍音 都達化主

바깥별감 많이 있어 바깥마름 도달화주[9]

제 소임 다 바리고 못ᄭᅳ릴 ᄲᅮᆫ이로다

제 소임 다 버리고 몸 꺼릴 뿐이로다

비 ᄉᆡ여 셔근 집을 뉘라셔 곳쳐 이며

비 새어 썩은 집을 누가 고쳐 이으며

옷 버서 문허진 담 뉘라셔 곳쳐 ᄊᆞᆯ고

옷 벗어 무너진 담 뉘라서 고쳐 쌓을까

불한당 구모도적 악 멀니 단이거든

불한당[10] 구메도적[11] 아직 멀리 다니거든

화살 ᄎᆞᆫ 誰何上直 뉘라셔 심써 ᄒᆞᆯ고

화살 찬 상직꾼[12] 뉘라서 힘써 할까

큰나큰 기운 집의 마누라 혼ᄌᆞ 안자

크나큰 기울어진 집에 상전님 혼자 앉아

긔걸을 뉘 드ᄅᆞ며 論議을 눌과 ᄒᆞᆯ고

명령을 누가 들으며 논의를 뉘와 할까

낫 시름 밤 근심 혼자 맛다 계시거니

낮 시름 밤 근심 혼자 맡아 계시거니

옥 ᄀᆞᆺ튼 얼굴리 편ᄒᆞ실 적 면 날이리

옥같은 얼굴이 편하실 적 몇 날이리

---

9 이들은 모두 주인의 재산을 지키는 소임을 맡은 사람들로 해석됨.

10 떼를 지어 다니며 강도짓 하는 무리.

11 자질구레한 물건만을 훔치는 도둑.

12 상직上直은 야간 당직. 수하상직誰下上直은 암호를 확인하며 당직을 서는 사람.

이 집 이리 되기 뉘 타시라 홀셔이고
이 집 이리되기 뉘 탓이라 할 것인가
혬 업는 죵의 일은 뭇도 아니 ᄒᆞ련니와
생각 없는 종의 일은 묻지도 아니 하려니와
도로혀 혜여ᄒᆞ니 마누라 타시로쇠
돌이켜 생각하니 상전님 탓이로다
ᄂᆡ 항것 외다 ᄒᆞ기 죵의 죄 만컨마ᄂᆞᆫ
내 생전 그르다 하기에는 종의 죄 많건마는
그러타 뉘을 보려 민망ᄒᆞ야 ᄉᆞᆲᄂᆞ이다
그렇다 세상 보며 민망하여 여쭙니다
ᄉᆞᆺ ᄭᅩ기 마ᄅᆞ시고 내 말ᄉᆞᆷ 드르쇼셔
새끼 꼬기 말으시고 내 말씀 들으소서
집 일을 곳치거든 죵들을 휘오시고
집일을 고치려거든 종들을 휘어잡고
죵들을 휘오거든 賞罰을 ᄇᆞᆯ키시고
종들을 휘어잡거든 상벌을 밝게 하시고
賞罰을 발키거든 어른 죵을 미드쇼셔
상벌을 밝히거든 어른 종을 믿으소서
진실노 이리 ᄒᆞ시면 家道 절노 닐니이다
진실로 이렇게 하시면 가도[13] 절로 일어날 것입니다

13 집안의 도덕이나 규율.

6. 관서별곡關西別曲

① 작품명 : 관서별곡關西別曲

② 작자명 : 백광홍(白光弘, 1522~1556)

백광홍은 전남 장흥 출생으로, 김인후·기대승·양응정·정철·최경창 등 당대 호남 명사들과 교유하였고 시문에 뛰어났다. 35세의 나이로 요절하였다. 아우 백광안·백광훈, 종제 백광성 등 집안 4형제가 '백씨사문장白氏四文章'으로 칭송받았다.

③ 출전 : 목판본《기봉집岐峯集》

④ 해제

〈관서별곡〉은 우리나라 유람기행가사의 첫 작품으로, 정철의 〈관동별곡〉보다 25년이나 앞서 지어져 후대에 많은 영향을 끼쳤다. 백광홍의 나이 34세 때인 1555년 평안도 평사評事 벼슬살이에 나아갔을 때 그곳 지방을 순행한 경험을 바탕으로 지은 국한문혼용체 작품이다. 작자가 왕명을 받들고 관서지방을 향해 출발하는 과정으로부터 평안도 여러 고을의 풍광과 풍물을 돌아보며 느낀 기행 노정을 운치 있게 노래했다. 유람기행가사 진술은 '준비 – 도정 – 도착 – 회정'의 과정으로 이루어지는 것이 통례며, 각 과정에서 환기되는 정서 체험을 '관찰 – 소회 – 표백'의 재현 과정을 통해 형상화함으로써 짜임새 있는 언어구조를 형성해나가는 것이 특징이다. 〈관서별곡〉 역시 여기에서 크게 벗어나 있지 않다.

⑤ 원문과 현대역

關西 名勝地예 王命으로 보ᄂᆡ실ᄉᆡ
관서 명승지에 왕명으로 보내심에
行裝을 다사리니 칼 ᄒᆞᆫᄂᆞ ᄲᅮᆫ이로다
행장을 다스리니 칼 하나 뿐이로다
延詔門 ᄂᆡ달아 모화고ᄀᆡ 너머드니
연조문[1] 내달아 모화고개 넘어드니
歸心이 ᄲᆞ르거니 故鄕을 思念ᄒᆞ랴
귀심[2]이 빠르거니 고향을 생각하랴
碧蹄에 말 가라 臨津에 ᄇᆡ 건너 天水院 도라드니
벽제에서 말 갈아 임진에 배 건너 천수원 돌아드니
松京은 故國이라 滿月臺도 보기 슬타
개성은 고려 도읍이라 만월대도 보기 싫다
黃岡은 戰場이라 荊棘이 지엇도다
황강[3]은 전쟁터라 가시덤불 우거졌도다
山日이 半斜컨을 歸鞭을 다시 ᄲᅢ와 九硯을 너머드니
산해가 기울거늘 귀편을 다시 뽑아 구현[4]을 넘어드니
生陽館 기슭에 버들죠차 푸르럿다
생양관 기슭에 버들조차 푸르도다
感松亭 도라드러 大同江 ᄇᆞᄅᆡ보니
감송정 돌아들어 대동강 바라보니

1 서대문 밖에 있던 중국 사신을 맞아들이던 문.
2 고향으로 돌아가고 싶은 마음.
3 황해도 황주 정방산성을 의미함.
4 구현駒峴의 오기인 듯. 구현은 평안도 중화군에 있는 신구 감사가 교대했던 원院.

十里波光과 萬重烟柳ᄂᆞᆫ 上下의 어릐엿다
십리파광[5]과 만중연류[6]는 위 아래에 어리었다
春風이 헌ᄉᆞᄒᆞ야 畵船을 빗기 보니
봄바람이 야단스러워 화선[7]을 비껴 보니
綠衣紅裳 빗기 안자 纖纖玉手로 綠綺琴 니ᄋᆞ며
녹의홍상[8] 비껴 앉아 섬섬옥수[9]로 녹기금[10] 이어타며
皓齒丹脣으로 采蓮曲 브ᄅᆞ니
호치단순[11]으로 채련곡[12] 부르니
太乙眞人이 蓮葉舟 ᄐᆞ고 玉河水로 ᄂᆞ리ᄂᆞᆫ ᄃᆞᆺ
태을진인[13] 연엽주 타고 옥하수로 내리는 듯
셜ᄆᆡ라 王事靡盬ᄒᆞᆫᄃᆞᆯ 風景에 어이 ᄒᆞ리
슬퍼라 왕사미고[14]한들 풍경에 어찌하리
練光亭 도라드러 浮碧樓에 올나가니
연광정 돌아들어 부벽루에 올라가니
綾羅島 芳草와 錦繡山 煙花는 봄비슬 쟈랑ᄒᆞᆫ다
능라도 방초[15]와 금수산 연화[16]는 봄빛을 자랑한다

---

5 길게 흘러내리는 물빛.
6 가득 안개낀 푸른 버들가지.
7 궁중무용 선유락에 쓰이는 배.
8 연두저고리 다홍치마. 젊은 여자의 고운 옷차림을 말함.
9 가냘프고 고운 여자의 손.
10 거문고 이름.
11 하얀 이와 붉은 입술. 아름다운 여인.
12 연잎과 연밥을 따는 노래.
13 신선.
14 나랏일에 소홀할 수 없음.
15 향기로운 풀.
16 봄의 경치.

千年箕壤의 太平文物은 어제론 닷 ᄒᆞ다마ᄂᆞᆫ
천년기양[17]의 태평문물은 어제인 듯 하다마는
風月樓에 ᄭᅮᆷ ᄭᆡ여 七星門 도라드니
풍월루에서 꿈 깨어 칠성문 돌아드니
細馬馱 紅衣예 客興이 엇더ᄒᆞ뇨
세마태[18] 홍의[19]에 객흥이 어떠한가
樓臺도 만ᄒᆞ고 山水도 하건마ᄂᆞᆫ
누대도 가득하고 산수도 많건마는
百祥樓에 올나 안ᄌᆞ 晴川江 ᄇᆞ라보니
백상루에 올라 앉아 청천강 바라보니
三叉形勢난 壯홈도 가이업다
세 갈래 형세는 장하기도 끝이 없다
ᄒᆞ믈며 快勝亭 ᄂᆞ려와 鐵瓮城 도라드니
하물며 결승정 내려와 철옹성 돌아드니
連雲粉堞은 百里에 버려잇고
연운분첩[20]은 백 리에 벌어져 있고
天設重崗은 四面에 빗겻도다
천설중강[21]은 사면에 뻗어 있도다
四方巨陣과 一國雄觀이 八道의 爲頭로다
사방거진과 한 나라 장관이 팔도에 으뜸이로다
梨園의 ᄭᅩᆺ 피고 杜鵑花 못 다 진 제
배꽃 동산에 꽃 피고 진달래 못 다 진 때

17 기자箕子. 이후 천년.
18 좋은 말에 짐을 실음.
19 붉은 빛깔의 옷.
20 성곽이 구름에 잇닿음.
21 하늘이 마련한 겹겹 봉우리.

營中이 無事커늘 山水를 보랴 ᄒᆞ야

감영이 무사하거늘 산수를 보려 하여

藥山東臺에 술을 실고 올나가니

약산 동대에 술을 싣고 올라가니

眼底雲天이 一望에 無際로다

눈 아래 구름 낀 하늘이 한눈에 무제[22]로다

白頭山 ᄂᆡ린 물이 香爐峯 감도라

백두산 내린 물이 향로봉 감돌아

千里를 빗기 흘너 臺 압프로 지ᄂᆡ가니

천 리를 비껴 흘러 누대 앞으로 지나가니

盤回屈曲ᄒᆞ야 老龍이 ᄭᅩ리 치고 海門으로 드난 ᄃᆞᆺ

반회굴곡[23]하여 노룡이 꼬리 치고 바다로 흘러드는 듯

形勝도 ᄀᆞ이 업다 風景인달 안니 보랴

형승도 끝이 없다 풍경인들 아니 보랴

綽約仙娥와 嬋娟玉鬢이

작약선아[24]와 선연옥빈[25]이

雲錦端粧ᄒᆞ고 左右의 버려 이셔

운금단장[26]하고 좌우에 벌여 있어

거믄고 伽倻鼓 鳳笙 龍管을 부르거니 니애거니 ᄒᆞ는 양은

거문고 가야금 생황 피리를 불거니 타거니 하는 양은

周穆王 瑤臺上의 西王母 만나 白雲曲 브ᄅᆞ난 ᄃᆞᆺ

주목왕 요대 위에 서왕모 만나 백운곡 부르는 듯

---

22 아득히 멀고 넓어 끝없음.

23 물이 빙 돌아 이리저리 굽어 꺾임.

24 호리호리하고 아리따운 여자 신선. 또는 달.

25 귀밑 털이 곱고 아름다운 여인. 또는 달.

26 운금단장雲錦丹粧이 바른 표기. 아름다운 비단옷으로 차려 입음.

西山에 히 지고 東嶺의 달 올아고
서산에 해지고 동녘 고개에 달 오르고
綠鬢雲鬟이 半含嬌態ᄒᆞ고 盞 밧드ᄂᆞᆫ 양은
녹빈운환[27]이 반함교태[28]하고 잔 받드는 모양은
洛浦仙女 陽臺에 ᄂᆡ려와 楚王을 놀ᄂᆡᄂᆞᆫ 닷
낙포선녀 양대에 내려와 초왕을 놀래는 듯
이 景도 됴커니와 遠慮ㅣ닌들 이즐쇼냐
이 경치도 좋거니와 근심인들 있을쏘냐
甘棠召伯과 細柳將軍이
감당 소백[29]과 세류 장군[30]이
一時예 同行ᄒᆞ야 江邊으로 巡下ᄒᆞ니
일시에 동행하여 강변으로 내려가니
煌煌玉節과 偃蹇龍旗ᄂᆞᆫ
황황옥절[31] 언건용기[32]는
長天을 빗기 지나 碧山을 쩔쳐 간다
넓은 하늘 비껴 지나 푸른 산을 떨치고 간다
都南을 너머 드러 ᄇᆡ고ᄀᆡ 올나 안자
도남을 넘어 들어 배고개 올라 앉아
雪寒ᄌᆡ 뒤에 두고 長白山 구버 보니
설한재 뒤에 두고 장백산 굽어 보니

---

27 구름같은 검은 쪽머리. 아름다운 미인.
28 아리따운 모습을 반쯤 머금고.
29 감당나무 밑에서 쉬었다는 소백. 소백은 어진 정치를 베푼 인물.
30 세류에 진을 쳤다는 주아부. 주아부는 군기를 엄히 다스린 명장.
31 빛나는 옥절.
32 높이 솟은 장군의 깃발.

重岡複關은 갈쇼록 어렵도다

중강복관[33]은 갈수록 어렵도다

百二重關과 千里劒閣도 이럿텃 하뎐도

백이중관[34]과 천리검각[35]도 이렇듯 하였던고

八萬貔貅는 啓道前行ᄒᆞ고

팔만비유[36]는 계도[37] 전행하고

三千鐵騎는 擁後奔騰ᄒᆞ니

삼천 철기는 옹후분등[38]하니

胡人部落이 望風投降ᄒᆞ야

호인부락[39]이 망풍투항[40]하여

白頭山 나린 물의 一陣도 업도다

백두산 내린 물에 한 진영도 없도다

長江이 天塹인달 地利로 혼쟈 ᄒᆞ며

긴 강이 천참[41]인들 지리로 혼자 하며

士馬 精强ᄒᆞᆫ들 人和 업시 ᄒᆞ올쇼냐

사마정강[42]한들 인화 없이 하겠는가

時平無事홈도 聖人之化로다

시평무사[43]함도 성인의 교화로다

---

33 거듭되는 산등성이와 겹겹의 관문.
34 중국 진나라 때 변경에 설치한 수많은 관문.
35 중국 장안에서 촉蜀 땅으로 가는 먼 길에 있는 검산의 요충지.
36 팔만 마리의 비휴. 비휴는 맹수로 용맹스러운 군사를 의미함.
37 길을 훤히 뚫음.
38 뒤를 옹호하여 뛰어 오름.
39 오랑캐 마을.
40 풍속을 선망하여 항복함.
41 천연의 요충지.
42 군사와 병마가 아주 강함.
43 시절이 태평함.

韶華도 슈이 가고 山水도 閒暇ᄒᆞᆯ 졔 아니 놀고 어이ᄒᆞᆯ리
소화[44]도 쉽게 가고 산수도 한가할 때 아니 놀고 어이하리
受降亭의 ᄇᆡ ᄭᅮ며 鴨綠江 ᄂᆡ리 져어
수항정에서 배 꾸며 압록강 내려 저어와
連江列鎭은 장긔 버듯 ᄒᆞ엿거늘
연강열진[45]은 장기 벌인 듯 하였거늘
胡地山川을 歷歷히 지ᄂᆡ 보니
오랑캐 산천을 역력히 다녀 보니
皇城은 언제 ᄡᆞ여 皇帝墓ᄂᆞᆫ 뉘 무덤고
황성은 언제 쌓았고 황제묘는 누구 무덤인가
感古興懷ᄒᆞ야 盞 고쳐 부어라
감고흥회[46]하여 잔 다시 부어라
琵琶串 ᄂᆞ리 저어 坡潴江 건너가니 層巖絕壁 보기도 죠토다
비파곶 내리 저어 파저강 건너가니 층암절벽 보기도 좋도다
九龍쇼의 ᄇᆡ를 ᄆᆡ고 統軍亭의 올나가니
구룡소에 배를 매고 통군정에 올라가니
臺隍은 壯麗ᄒᆞ야 枕夷夏之交로다
대황[47]와은 장려[48]하여 침이하지교[49]로다
帝鄉이 어듸ᄆᆡ오 鳳凰城 갓갑도다
제향[50]이 어디인가 봉황성 가깝도다

---

44 화창한 봄날.
45 강에 잇달아 나열된 진.
46 옛일을 생각하니 감회가 일어남.
47 누대와 해자(성 주위에 둘러 판 못).
48 웅장하고 화려함.
49 누대와 연못은 초나라와 중화 사이에 있음. 왕발王勃의 〈등왕각서滕王閣序〉
50 제왕이 태어난 곳.

西歸ᄒᆞ리 이시면 好音이ᄂᆞ 보ᄂᆡ고져

서쪽으로 돌아가는 이 있으면 호음[51]이나 보내고저

千盞에 大醉ᄒᆞ야 舞袖를 ᄯᅥᆯ치니

천 잔에 대취하여 무수[52]를 떨치니

薄暮寒天의 鼓笛聲이 지지괸다

박모한천[53]에 고적성[54]이 울려퍼진다

天高地迥ᄒᆞ고 興盡悲來ᄒᆞ니 이 ᄯᅡ히 어듸ᄆᆡ오

천고지형[55]하고 흥진비래[56]하니 이 땅이 어디인가

思親客淚ᄂᆞᆫ 졀로 흘너 모로ᄆᆡ라

사친객루[57]는 절로 흘러 모르겠네

西邊을 다 보고 返旆還營ᄒᆞ니

서쪽 변방 다 보고 반패환영[58]하니

丈夫胸襟이 저그ᄂᆞ ᄒᆞ리로다

장부흉금이 조금이나마 풀리겠네

셜ᄋᆡ라 華表柱 千年鶴인들 날 가타니 ᄯᅩ 보안난다

슬퍼라 화표주[59] 천년학[60]인들 나 같은 이 또 보았는가

어늬 졔 形勝을 記錄ᄒᆞ야 九重天의 ᄉᆞ로료

어느 때 형승을 기록하여 구중천에 아뢸까

---

51 좋은 소식.
52 춤추는 사람의 옷소매.
53 저물녘 차가운 날.
54 북 피리소리.
55 하늘은 높고 땅은 멂.
56 흥이 다해 슬픔 찾아옴.
57 어버이 그리는 눈물.
58 감영으로 돌아옴.
59 무덤 앞에 세우는 망주석.
60 신선이 된 정령위丁令威가 천년 만에 학이 되어 돌아와 화표주에 앉았다는 고사.

未久上達 天門ᄒᆞ리라

조만간 임금님께 글 올려 아뢰리라

7. 권선징악가勸善懲惡歌

① 작품명 : 권선징악가勸善懲惡歌

② 작자명 : 미상

③ 출전 : 이용기李用基 편 《악부樂府》(고려대학교 중앙도서관 소장)

④ 해제

작품에 앞서 서문에 해당하는 글이 실려 있다. 이에 따르면 변방 고을 수령으로 부임한 지 수개월 동안 많은 폐해를 목도하고 이를 시정하기 위해 선을 권하고 악을 징계하는 글을 짓게 되었다고 한다. 하지만 작품의 내용은 선악 일반에 대한 내용을 두루 포괄하기보다는 효·불효에 대한 내용에 초점을 맞추었다. 그리하여 효의 필요성을 강조하고, 효와 불효의 양상을 대비적으로 서술하였다.

⑤ 원문과 현대역

어화 ᄇᆡᆨ셩더라 이내 말 들어 보소
어와 백성들아 이내 말 들어 보소
오홉다 황ᄒᆞᆫ 상뎨 하민을 강츙ᄒᆞ샤
오홉다[1] 밝은 상제 백성을 보살피어
오샹의 근본ᄒᆞ야 ᄉᆞ단에 ᄆᆡᆼ동ᄒᆞ니
오상[2]에 근본하여 사단[3]에 싹이 트니

---

1 감탄하여 찬미할 때 내는 말.

2 사람이 항상 지켜야 할 다섯 가지 덕목인 인仁·의義·예禮·지智·신信.

ᄉᆞ단 오샹의 ᄉᆞ랑ᄒᆞᆷ이 어버이라
사단 오상에 사랑함이 어버이라
이러무로 녜적 셩현 효도로써 ᄆᆞᆫ져 ᄒᆞ니
이러므로 옛적 성현 효도로써 먼저 하니
증ᄌᆞ의 양지ᄒᆞᆷ과 노ᄅᆡ자의 무최ᄒᆞ물
증자[4]의 양지[5]함과 노래자[6]의 재롱 피움
녜 가고 이ᄌᆡ 오매 뉘 아니 흠탄ᄒᆞ리
예 가고 이제 오니 뉘 아니 감탄하랴
슲으다 우리 부모 지ᄌᆞᄒᆞ신 은혜여
슬프다 우리 부모 지대하신 은혜여
하ᄒᆡ 갓치 깁고 깁고 텬디 갓치 큼도 크다
하해 같이 깊고 깊고 천지 같이 크고 크다
이내 몸 회ᄐᆡᄒᆞ여 십삭을 뇌고ᄒᆞ니
이내 몸 회태[7]하여 열 달을 고생하니
음식을 삼가ᄒᆞ고 자립을 조심ᄒᆞ여
음식을 삼가고 좌립[8]을 조심하여
산월이 다ᄃᆞ라셔 신고이 나으시니
산월[9]이 다다라서 힘들게 나으시니
고고셩을 드르시고 알튼 줄 니즈신다
고고성[10] 들으시고 앓은 줄 잊으신다

---

3 인仁·의義·예禮·지智의 단서가 되는 네 마음인 측은지심惻隱之心·수오지심羞惡之心·사양지심辭讓之心·시비지심是非之心.

4 공자의 제자. 출천지효出天之孝로 늙은 아버지 증석曾晳에게 갖은 효도를 다하였음.

5 양지養志. 자식의 부모를 모시는 두 가지 방법 중 하나.

6 노래자老萊子. 70세에 색동옷을 입고 재롱을 피워 부모를 즐겁게 했다고 전함.

7 회태懷胎. 아이를 밴.

8 좌립坐立. 앉고 서는 행동거지.

9 산월産月. 해산 달.

닐니가 칭하ᄒᆞ고 실가가 샹경ᄒᆞᆫ다
이웃에서 축하하고 온 집안이 기뻐한다
슯으다 우리 부모 무육ᄒᆞᄂᆞᆫ 졍이신가
슬프다 우리 부모 무육[11] 정이신가
강보에 이슴으로 ᄒᆡ뎨의 니르어서
강보[12]에 있음으로 해제[13]에 이르러서
져즈 ᄃᆡ는 친이 ᄒᆞ고 ᄆᆞᆯ은 ᄃᆡ는 아희 ᄒᆞ여
젖은 데는 친히 하고 마른 데는 아이 하여
주우리고 ᄇᆡ고르며 치워ᄒᆞ고 더워하나
굶주리고 배곯으며 추워하고 더워하나
힝여 병들가 근심이라
행여 병들까 근심이라
들며 보고 나며 보아 품 가운ᄃᆡ ᄯᅥ날쇼냐
들며 보고 나며 보니 품 가운데 떠날쏘냐
ᄣᅢᄣᅢ로 얼으ᄂᆞᆫ져 댱대ᄒᆞ기 긔약ᄒᆞ여
때때로 어루만져 장대[14]하기 기약하여
스승 어더 ᄀᆞᄅᆞ치며 션업을 니를이라
스승 얻어 가르치며 선업[15]을 이루리라
아ᄎᆞᆷ 나가 더듸 오면 문의 셔셔 바라보며
아침 나가 늦게 오면 문에 서서 바라보며

---

10 고고성呱呱聲. 아이가 태어나면서 처음 우는 소리.
11 무육撫育. 어루만지고 보살펴 기름.
12 강보襁褓. 어린 아이를 덮거나 업는 데 쓰는 작은 이불.
13 해제孩提. 나이가 어린 아이.
14 장대壯大. 크고 튼튼함.
15 선업善業. 착한 일.

오ᄂᆞᆫ가 아니 오나 기ᄃᆞ리는 근심이라
오는가 안 오는가 기다리는 근심이라
네 신샹 닙은 오슨 지어시 니 ᄌᆞ모로다
네 몸에 입은 옷은 지으신 이 자모[16]로다
ᄲᅵᆨᄲᅵᆨ이 지어내니 못 시츨가 근심이라
빽빽이 지어내니 못 시칠까 근심이라
우리 부모 은공이여 가지록 망극ᄒᆞ다
우리 부모 은공[17]이여 갈수록 망극하다
두각이 쵸셩ᄒᆞ고 혈긔가 방장[18]ᄒᆞ니
두각[19]을 초성[20]하고 혈기가 방장하니
엇지ᄒᆞ여 사람 되여 현우가 각각 달나
어찌하여 사람 되어 현우[21]가 각각 달라
알음답다 져 집 ᄌᆞ식 효셩이 지극ᄒᆞ여
아름답다 저 집 자식 효성이 지극하여
날 가물 알기여셔 셤기기를 하ᄂᆞᆯ 갓치
날짜 감을 아껴가며 섬기기를 하늘 같이
슉슈의 공양과 감취ᄒᆞᆫ 마시로다
숙수[22]의 공양[23]과 만족스런 맛이로다

---

16 자모慈母. 어머니.
17 은공恩功. 은혜와 공로.
18 혈기방장血氣方壯. 힘을 쓰고 활동하게 하는 원기가 왕성함.
19 두각頭角. 재능, 학식, 기술 따위가 남보다 특히 뛰어남.
20 초성初聲. 처음 내는 소리.
21 현우賢愚. 현명함과 어리석음.
22 제사에서 숭늉을 말함.
23 콩과 물의 공양. 콩 먹고 물 마시는 변변치 못한 상황에서도 부모의 마음이 즐겁다면 그것이 곧 효도라는 말임.

얼굴을 화케 ᄒᆞ고 소ᄅᆡ를 낫게 ᄒᆞ야

얼굴을 순하게 하고 소리를 낮게 하여

친안을 위열ᄒᆞ여 친지를 슌케 하여

친안[24]을 위열[25] 친지[26]를 따르게 하여

황향의 션침과 뉵젹의 회귤과

황향의 선침[27] 육적의 회귤[28]을

이러ᄐᆞ시 효측ᄒᆞ여 셩의가 ᄋᆡ연ᄒᆞᆫ지

이렇듯이 효칙[29]하여 성의[30]가 의연[31]한지

왕상의 니어와 ᄆᆡᆼ죵의 듁슌은 효감의 쇼티로다

왕상의 리어[32] 맹종의 죽순[33]은 효감[34]의 소치[35]로다

향니가 칭예ᄒᆞ고 도ᄇᆡᆨ이 장계ᄒᆞ며

향리[36]가 칭찬하고 도백[37]이 장계[38]하며

---

24 친안親顔. 부모님 얼굴.

25 위열慰悅. 마음을 안심시켜 기쁘게 함.

26 친지親志. 부모님 뜻.

27 중국 후한後漢 때의 황향黃香이 아홉 살에 어머니를 여의고 아버지를 봉양하면서 여름에는 침석에서 부채질을 해드리고 겨울에는 침석을 따뜻하게 한 후 아버지가 들게 했다는 고사.

28 중국 삼국시대 오나라의 육적陸績이 여섯 살 때 원술袁術이 귤을 주자 어머니께 드리기 위해 품속에 품었다는 고사.

29 효칙效則. 본받아서 법으로 삼음.

30 진실되고 정성스러운 뜻.

31 의연毅然. 의지가 강하고 굳셈.

32 중국 위魏·진晉 시대 왕상王祥이 계모를 위해 한겨울에 얼음을 깨고 잉어를 구해 드렸다는 리어鯉魚고사.

33 중국 삼국시대 오나라의 맹종孟宗이 노모를 위해 겨울에 죽순을 구해 드렸다는 고사.

34 효감孝感. 효심이 지극한 행동에 신과 사람이 감동함.

35 소치所致. 어떠한 까닭으로 빚어진 바의 것.

36 향리鄕吏. 한 고을에서 대물림으로 내려오던 중인 계급의 관리.

37 도백道伯. 관찰사를 예스럽게 이르는 말.

38 장계狀啓. 임금에게 글로써 보고함.

특별이 젹문ᄒᆞ고 죵신토록 복쵸ᄒᆞ니
특별히 정문[39]하고 종신토록 복초[40]하니
향읍에 영화롭고 이목의 죠요ᄒᆞᆫ다
향읍[41]에 영화롭고 이목에 조요[42]하다
효ᄌᆞ로다 뎌 ᄉᆞᄅᆞᆷ을 뉘 아니 칭찬ᄒᆞ리
효자로다 저 사람을 뉘 아니 칭찬하리
져 사람 엇지ᄒᆞ여 불쵸ᄌᆡ 되엿ᄂᆞᆫ고
저 사람 어찌하여 불초자[43] 되었는가
부모의 즁ᄒᆞᆫ 은혜 가풀 쥴 젼여 몰나
부모의 중한 은혜 갚을 줄 전혀 몰라
제 몸은 후이 ᄒᆞ고 양친은 박히 ᄒᆞ며
제 몸은 아끼고 어버이는 박하며
쳐ᄌᆞ만 ᄉᆞ랑ᄒᆞ고 형뎨ᄂᆞᆫ 괄시ᄒᆞᆫ다
처자만 사랑하고 형제는 괄시한다
념치을 불고ᄒᆞ고 ᄌᆡ리만 탐ᄒᆞᄂᆡ
염치를 불고[44]하고 재리만 탐하네
농ᄉᆞ를 불고ᄒᆞ고 놀기만 조화ᄒᆞ며
농사를 불고하고 놀기만 좋아하며
기쥬 탐ᄉᆡᆨ을 승ᄉᆞ로 알고 ᄒᆞᄂᆡ
기주탐색[45]을 승사[46]로 알고 하네

---

39 정문旌門. 충신, 효자, 열녀 따위를 표창하기 위해 집 앞이나 마을 어귀에 세운 붉은 문.

40 복초服招. 복종하여 받아들임.

41 향읍鄕邑. 시골이나 고향에 있는 마을.

42 조요照耀. 밝게 비치어 빛남.

43 불초자不肖子. 부모를 닮지 못한 어리석은 자식. 아들이 부모에 대하여 자기를 낮추는 말.

44 불고不顧. 돌아보지 않음.

ᄊᆞ홈을 즐겨ᄒᆞ여 부모유쳬 샹히ᄒᆞᆫ다

싸움을 즐겨하여 부모유체[47] 상케 한다

힝ᄉᆞ가 무뢰ᄒᆞ여 불의에 ᄲᅡ지더라

행사[48]가 무뢰[49]하여 불의에 빠지더라

징송을 셩습ᄒᆞ여 형벌을 ᄌᆞ구ᄒᆞ니

쟁송[50]을 성습[51]하여 형벌을 자초[52]하니

친쳑을 불휼ᄒᆞ고 댱노를 불경ᄒᆞ여

친척에게 불휼[53]하고 당로[54]를 불경하여

풍화의 쇼관이요 이상의 즁ᄒᆞᆫ 배라

풍화의 소관이요 이상의 중한 바라

향당이 기지ᄒᆞ여 인뉴의 못 셧기니

향당[55]이 기지[56]하여 세상에 못 섞이니

오교 륙형에 불효가 위ᄃᆡ로다

오교와 육형 중에 불효가 첫째로다

슯으다 너의 부모 근심으로 늙는도다

슬프다 너의 부모 근심으로 늙는도다

---

45 기주탐색嗜酒貪色. 술을 좋아하고 여색을 밝힘.

46 승사勝事. 훌륭한 일.

47 부모유체父母遺體. 부모가 남긴 몸.

48 행사行事. 하는 일.

49 무뢰無賴. 성품이 막되어 예의와 염치를 모름.

50 쟁송爭訟. 서로 다툼.

51 성습成習. 버릇이 됨.

52 자초自招. 스스로 생겨나게 함.

53 불휼不恤. 돌보지 않음.

54 당로堂老. 남의 어머니를 높여 이르는 말.

55 향당鄕黨. 자기 태어났거나 살고 있는 시골 마을.

56 기지旣知. 이미 앎.

효도는 고샤ᄒᆞ고 이우ᄂᆞᆫ 무슴 일고
효도는 고사하고 이우[57]는 무슨 일인가
ᄇᆡᆨ슈의 눈물 젹셔 너ᄃᆞ려 닐은 말이
소매에 눈물 적셔 너에게 이른 말이
ᄂᆞᆷ의 ᄌᆞ식은 엇지ᄒᆞ여 효도로 ᄉᆞ친ᄒᆞ노
남의 자식 어찌하여 효도로 사친[58]하뇨
향당이 다 기릐고 부모가 다 질기신다
마을에서 다 기리고 부모가 다 즐기신다
관가의셔 미육 주고 나라의셔 정문ᄒᆞ니
관가에서 미육[59] 주고 나라에서 정문하니
ᄌᆞ숀이 슌근ᄒᆞ고 형뎨가 화락ᄒᆞ여
자손이 순근[60]하고 형제가 화락하여
신도로 술을 비저 부모의 헌슈ᄒᆞᆫ다
신도[61]로 술을 빚어 부모께 헌수[62]한다
복녹을 길게 눌여 ᄃᆡᄃᆡ로 효ᄌᆞ 된다
복록[63]을 길게 누려 대대로 효자 된다
우리 ᄌᆞ식 엇지ᄒᆞ여 이러ᄐᆞ시 패려ᄒᆞ고
우리 자식 어찌하여 이렇듯이 패려[64]하고
친지를 불순ᄒᆞ고 ᄌᆞ직을 불공ᄒᆞ여
친지를 불순하고 자식을 불공[65]하여

---

57 이우貽憂. 남에게 걱정을 끼침.
58 사친事親. 부모를 모심.
59 미육米肉. 쌀과 고기.
60 순근純謹. 순박하고 조심성이 많음.
61 신도新稻. 햅쌀.
62 헌수獻壽. 오래 살기를 빎.
63 복록福祿. 타고난 복.
64 패려悖戾. 도리에 어그러지고 사나움.

당의 가나 향의 가나 도쳐의 슈욕이라
당에 가나 향에 가나 도처에서 수욕[66]이라
사ᄅᆞᆷ의 ᄇᆞᆯ인 ᄇᆡ요 금슈의 갓갑도다
사람이 버린 바요 금수[67]에 가깝도다
신체 발부ᄂᆞᆫ ᄀᆞᆺ치 삼겨 낫것만은
신체발부[68]는 같이 생겨났건마는
엇지ᄒᆞ여 네 ᄒᆡᆼᄉᆞ는 ᄂᆞᆷ과 ᄀᆞᆺ지 못ᄒᆞᆯ쇼냐
어찌하여 네 행사는 남과 같지 못할쏘냐
효도와 불효ᄒᆞᆷ미 쇼양이 판연ᄒᆞ니
효도와 불효함이 소양[69]이 판연[70]하니
어화 ᄇᆡᆨ셩들라 일노써 거울ᄒᆞ라
어와 백성들아 이로써 거울하라[71]
젼젼 긍긍ᄒᆞ며 슉야의 텩념ᄒᆞ라
전전긍긍[72]하며 숙야[73]에 척념[74]하라
ᄉᆞ친의 도 이스니 셩심이 웃듬이라
사친의 도 있으니 성심이 으뜸이라
네 직업을 각근ᄒᆞ여 패만ᄒᆞ미 업게 ᄒᆞ라
네 직분에 각근[75]하여 거만함이 없게 하라

---

65 불공不恭. 공손하지 않음.
66 수욕受辱. 남에게서 모욕을 당함.
67 금수禽獸. 짐승.
68 신체발부身體髮膚. 몸과 머리털과 피부, 곧 몸 전체.
69 소양素養. 평소에 쌓아 닦고 바탕이 된 교양.
70 판연判然. 드러난 것이 아주 뚜렷함.
71 본받으라.
72 전전긍긍戰戰兢兢. 매우 두려워하며 벌벌 떨며 조심함.
73 숙야夙夜. 이른 아침과 늦은 밤.
74 척념惕念. 경계하며 두려워하는 마음.
75 각근恪勤. 정성을 다하여 부지런히 힘씀.

ᄉᆞ지를 근동ᄒᆞ야 ᄣᅢ 미처 갈고 ᄆᆡ여
사지[76]를 근종[77]하여 때 맞춰 갈고 매어
셔직과 도량으로 ᄌᆞ미를 극키ᄒᆞ라
서직[78]과 도량[79]으로 기쁨을 만끽하라
칠뇌ᄉᆞᆷᄉᆡᆼ인들 졍셩이 아니면 귀ᄒᆞᆯ쇼냐
칠뢰삼생[80]인들 정성이 아니면 귀할쏘냐
ᄂᆞ물쑥 추흔 밥도 슌지ᄒᆞ면 효도니라
나물국 추운 밥도 순지[81]하면 효도니라
가마귀ᄂᆞᆫ 반포ᄒᆞ고 호랑이도 괴유ᄒᆞ니
까마귀는 반포[82]하고 호랑이도 궤유[83]하니
금슈도 그러커든 ᄒᆞ물며 사람이야
금수도 그렇거든 하물며 사람이야
오ᄒᆡᆼ 졍긔 타나시며 만물의 신녕ᄒᆞ니
오행[84] 정기 타고났으며 만물이 신령하니
영ᄒᆡ에 잇슬 제도 ᄋᆡ친ᄒᆞᆷ을 알앗거든
영해[85]에 있을 때도 애친[86]함을 알았거든

---

76 사지四肢. 두 팔과 두 다리.
77 근종根種. 한 해에 같은 땅에서 두 번 농사지음.
78 서직黍稷. 기장과 피.
79 도량稻粱. 벼와 기장.
80 칠뇌ᄉᆞᆷᄉᆡᆼ. 삼생은 3가지 희생동물(소·양·돼지)을 가리키며, 칠뢰는 그것을 일곱 마리씩 주는 것. 제후를 대접하는 예법임.
81 순지純至. 불순한 마음이 조금도 없음.
82 반포反哺, 까마귀 새끼가 자라서 늙은 어미에게 먹이를 물어다 줌.
83 궤유跪乳. 무릎을 꿇고 젖을 먹음. 효행의 예가 있음을 가리킴.
84 우주 만물을 이루는 다섯 가지 원소. 금金·수水·목木·화火·토土.
85 영해嬰孩. 나이가 아주 어린 아이.
86 애친愛親. 부모를 사랑으로 공경함.

댱셩ᄒᆞ메 미쳐셔는 물욕의 ᄀᆞ리워셔
장성[87]함에 미쳐서는 물욕에 가리어서
이러트시 불효ᄒᆞᆫ들 본셩이야 그러ᄒᆞ랴
이렇듯이 불효한들 본성이야 그러하랴
포뎡 ᄯᅡ 불효ᄌᆞ는 형벌 업시 화ᄒᆞ고
포정 땅 불효자는 형벌 없이 화[88]하고
풍익 고을 형제 송ᄉᆞ 폐합ᄒᆞ여 감동ᄒᆞ니
풍익 고을 형제 송사 문을 닫아 감동하니[89]
내 치화 도라보니 녯사람은 못 ᄯᆞᆯ다도
내 치화[90] 돌아보니 옛사람은 못 따라도
슲으다 ᄇᆡᆨ셩이야 고금이 다를소야
슬프다 백성이야 고금이 다를쏘냐
착ᄒᆞᆫ 이를 됴화ᄒᆞ고 악ᄒᆞᆫ 거슬 아쳐ᄒᆞ문
착한 이를 좋아하고 악한 것을 싫어함은
사람의 샹졍이라
사람의 상정이라[91]
뎌 ᄀᆞ늘 하우라도 냥디냥능 업슬소냐
저 같은 하우[92]라도 양지양능[93] 없을쏘냐

87 장성長成. 자라서 어른이 됨.
88 중국 당나라 때 육상선陸象先이 포주자사가 되었을 때, 하급관리가 죄를 짓자 훈계해서 깨우치게 했다는 고사.
89 중국 한나라 때 풍익태수 한연수韓延壽가 형제 간 송사를 보고 "이는 교화가 이르지 않은 것이다."라며 문을 닫고 자기의 잘못을 뉘우치고 형제가 더 이상 다투지 않게 되었다는 고사.
90 치화治化. 백성을 잘 다스려 교화함.
91 인지상정人之常情. 사람이면 누구나 가지는 보통의 마음.
92 하우下愚. 매우 어리석고 못남.
93 양지양능良知良能. 사람이 나면서 가지고 있는 지능과 지혜.

착ᄒᆞᆫ ᄒᆡᆼ실 ᄭᆡ다라셔 이젼 ᄒᆡᆼ실 ᄇᆞ려셔라
착한 행실 깨달아서 이전 행실 버려라
ᄀᆡ과ᄒᆞ고 쳔션ᄒᆞ면 효ᄌᆞ 되기 얼여오랴
개과하고 천선하면[94] 효자 되기 어려우랴
사람의 ᄌᆞ식 된 쟈 이 말 듯고 경동ᄒᆞ여
사람의 자식 된 자 이 말 듣고 경동[95]하여
들면 효도ᄒᆞ고 나면 공경ᄒᆞ여
집에 오면 효도하고 밖에 나가면 공경하여
샹해 서로 경계ᄒᆞ여
상하 서로 경계하여
허물은 고쳐가고 업거든 더욱 힘써
허물은 고쳐가고 없거든 더욱 힘써
향쇽이 화합ᄒᆞ고 민풍이 비변ᄒᆞ면
향속이 화합하고 민풍이 비변[96]하면
사람은 간언 업고 부모는 근심 업서
사람은 간언[97] 없고 부모는 근심 없어
집마당 효ᄒᆡᆼ이요 사람마당 군ᄌᆡ로다
집마다 효행이요 사람마다 군자로다
내 늙으니 ᄉᆡᆼ각ᄒᆞ여 ᄂᆞᆷ의 늙으닐 공경ᄒᆞ면
내 늙을 것 생각하여 남 늙은이를 공경하면
부모의 즁ᄒᆞᆫ 은혜 만분지일 갑푸리라
부모의 중한 은혜 만분의 일 갚으리라

94 개과천선改過遷善. 지난날의 잘못을 뉘우치고 고쳐 착하게 됨.
95 경동警動. 깨우쳐 단속하고 격려함.
96 비변丕變. 깨뜨려 버림.
97 간언間言. 두 사람 사이를 이간하는 말.

일어트시 노래ᄒᆞ니 너의 ᄇᆡᆨ셩들리 노래ᄒᆞ라
이렇듯이 노래하니 백성들아 노래하라

8. 권학가勸學歌

① 작품명 : 권학가勸學歌

② 작자명 : 위백규(魏伯珪, 1727～1798)

위백규는 조선 후기의 실학자로서 영조 3년에 전남 장흥에서 태어나 정조 22년에 세상과 이별하였다. 그의 자는 자화子華요, 호는 존재存齋 또는 계항桂巷·계항거사桂巷居士이며, 본관은 장흥長興이다. 진사 위문덕魏文德의 아들로 39세 때 생원시에 합격했고, 학문에만 전념하다가 70세 때 옥과현감을 지냈다.

③ 출전 : 필사본 《존재가첩存齋歌帖》

④ 해제

〈권학가〉는 《존재가첩》의 맨 끝에 실려 있어 34행 68구만 남아 있고, 그 뒤는 낙장이 되어 전모를 알 수 없다. 그리고 필사본에는 작자를 밝히지 않았으나 위백규가 정조 11년(1787)에 지은 도덕가사이며, 청소년들에게 배움(학문)을 권장하는 뜻을 담은 작품이다. 국한문혼용체로 표기되어 있고, 7종의 이본이 있다.

⑤ 원문과 현대역

무사한뉴無事閒遊아희들아 이ᄂᆡ말삼 들어스라
무사한유[1] 아이들아 이내 말씀 들어보라

1 아무 일 없이 한가히 노님.

불학무식不學無識 비금수比禽獸을 너의 일정一定 모로는다
불학무식 비금수를 너의 일정 모르구나
황천황제黃泉皇帝 사람늘제 각수기직各授其職 ᄒᆞ엿써늘
황천황제 사람 날 제 각수기직[2] 하였거늘
무삼일로 너희들은 유희도일遊戱度日 무렴無念ᄒᆞ야
무슨 일로 너희들은 유희도일[3] 무념하여
본연심성本然心性 방실放失ᄒᆞ고 자포자기自暴自棄 즐기는가
본연심성[4] 방실하고 자포자기 즐기는가
박혁음주博奕飮酒 조아ᄒᆞ고 호협긔豪俠氣을 자양自揚ᄒᆞ야
박혁음주[5] 좋아하고 호협기를 자양하여
악의악식惡衣惡食 스려ᄒᆞ며 니욕여싁利慾女色 탐貪을ᄒᆞ면
악의악식 싫어하며 이욕여색 탐을 하면
금수禽獸도기 불원不遠ᄒᆞ고 사람도기 어려오니
금수 되기 불원하고 사람 되기 어려우니
효제충신孝悌忠信 물응거든 예의염치禮義廉恥 어이알니
효제충신[6] 모르거든 예의염치 어찌 알까
문짜文字을 몰아거즌 선ᄃᆡ명짜先代名字 어이알니
문자를 몰랐거든 선대명자 어찌 알까
천황씨天皇氏를 몰으거든 통음通音을 어이알니
천황씨[7]를 모르거든 통음을 어찌 알까

---

2 각기 직분을 줌.
3 유희遊戱로 나날을 보냄.
4 사람이 타고난 심성.
5 술을 과하게 마시는 것.
6 효孝와 제悌와 충忠과 신信. 효는 부모와 자식 사이의 도리, 제는 형제간의 도리를 말하며 충과 신은 인간의 도리를 위한 수양. 마음가짐을 말함.
7 중국 고대 전설에 나오는 세 임금. 즉 천天·지地·인人의 삼황三皇 중 으뜸.

심즁心中이 무주無主ᄒᆞ야 안전眼前에 담이놉다

심중이 줏대가 없어 안전에 담아놓다

이제청춘靑春 아ᄒᆡ달안 니욕利慾만 전쥬專主ᄒᆞ고

이제 청춘 아이들은 이욕만 전주[8]하고

ᄃᆡ인大人의 하ᄂᆞᆫ일을 망영妄靈도이 시비是非ᄒᆞ며

대인의 하는 일을 망녕되이 시비하며

문사文士의 ᄒᆞᄂᆞᆫ말을 외면外面ᄒᆞ야 들으면서

문사[9]의 하는 말을 외면하여 들으면서

우자愚者의 ᄒᆞᄂᆞᆫ닐을 영웅英雄이라 닐으나니

우자의 하는 일을 영웅이라 이르나니

이라타 무식둔無識群은 셩문聖門의 죄인罪人니라

이렇다 무식군은 성문의 죄인이라

남자男子로 삼겨나서 식적食賊이 되단말가

남자로 태어나서 식적[10]이 되는건가

방탕放蕩한 너의마암 이긔한유一其閑遊 용열타

방탕한 너의 마음 일기한유 용렬하다[11]

기쥬침색嗜酒沈色 죠와ᄒᆞ야 류희도일遊戲度日 ᄒᆞ거이와

기주침색 좋아하고[12] 유희도일 하거니와

인간人間의 만만사萬萬事을 역역歷歷키 생각ᄒᆞ되

인간의 만만사를 역역히 생각하되

사람의 ᄒᆞ올닐이 문필文筆밧귀 ᄯᅩ잇ᄂᆞᆫ가

사람의 하올 일이 문필밖에 또 있는가

---

8 오로지 주인으로 삼음.

9 글 읽는 선비.

10 무위도식無爲徒食하는 이를 낮추어 부르는 말.

11 사람이 변변하지 못하고 졸렬하다.

12 주색酒色에 빠짐.

천지간天地間 만권셜萬卷書을 복즁腹中의 가닥담고
천지간 만권서를 복중에 가득 담고
공ᄆᆡᆼ안증孔孟顔曾 ᄒᆞ신닐을 날마다 법바다서
공맹안증[13] 하신 일을 날마다 법 받아서
정주구소程朱歐蘇 ᄒᆞ온후에 자자字字이 본바다서
정주구소[14] 한 후에 자자이 본 받아서
작지서지作之書之 ᄒᆞ온후에 마암을 죵사從事ᄒᆞ야
작지서지[15] 한 후에 마음을 종사하여
월즁月中에 단계화丹桂花을 한가지 썩거쥐고
월중에 단계화[16]를 한 가지 꺾어 쥐고
락교변洛橋邊 청운상靑雲上의 반용닌攀龍鱗 부봉익附鳳翼 ᄒᆞ면
낙교변 청운상[17]의 반용린 부봉익[18] 하면
옥당玉堂에 할님翰林이오 승평세계昇平世界 ᄒᆞ올쎡의
옥당[19]에 한림[20]이오 태평스러운 세상 할 적에
만만滿滿한 부귀인富貴印을 요간腰間의 비기차고
만만[21]한 부귀인을 허리틈에 비껴 차고

---

13 공자孔子와 맹자孟子. 공자의 제자인 안회顔會와 증자曾子.

14 중국 북송北宋시대 신유학新儒學의 거목인 정호程顥·정이程頤 형제와 주희朱喜. 문인이며 사상가인 구양수歐陽修. 대문호 소식蘇軾을 말함. 한대漢代의 유학이 훈고訓詁 위주인데 비해 신유학은 의리義理를 천술하고 성명姓名을 주로 논했음. 대표 사상가의 이름을 따서 정주학程朱學이라고도 불림.

15 제가 계획하고 제가 실천함.

16 붉은 계수나무 꽃.

17 높은 명예나 벼슬을 말함.

18 용의 비늘을 끌어 잡고 봉황의 날개에 붙는다는 뜻으로 영주英主를 섬겨 공명功名을 세운다는 뜻. 줄여서 반룡부봉攀龍附鳳이라 함.

19 홍문관弘文館을 달리 이르던 말.

20 조선 시대 예문관藝文館의 검열檢閱을 달리 이르는 말.

21 모자람 없이 넘칠 만큼 가득함.

홍진도紅塵道 자믹상紫陌上의 승피마 의경구承肥馬 依輕裘ᄒᆞ야

속세 도성의 길에 승비마 의경구[22]하여

호긔豪氣 잇게 단일저긔 불학무식不學無識 저인물은

호기[23] 있게 다닐 적에 불학무식 저 인물은

도로道路ᄋᆡ 에워서셔 추주승풍趨走承風 ᄒᆞᄂᆞᆫ고나.

도로에 에워 서서 추주승풍[24] 하는구나

22 살찐 좋은 말을 타고, 가볍고 따듯한 가죽옷을 입음. 곧 부귀영화富貴榮華를 비유하는 말.

23 씩씩하고 호방한 기상.

24 바람에 휩쓸려 이리저리 다님.

9. 권학가勸學歌

① 작자명 : 권학가勸學歌

② 작자명 : 최제우(崔濟愚, 1824~1864)

최제우의 본관은 경주慶州, 자는 성묵性默, 아명은 복술福述, 관명冠名은 제선濟宣, 호는 수운水雲이다. '제우濟愚'는 35세 되던 해에 어리석은 중생을 구제한다는 뜻으로 스스로 지은 이름이다. 1824년 12월 18일 경주 가정리稼亭里(지금의 경상북도 경주시)에서 출생했다. 조선 말기의 종교사상가로 민족 고유의 경천敬天 사상을 바탕으로 유儒·불佛·선仙과 도참사상·후천개벽사상 등의 민중 사상을 융합하여 동학東學을 창시하였다. 그는 포교를 위해 〈용담가龍潭歌〉·〈안심가安心歌〉·〈교훈가敎訓歌〉·〈몽중노소문답가夢中老少問答歌〉·〈도수사道修詞〉·〈권학가勸學歌〉·〈도덕가道德歌〉·〈흥비가興比歌〉·〈검결劍訣〉 등의 한글 가사를 지었고, 〈포덕문布德文〉·〈논학문論學文〉·〈수덕문修德文〉·〈불연기연不然其然〉 등 한문으로 된 글들을 남겼다. 그의 한문 저술들은 1880년 최시형에 의해 《동경대전(東經大全》으로 편찬되었으며, 한글 가사들은 이듬해 《용담유사龍潭遺詞》로 묶여 간행되었다.

③ 출전 : 《용담유사龍潭遺詞》

④ 해제

이 작품은 《용담유사》에 실려 있는 9편 중 하나이다. 최제우가 남원 교룡산성 은적암에서 신유년辛酉年(1861)을 보내고, 임술년壬戌年(1862) 새해를 맞이하면서 각지 제자들에 대한 정회情懷를 노래한 작품이다. 최제우 자신이 세운 동학을 중심으로 해서 모두가 한울님의 참

뜻으로 돌아가 한 몸 같이 될 것을 권유하고 있다. 또한 어질고 뜻있는 사람을 만나 시대의 운수와 변화를 이야기하고 있다.

⑤ 원문과 현대역

노유한담路柳閑談 무ᄉᆞᄀᆡᆨ無事客이 팔도강산 다밟아셔
노류한담[1] 무사객[2]이 팔도강산 다 밟아서
젼ᄅᆞ도 은젹암에 환셰ᄎᆞ換歲次로 쇼일消日하니
전라도 은적암[3]에 환세차[4]로 소일[5]하니
무졍ᄒᆞᆫ 이셰월에 놀고보고 먹고보셰
무정한 이 세월에 놀고 보고 먹고 보세
호호망망浩浩茫茫 너른텬디 쳥려靑藜를 벗을삼아
호호망망 넓은 천지 청려[6]를 벗을 삼아
일신一身으로 비겨셔셔 젹셰만물觀世萬物 하여보니
일신으로 비켜서서 적세만물[7] 하여 보니
무ᄉᆞᄒᆞᆫ 이내회포 븟칠곳 바이업셔
무사한 이내 회포 부칠 곳 전혀 없어
말노하며 글을지어 송구영신送舊迎新 하여보셰
말로 하며 글로 지어 송구영신[8] 하여보세

---

1 길가 버드나무 밑에서 나누는 한가한 이야기.
2 일 없는 나그네. 곧 작자 자신.
3 전북 남원 교룡산성에 있는 암자. 최재우가 1861년 12월부터 1862년 3월까지 머무름.
4 한 해를 보내고 새해를 맞이함.
5 특별히 하는 일 없이 하루하루를 보냄.
6 청려장靑藜杖. 명아주 풀로 만든 지팡이.
7 세상만물을 멀리 내다봄.
8 묵은해를 보내고 새해를 맞음.

무정ᄒᆞᆫ 이셰월이 웃지이리 무졍ᄒᆞᆫ고
무정한 이 세월이 어찌 이리 무정한고
어화셰상 사ᄅᆞᆷ들아 인간칠십人間七十 고릐회古來稀ᄂᆞᆫ
어와 세상 사람들아 인간칠십고래희[9]는
만고유젼萬古流傳 안일넌가 무졍ᄒᆞᆫ 이셰월을
만고유전[10] 아닐런가 무정한 이 세월을
력력히 혜여보니 광음光陰갓흔 이셰상에
역력히 헤아려 보니 광음[11]같은 이 세상에
부유蜉蝣갓흔 뎌인ᄉᆡᆼ을 칠십평ᄉᆡᆼ 칭찬하야
부유[12]같은 저 인생을 칠십 평생 칭찬하여
드물稀字회ᄌᆞ 젼탄말가 어화셰샹 사ᄅᆞᆷ들아
드물 희자 전한단 말인가 어와 세상 사람들아
만고풍상萬古風霜 젹근손이 노ᄅᆡᄒᆞᆫ쟝 지어보셰
만고풍상[13] 겪은 손이 노래 한 장 지어 보세
만고풍샹 젹근일을 산슈만나 쇼챵消暢하고
만고풍상 겪은 일을 산수 만나 소창[14]하고
어린ᄌᆞ식 고향ᄉᆡᆼ각 노ᄅᆡ지어 쇼챵하니
어린 자식 고향 생각 노래 지어 소창하니
이글보고 웃지말고 슉독샹미熟讀嘗味 하여셔라
이 글 보고 웃지 말고 숙독상미[15] 하여서라

---

9 사람이 칠십까지 사는 일이 예로부터 드묾.
10 오랜 세월이 흘렀어도 변하지 않고 전함.
11 시간 또는 세월.
12 하루살이.
13 오랜 세월이 지나는 동안 겪어온 온갖 고난이나 고통.
14 심심하거나 갑갑한 마음을 풀어 후련하게 함.
15 뜻을 생각하며 자세히 읽고 깊이 음미함.

억죠창싱億兆蒼生 만은사룸 사룸마다 이러하며
억조창생[16] 많은 사람 사람마다 이러하며
허다훈 언문가ᄉᆞ 노릐마다 이러할가
허다한 언문가사[17] 노래마다 이러할까
구구ᄌᆞᄌᆞ句句字字 ᄉᆞᆲ혀닉야 력력히 외와닉셔
구구자자 살펴 내어 역력히 외워 내서
츈삼월春三月 호시졀好時節에 놀고보고 먹고보셰
춘삼월 호시절에 놀고 보고 먹고 보세
강산구경 다던지고 인심풍쇽 ᄉᆞᆲ혀보니
강산 구경 다 던지고 인심 풍속 살펴보니
부ᄌᆞ유친 군신유의 부부유별 장유유셔
부자유친 군신유의 부부유별 장유유서
붕우유신 잇지마는 인심풍쇽 고이하다
붕우유신 있지마는 인심 풍속 괴이하다
셰샹구경 못훈사룸 츌싱이후 쳠이로다
세상 구경 못한 인생 출생 이후 첨이로다
싱쟝生長훈 이내곳에 인심풍쇽 한탄히셔
생장[18]한 이내 곳의 인심 풍속 한탄해서
불고가산不顧家産 발졍發程하여 방방곡곡方方谷谷 차ᄌᆞ와셔
불고가산[19] 발정하여 방방곡곡[20] 찾아와서
미미ᄉᆞᄉᆞ每每事事 ᄉᆞᆲ혀보니 허다훈 남녀사룸
매매사사[21] 살펴보니 허다한 남녀 사람

---

16 수많은 백성.
17 우리말로 지은 가사歌詞.
18 태어나고 자란.
19 집의 형편을 돌아보지 않음.
20 방방곡곡坊坊曲曲.

사ᄅᆞᆷ마다 낫치셜고 인심풍쇽 하ᄂᆞᆫ거동
사람마다 낯이 설고 인심 풍속 하는 거동
ᄆᆡᄆᆡᄉᆞᄉᆞ 눈에거쳐 타도타관 안일넌가
매매사사 눈에 걸려 타도타관[22] 아닐런가
이내좁은 소견으로 호풍호쇽胡風胡俗 보랴ᄒᆞ고
이 내 좁은 소견으로 호풍호속[23] 보려 하고
어진친구 조흔벗을 일죠리별 하단말가
어진 친구 좋은 벗을 하루 아침에 이별한단 말인가
산슈풍경 다던지고 동지섯달 셜한풍에
산수풍경 다 던지고 동지 섣달 설한풍에
촌촌젼진寸寸轉進 하다가셔 일쇼일파一笑一罷 하여보셰
촌촌전진[24] 하다 가서 일소일파 하여 보세
어화셰샹 사ᄅᆞᆷ들아 셰샹풍쇽 모르거던
어와 세상 사람들아 세상 풍속 모르거든
내곳풍쇽 ᄉᆞᆲ혀보쇼 이도역시 시운時運이라
내 곳 풍속 살펴보소 이도 역시 시운이라
무가내라無可奈 할길업ᄂᆡ 편답강산遍踏江山 아니하면
무가내[25]라 할 일 없네 편답강산 아니하면
인심풍쇽 이런쥬를 아니보고 웃지알ᄭᅩ
인심 풍속 이런 줄을 아니 보고 어찌 알까

21 일마다.
22 타도타관他道他官. 다른 도와 다른 고을.
23 오랑캐의 좋지 않은 풍속.
24 한 치 한 치 더듬어 나아간다는 뜻으로, 매우 더딘 속도로 전진함을 이르는 말. 여기에서는 마을에서 마을로 옮겨 다닌다는 뜻.
25 굳게 고집을 하여 어찌할 수가 없음.

대뎌인간 ᄇᆡᆨ쳔만ᄉᆞ百千萬事 보고나니 한이업ᄂᆡ
대저 인간 백천만사 보고나니 한이 없네
ᄌᆞ고급금自古及今 촌탁忖度하니 요슌셩셰堯舜聖世 그쌔라도
자고급금[26] 촌탁[27]하니 요순성세 그때라도
일텬지하一天地下 만은사ᄅᆞᆷ 사ᄅᆞᆷ마도 요슌堯舜일셰
일천지하 많은 사람 사람마다 요순일세
륜회輪回갓치 둘린운수 슈원슈구誰怨誰咎 안일넌가
윤회같이 들린 운수 수원수구[28] 아닐런가
아모리 이셰샹世上도 현인군ᄌᆞ賢人君子 잇지마는
아무리 이 세상도 현인 군자 있지마는
진토塵土즁에 무친옥셕玉石 뉘라셔 분간하며
진토 중에 묻힌 옥석 뉘라서 분간하며
안빈락도安貧樂道 하지마는 뉘라셔 지도濟度할고
안빈낙도[29] 하지만은 뉘라서 제도[30]할고
시운을 의론ᄒᆡ도 일셩일쇠一盛一衰 안일넌가
시운을 의논해도 일성일쇠[31] 아닐런가
쇠운衰運이 지극하면 셩운盛運이 오지마ᄂᆞᆫ
쇠운[32]이 지극하면 성운[33]이 오지마는
현슉賢淑ᄒᆞᆫ 모든군ᄌᆞ 동귀일톄同歸一體 하렷던가
현숙[34]한 모든 군자 동귀일체[35] 하였던가

---

26 예부터 지금까지.
27 미루어 헤아리니.
28 남을 원망하거나 책망할 것이 없음.
29 가난한 생활을 하면서도 편안한 마음으로 도를 지키며 즐김.
30 중생을 고해에서 벗어나 극락세계로 인도함.
31 한번 성했다가 한번 쇠함.
32 쇠하여 가는 운수.
33 번영하는 운수.

어렵도다 어렵도다 만나기도 어렵도다
어렵도다 어렵도다 만나기도 어렵도다
방방곡곡方方谷谷 차ᄌᆞ들어 만나기만 만날진ᄃᆡ
방방곡곡 찾아들어 만나기만 만날진대
흉즁胸中에 품은회포懷抱 다른할말 바이업고
흉중에 품은 회포 다른 할 말 전혀 없고
수문수답隨問隨答 하온후에 당당졍리堂堂正理 ᄇᆞᆰ혀ᄂᆡ니
수문수답[36] 하온 후에 당당정리[37] 밝혀내니
일셰샹 뎌인물이 도탄즁 안일넌가
일 세상 저 인물이 도탄 중 아닐런가
함지ᄉᆞ디陷之死地 츌ᄉᆡᆼ뎔아 보국안민輔國安民 ᄋᆞᆺ지할고
함지사지[38] 출생들아 보국안민[39] 어찌할까
대뎌인간 초목군ᄉᆡᆼ草木羣生 ᄉᆞᄉᆡᆼᄌᆡ텬死生在天 안일넌가
대저 인간 초목군생 사생재천[40] 아닐런가
불시풍우不時風雨 원망ᄒᆡ도 림ᄉᆞ호텬臨死呼天 안일넌가
불시풍우[41] 원망해도 임사호천[42] 아닐런가
삼황오뎨三皇五帝 셩현聖賢들도 경텬슌텬敬天順天 안일넌가
삼황오제[43] 성현들도 경천순천[44] 아닐런가

---

34 마음과 행동이 어질고 바름.
35 함께 한 몸으로 돌아감. 천도교에서 인간의 정신적 결합을 뜻하는 말.
36 묻는 대로 거침없이 대답함.
37 당당하게 바른 이치.
38 아주 위험한 처지에 빠짐.
39 나라를 돕고 백성을 편하게 함.
40 죽고 사는 것은 하늘에 달려 있음.
41 때 아니게 부는 바람과 오는 비.
42 죽음에 임하여 하늘을 부름.
43 중국 고대 전설에 나오는 삼황과 오제를 아울러 이르는 말.
44 하늘을 공경하고 따름.

효박淆薄ᄒᆞᆫ 이셰샹에 불고텬명不顧天命 하단말가
효박[45]한 이 세상의 불고천명[46] 한단 말인가
쟝평ᄀᆡᆼ졸長平坑卒 만은사ᄅᆞᆷ 하ᄂᆞᆯ님을 우러러셔
장평갱졸[47] 많은 사람 한울님을 우러러서
조화즁에 ᄉᆡᆼ겨시니 은덕은 고샤하고
조화 중에 생겼으니 은덕은 고사하고
근본ᄌᆞᆺ차 이즐소냐 가련ᄒᆞᆫ 셰샹사ᄅᆞᆷ
근본조차 잊을소냐 가련한 세상 사람
각ᄌᆞ위심各自爲心 하단말가 경텬슌텬敬天順天 하여셔라
각자위심[48] 한단 말인가 경천순천 하여서라
효박ᄒᆞᆫ 이셰샹에 불망기본不忘其本 하여셔라
효박한 이 세상에 불망기본[49] 하여서라
임군의게 공경하면 츙신렬ᄉᆞ忠臣烈士 안일넌가
임금에게 공경하면 충신열사 아닐런가
부모님게 공경하면 효ᄌᆞ효부孝子孝婦 안일넌가
부모님께 공경하면 효자효부 아닐런가
슯흐다 셰샹사ᄅᆞᆷ ᄌᆞ셰보고 공경하쇼
슬프다 세상 사람 자세 보고 공경하소
나도ᄯᅩᄒᆞᆫ 츌셰후에 죠실부모早失父母 안일넌가
나도 또한 출세 후에 조실부모[50] 아닐런가

---

45 어지럽고 아주 각박함.

46 하늘의 명을 돌아보지 않음.

47 중국 전국시대 진秦과 조趙의 전쟁 시 장평 땅에 묻혀 죽은 조의 40만 군졸. 여기에서는 일시에 많은 사람이 참혹하게 죽는 것을 말함.

48 각기 자기 자신만을 위하는 마음.

49 그 근본을 잊지 않음.

50 어려서 부모를 여읨.

정셩공경精誠恭敬 업셔시니 득죄부모得罪父母 안일넌가
정성공경 없었으니 득죄부모[51] 아닐런가
나도ᄯᅩᄒᆞᆫ 츙렬손忠烈孫이 초야에 ᄌᆞ라나셔
나도 또한 충렬손[52]이 초야에 자라나서
군신유의 몰나시니 득죄군왕得罪君王 안일넌가
군신유의 몰랐으니 득죄군왕[53] 아닐런가
허송셰월虛送歲月 지ᄂᆡ나니 거연居然ᄉᆞ십 되엿더라
허송세월 지내나니 거연 사십 되었더라
ᄉᆞ십평ᄉᆡᆼ 이쓘인가 무가내라 할길업ᄂᆡ
사십 평생 이뿐인가 무가내라 할 일 없네
하원갑下元甲 경신년庚申年에 젼ᄒᆡ오는 셰샹말이
하원갑[54] 경신년[55]에 전해 오는 세상 말이
요망妖妄ᄒᆞᆫ 셔양적이 즁국中國을 침범ᄒᆡ셔
요망한 서양 적이 중국을 침범해서
텬쥬당天主堂 놉히셰워 거소위 ᄒᆞᄂᆞᆫ도를
천주당 높이 세워 그 소위 하는 도를
텬하에 펼나遍滿하니 가쇼졀챵可笑絕唱 안닐넌가
천하에 편만[56]하니 가소절창[57] 아닐런가
증젼曾前에 드른말을 곰곰이 ᄉᆡᆼ각하니
증전[58]에 들은 말을 곰곰이 생각하니

---

51 부모에게 죄를 지음.
52 충신열사의 자손.
53 임금에게 죄를 지음.
54 운이 다하여 망하여 가는 시대.
55 철종 11년(1860).
56 고르게 널리 차서 그득함.
57 우스워 창자가 끊어질 만함.
58 지나간 때.

아동방我東方 어린사ᄅᆞᆷ 례의오륜禮義五倫 다바리고
아동방 어린[59] 사람 예의오륜 다 버리고
남녀로쇼 ᄋᆞ동쥬졸兒童走卒 셩군취당成群聚黨 극셩즁에
남녀노소 아동주졸[60] 성군취당[61] 극성 중에
허송세월 ᄒᆞᆫ단말을 보ᄂᆞᆫ다시 드러오니
허송세월 한단 말을 보는 듯이 들어보니
무단이 하ᄂᆞᆯ님게 쥬쇼간晝宵間 비ᄂᆞᆫ말이
무단히 한울님께 주소간[62] 비는 말이
삼십삼텬三十三天 옥경ᄃᆡ玉京臺예 나죽거든 가게하오
삼십삼천[63] 옥경대[64]에 나 죽거든 가게 하소
우습다 뎌사ᄅᆞᆷ은 뎌의부모 죽은후에
우습다 저 사람은 저의 부모 죽은 후에
신도업다 일홈하고 졔ᄉᆞ좃차 안지ᄂᆡ며
신도 없다 이름하고 제사조차 안 지내며
오륜에 버셔나셔 유원속ᄉᆞ唯言速死 무슴일고
오륜에 벗어나서 유언속사[65] 무슨 일고
부모업ᄂᆞᆫ 혼령혼ᄇᆡᆨ 뎌ᄂᆞᆫ웃지 유독잇셔
부모 없는 혼령혼백 저는 어찌 유독 있어
샹텬하고 무엇하고 어린소리 말어셔라
하늘에 오르고 무엇하고 어리석은 소리 말아서라

---

59 어리석은.
60 철없는 아이들과 어리석은 사람들.
61 모여서 무리를 이룸.
62 밤낮으로.
63 불교에서 말하는 서른세 가지 하늘.
64 도교에서 옥황상제가 산다는 천상의 궁전.
65 오직 빨리 죽겠다고 말함.

그말텨말 다던지고 하ᄂᆞᆯ님을 공경하면

그말 저말 다 던지고 한울님을 공경하면

아동방我東方 삼년괴질 죽을념려 잇슬소냐

아동방 삼년 괴질 죽을 염려 있을쏘냐

허무ᄒᆞᆫ 너의풍쇽 듯고나니 졀창絕唱이오

허무한 너의 풍속 듣고 나니 절창[66]이요

보고나니 개탄일셰 내역시 ᄉᆞ십평ᄉᆡᆼ

보고 나니 개탄일세 내 역시 사십 평생

ᄒᆡ음업시 지ᄂᆡ나니 이졔야 이셰상에

하염없이 지내나니 이제야 이 세상에

홀연이 ᄉᆡᆼ각하니 시운이 둘너쓴가

홀연히 생각하니 시운이 둘렀던가

만고업ᄂᆞᆫ 무극대도無極大道 이셰상에 챵건하니

만고 없는 무극대도[67] 이 세상에 참견하니

이도역시 시운이라 일일시시日日時時 먹ᄂᆞᆫ음식

이도 역시 시운이라 일일시시[68] 먹는 음식

셩경이ᄌᆞ誠敬二字 직혀ᄂᆡ야 하ᄂᆞᆯ님을 공경하면

성경 두 글자 지켜내어 한울님을 공경하면

ᄌᆞᄋᆞ시自兒時 잇던신병 물약ᄌᆞ효勿藥自效 안일넌가

자아시[69] 있던 신병 물약자효[70] 아닐런가

가즁ᄎᆞ데家中妻子 우환업셔 일년삼ᄇᆡᆨ 륙십일을

가중처자 우환 없어 일 년 삼백육십 일을

---

66 가소절창可笑絕唱. 같잖고 어이없어 우스움.

67 우주 본체인 무극의 영적인 능력.

68 날이면 날마다, 때가 되면 때마다.

69 어릴 때부터.

70 약을 쓰지 않고 저절로 효험을 봄.

일죠一朝갓치 지ᄂᆡ가니 텬우신죠天佑神助 안일넌가
일조같이 지나가니 천우신조[71] 아닐런가
ᄎᆞᄎᆞᄎᆞᄎᆞ 징험證驗하니 륜회시운輪廻時運 분명하다
차차차차 증험[72]하니 윤회시운 분명하다
어화셰샹 사ᄅᆞᆷ덜아 이내경계 하ᄂᆞᆫ말ᄉᆞᆷ
어와 세상 사람들아 이내 경계하는 말씀
셰셰명찰細細明察 하온후에 잇지말고 직혀ᄂᆡ야
세세명찰[73] 하온 후에 잊지 말고 지켜내어
셩지우셩誠之又誠 공경ᄒᆞ셔 하ᄂᆞᆯ님만 ᄉᆡᆼ각하쇼
성지우성[74] 공경해서 한울님만 생각 하소
쳐ᄌᆞ妻子불너 효유曉諭하고 영셰불망永世不忘 하여셔라
처자 불러 효유[75]하고 영세불망[76] 하였어라
아동방我東方 년년괴질年年怪疾 인물샹ᄒᆡ人物傷害 안일넌가
아동방 연년괴질[77] 인물상해 아닐런가
나도ᄯᅩ한 이셰샹에 편답쥬류遍踏周流 하다가셔
나도 또한 이 세상에 편답주류[78] 하다 가서
어진사ᄅᆞᆷ 만나거든 시운시변時運時變 의론하고
어진 사람 만나거든 시운시변[79] 의논하고

71 하늘과 신령의 도움.
72 실제 사실을 경험함.
73 매우 세밀하고 밝게 살핌.
74 정성에 정성을 들임.
75 잘 알아듣도록 타이름.
76 영원히 잊지 않음.
77 해마다 도는 괴상한 병.
78 이곳저곳으로 널리 돌아다님.
79 때의 운수와 변고.

ᄇᆡᆨ년신셰 말하거든 이글주고 결의結義ᄒᆡ셔
백년 신세 말하거든 이 글 주고 결의해서
붕우유신 하여보셰 우ᄆᆡᄒᆞᆫ 이내말ᄉᆞᆷ
붕우유신 하여 보세 우매한 이내 말씀
잇지말고 ᄉᆡᆼ각하쇼 우쟈쳔려愚者千慮 그가온ᄃᆡ
잊지 말고 생각하소 우자천려[80] 그 가운데
필유일득必有一得 되거듸면 그아니 덕일는가
필유일득[81] 되게 되면 그 아니 덕일런가
운수관계 하ᄂᆞᆫ말은 고금古今에 업ᄂᆞᆫ고로
운수 관계 하는 말은 고금에 없는 고로
졸필졸문卒筆卒文 지어ᄂᆡ야 모몰염치冒沒廉恥 젼ᄒᆡ주니
졸필졸문 지어 내어 모몰염치[82] 전해 주니
이글보고 웃지말고 흠ᄌᆡ훈ᄉᆞ欽哉訓辭 하여셔라
이 글 보고 웃지 말고 흠재훈사[83] 하여서라

80 어리석은 사람이 무려 천 번을 생각함.
81 한 번의 소득이 있음.
82 염치없음을 무릅씀.
83 가르쳐 타이르는 말을 공경하여 받듦.

10. 귀산곡歸山曲

① 작품명 : 귀산곡歸山曲

② 작자명 : 침굉현변(枕肱懸辯, 1616~1684)

침굉현변은 어렸을 적에 불가에 큰 인물이 될 거라는 점괘를 받았고, 은사인 보광 스님은 그를 부처님이 보내준 인물이라 감탄했다. 13세에 소요 스님에게 그 법기를 인정받고 법맥을 계승했고, 18세에 죽을 고비를 넘긴 후 "마음이 곧 부처(심즉불心卽佛)"임을 깨닫고 일심一心을 중심 사상으로 삼았다. 침굉현변은 많은 제자들을 배출하였으며 조선 후기에 소요문중이 주요 문중 활동을 하는 데 큰 토대를 마련했다. 입적 후에는 시신을 들판에 버려 동물에게 보시하라는 유계遺戒를 남겼고, 제자들은 유훈에 따라 다비하지 않았으며 시신을 금화산 바위틈에 봉했고, 이후 제자 계음호연桂陰浩然 · 호암약휴護巖若休 등은 선암사에 주석하면서 스님의 유고를 모아 1696년에 《침굉집枕肱集》을 간행하여 침굉현변을 추모했다.

③ 출전 : 《한국불교전서》 제8책(동국대 출판부, 1987)

④ 해제

《침굉집》에 실려 있는 3편의 가사 중 하나이다. 세간의 명성이나 영화가 모두 허사이니 승복 한 벌과 표주박 하나로 한가로운 숲속과 고요한 골짜기에 임의로 다니면서 청빈을 낙으로 삼아 지내겠다는, 세속에 관계하지 않고 한가롭게 지내는 중의 초탈한 산중 생활 태도를 노래한 것이다. 또한 승려들이 세상의 명예와 부귀영화가 모두 허사임을 깨닫고 한적한 산중에 들어가 참선 수도에 정진할 것을 권하고 있다.

⑤ 원문과 현대역

阿呵呵 錯錯子아 네엇지 錯錯흔다

아하하[1] 착착자[2]아 네 어찌 어긋난가

浮生이 一夢이오 萬富도 如雲이다

부생[3]이 일몽이요 만부도 여운[4]이다

富貴功名 榮利財貨 엿보와 어듸쓸다

부귀공명 영리재화 엿보아 어디 쓸까

十二예 出家ᄒᆞ야 十三애 爲僧ᄒᆞ야

십이에 출가하여 십삼에 스님되어

畫閣高堂의 恣意희 안닐며

울긋불긋 높은 집[5]에 자의[6]하게 다닐며

玉軸金文 주어보듸 說食飢夫 기리도여

옥수금문[7] 주워보되 설식기부[8] 길이 되어

念佛參禪 우이너겨 外事만 ᄯᆞ로ᄂᆞᆫ다

염불참선 우습게 여겨 외사[9]만 따로 난다

此身 믄득주거 八寒八熱 諸地獄애

이 몸 문득 죽어 팔한팔열[10] 모든 지옥에

---

1 크게 웃는 소리.
2 잘못을 저지르는 사람.
3 덧없는 인생.
4 구름 같음.
5 벽화가 있는 건물. 곧 절을 말함.
6 뜻대로.
7 불경佛經.
8 입으로만 하고 실천하지 않는 스님을 비판.
9 마음을 괴롭히는 번뇌.
10 팔한지옥八寒地獄과 팔열지옥八熱地獄.

다ᄉᆞ겨 ᄃᆞ니며 無限苦痛 受ᄒᆞᆯ時예
다 끌려 다니며 무한고통 받을 때에
南方敎主 地藏大聖 六環杖을 둘러집고
남방교주 지장대성 육환장을 둘러 짚고
가슴을 헤글며 눈믈을 ᄌᆞᆫ흘려도
가슴을 헤치며 눈물을 마구 흘려도
救濟ᄒᆞᆯ 方이업다 此時예 當ᄒᆞ야ᄂᆞᆫ
구제할 방도 없다 이 때에 당하면
文章도 쓸듸업고 技藝도 둘듸업다
문장도 쓸데없고 기예도 둘 데 없다
비록縱橫 無碍說 이라도 다두러 펼ᄃᆡ젹다
비록 종횡 무애설[11]이라도 다 두루 펼 데 적다
어와 虛事로다 世間名花 虛事로다
어와 허사로다 세간명화[12] 허사로다
一衲單瓢 두러메고 靑山裡 寒澗邊의 넌즛넌즛 혼자드러
일납단표[13] 둘러메고 청산리 서늘한 시냇가에 넌짓넌짓 혼자 들어
石窓 蘿幌의 苦樂을 隨緣ᄒᆞ야
석창 나황[14]의 고락을 수연[15]하여
두어줄기 名香을 玉爐애 고자두고
두어줄기 명향을 옥로[16]에 꽂아두고

11 거침없는 말솜씨.
12 인간 세상의 명예와 영화.
13 한 벌 옷과 한 개 표주박. 검소한 생활.
14 돌창에 드리운 넝쿨이라는 뜻으로 스님들이 수행하는 장소.
15 인연에 따름.
16 옥화로.

ᄒᆞᆫ소릐 ᄆᆞᆰ근경쇠 月下의 울이며
한 줄기 맑은 경쇠소리[17] 달 아래 울리며
趙州霜劒 빗기안고 閑가히 누원ᄂᆞ냥
조주상검[18] 비껴 안고 한가히 누웠느냐
月明 滄海底의 沙伽羅 大龍이 如意珠를 빗기믄ᄯᆞᆺ
달밝은 밤 푸른 바다밑에 사가라 대룡[19]이 여의주를 비껴문 듯
無常을 ᄌᆞ로ᄭᆡ쳐 着意工夫 ᄒᆞᄂᆞᆫ줏슨
무상을 바로 깨쳐 착의공부[20] 하는 것은
春風 廣野外예 駬騏千里馬 鞭影을 도라본ᄯᆞᆺ
춘풍 너른 들밖에 뛰어난 천리 채찍 그림자 돌아본 듯
인ᄯᅡ감 아득ᄒᆞ야 睡魔障이 이의거든
이따금 아득하여 수마장[21]이 덮이거든
萬歲猢猻 둘러집고 閑林 靜谷애
만세호손[22] 둘러짚고 한가로운 숲 조용한 골짜기에
任意히 논이다가 心神이 疲困ᄶᅥ든
마음대로 노닐다가 심신이 피곤커든
石角을 노피베고 細草애 누어셔라
석각[23]을 높이 베고 세초[24]에 누웠어라
輕霞ᄂᆞᆫ ᄆᆞᆰ기ᄭᅵ고 細雨조쳐 너스리며 清風이 吹動호매
경하[25]는 맑게 개고 세우조차 내리며 청풍이 건듯 불어

---

17 추녀 끝에 매다는 종. 풍경風磬.
18 중국 임제종 조주종심趙州從諗을 말함.
19 불교의 팔대용왕 중 하나인 사갈라용왕娑竭羅龍王을 말함.
20 공부에 마음을 붙임.
21 졸음으로 인한 장애.
22 호손은 원숭이라는 뜻이나 여기서는 지팡이를 뜻함.
23 돌의 뾰족한 모서리.
24 여러해살이 풀.

石路 巖畔의 흗듣ᄂᆞᆫ이 香花로다
돌길 바위에 흩어 떨어지니 향화로다
이읏고 起立ᄒᆞ야 蒼騰裡 十里許
이윽고 기립하여 창등리[26] 십리쯤에
ᄯᅳᆺ좃초 騰騰ᄒᆞ야 去住을 맛겨거든
뜻 좇아 등등[27]하여 머묾을 맡겼거든
碧松裡 青桂邊의 一雙青鶴은 閑往閑來 ᄒᆞ노매라
푸른 솔 푸른 계곡가[28]에 한 쌍 청학은 한가로이 오가네 하는구나
嶺猿은 哀嘯ᄒᆞ고 谷鳥는 悲鳴ᄒᆞ야
산마루 원숭이는 슬피 울고 골짜기 새는 슬피 울고
져론소ᄅᆡ 긴소ᄅᆡ 遠近의 들리거든
짧은 소리 긴 소리 원근에 들리거든
白雲이 거두치매 山光 水色이
백운이 걷혀짐에 산광 수색이
夕陽을 빗기ᄯᅥ여 處處의 어릐엿ᄂᆡ
석양을 비껴 떠서 곳곳에 어려 있네
슬프다 ᄉᆡᆼ각거든 世間은 崢嶸ᄒᆞ야 貪愛로 일삼거ᄂᆞᆯ
슬프다 생각거든 세간은 쟁영[29]하여 탐애[30]로 일삼거늘
青年의 斷髮ᄒᆞ야 物外예 ᄯᅥ혀안자
청년의 단발하여 세상 밖으로 떨어져 앉아

25 어스름한 노을.
26 푸른 넝쿨 속. 창등리蒼藤裡의 오기誤記.
27 무서울 만큼 아주 높음.
28 청계변淸溪邊의 오기誤記.
29 위험한 모양.
30 애착과 집착.

名花 香菓을 슬토록 주어먹고
명화 향과[31]를 싫도록 주워 먹고
石隙의 淸水을 거스리 주여마셔
돌틈에 맑은 물 거슬러 쥐어 마셔
淸빙을 樂을사마 이러구러 지나리라
청빈[32]으로 낙을 삼아 이럭저럭 지내리라
이보소 淸白家風을 나는인가 ᄒᆞ노라
이보소 청백가풍[33]은 나인가 하노라

31 이름난 꽃과 향기로운 과일.
32 성품과 행실이 곧고 탐욕이 없어 가난함.
33 재물에 대한 욕심이 없고 곧고 깨끗한 풍조.

11. 규수상사곡閨秀相思曲

① 작품명 : 규수상사곡閨秀相思曲

② 작자명 : 미상

③ 출전 : 이용기李用基 편, 《악부樂府》(고려대학교 중앙도서관 소장)

④ 해제

이 작품의 작자는 알 수 없으며, 남성 화자가 짝사랑하는 여성을 그리워하는 마음을 토로하는 내용으로 되어 있다. 〈규수상사곡〉이란 제목은 아마도 남성 화자가 규수(여성)를 짝사랑하는 노래라는 의미로 파악된다. 이 작품은, 마음에 두었던 여인이 시집을 가버리자 그 절실한 그리움은 상사병相思病이 되어 이루지 못한 사랑을 탄식하는 내용이다. 이미 결혼을 한 사람이기에 잊으려고 애를 써보지만 화자는 그럴수록 상대에 대한 그리움이 깊어져 죽음에 이를 정도로 병이 들었다고 하였다. 현실적으로 용납될 수 없는 일인 줄 알면서도 화자는 그녀에 대한 사랑을 다시 이어보고자 애원하였다. 상대방을 그리워하는 화자의 마음을 절실하게 표현한 것이 특징이라 하겠다.

⑤ 원문과 현대역

보면 알서라 알면 어려워라
보면 알세라 알면 어려워라
못조록 보내는 것 다문 셔찰쁀이로다
모쪼록 보내는 것 다만 편지뿐이로다

다름 말ᄉᆞᆷ 아니오라 이 내 진정 소회로다
다른 말씀 아니오라 이 내 진정 소회로다
하ᄂᆞᆯ이 나를 낼 제 널노 ᄒᆞ여 ᄇᆡ필이라
하늘이 나를 낼 때 너로 하여금 배필이라
병드러 누엇스니 무ᄉᆞᆷ 인ᄉᆞ 잇슬손가
병들어 누었으니 무슨 인사 있을까
인ᄉᆞ 업시 쓰ᄂᆞᆫ 셔찰 ᄎᆞ셔고하 잇슬손가
인사 없이 쓰는 서찰[1] 차례와 위아래 있을까
당쵸에 약ᄒᆞᆫ 몸이 가ᄉᆞᆷ 막혀 어려워라
당초에 약한 몸이 가슴 막혀 어려워라
ᄉᆞ찰ᄒᆞᆫ 뎌 녀ᄌᆞ야 무심ᄒᆞ기 ᄭᆞᆺ지 업다
사찰[2]한 저 여자야 무심하기 끝이 없다
샹ᄉᆞ로 죽게 되니 그 아니 네 탓인가
상사[3]로 죽게 되니 그 아니 네 탓인가
누엇슨 들 잠이 오며 안젓슨 들 님이 오랴
누웠던들 잠이 오며 앉았던들 님이 오랴
답답이 ᄌᆞ심ᄒᆞ여 잠 못드러 원수로다
답답함이 자심[4]하여 잠 못 들어 원수로다
ᄋᆡᄆᆡᄒᆞᆫ 이 내 몸이 널노 ᄒᆞ여 병이 되니
애매한 이 내 몸이 너로 하여금 병이 되니
혈ᄆᆡᆨ이 주러지고 슈죡이 서늘ᄒᆞ다
혈맥이 줄어들고 손발이 서늘하다

1 서찰書札. 편지.
2 사찰私察. 늘 조심함.
3 상사相思. 서로 그리워 함.
4 자심滋甚. 매우 심함.

올을 숨만 남아 잇고 나릴 숨은 전혀 업다
오를 숨만 남아 있고 내릴 숨은 전혀 없다
샹ᄉᆞ로 소ᄉᆞ난 병 눌로 ᄒᆞ여 곳칠손가
상사로 솟아난 병 누구로 하여금 고칠까
편쟉이 다시 살고 화타가 ᄀᆡᆼᄉᆡᆼᄒᆞᆫ 들
편작이 다시 살고 화타[5]가 다시 태어난들
골수에 잠긴 병을 곳칠 길이 만무ᄒᆞ다
골수에 잠긴 병을 고칠 길이 전혀 없다
환약도 헛것이며 탕약도 용쳐 업네
환약도 헛것이며 탕약도 쓸 곳 없네
령지쵸도 쓸 ᄃᆡ 업고 만졍단도 무효ᄒᆞ다
영지초[6]도 쓸 데 없고 만정단[7]도 효과 없다
가련ᄒᆞᆫ 이 내 병에 ᄇᆡᆨ약이 무효로다
가련한 이 내 병에 백약이 무효로다
ᄋᆡ달고 통분ᄒᆞ다 내 왜 너를 밋엇든고
애닯고 통분하다 내 왜 너를 믿었던가
ᄉᆞᄉᆞ로 ᄉᆡᆼ각ᄒᆞ니 이 내 청츈 가련ᄒᆞ다
스스로 생각하니 이 내 청춘 가련하다
ᄂᆞᆷ모로ᄂᆞᆫ 숨은 근심 네게 다 실어 두고
남 모르는 숨은 근심 네게 다 실어 두고
쳔금일신 귀ᄒᆞᆫ 몸이 샹ᄉᆞ로 병이 되니
천금일신[8] 귀한 몸이 상사로 병이 되니

---

5 편작扁鵲 화타華佗. 명의.

6 영지초靈芝草. 불로초과에 속한 버섯.

7 만정단萬精丹. 신체의 정기를 북돋워 주는 약.

8 천금처럼 소중한 한 몸.

불상ᄒᆞ다 나의 청츈 널노 ᄒᆞ여 죽겟고나
불쌍하다 나의 청춘 너로 하여금 죽겠구나
무심이 알지 말고 아못됴록 ᄉᆡᆼ각ᄒᆞ여
무심하게 알지 말고 아무쪼록 생각하여
근근젼력 힘을 쓰소 각씨님아 힘을 쓰오
근근전력[9] 힘을 쓰오 각시님아 힘을 쓰오
힘쓰다가 아니 되면 그 무어슬 혐의ᄒᆞ랴
힘쓰다가 아니 되면 그 무엇을 싫어하랴
나 혼자 힘쓰ᄂᆞᆫ 것 태산이 유경ᄒᆞ고
나 혼자 힘쓰는 것 태산이 오히려 가볍고
틀틀이 그리ᄂᆞᆫ 졍 대ᄒᆡ가 엿흘이라
틈틈이 그리는 정 큰 바다가 얕으리라
귀신이 싀긔ᄒᆞ고 하늘이 무이 녁여
귀신이 시기하고 하늘이 밉게 여겨
너와 나와 량인 즁에 단명ᄒᆞ게 ᄉᆡᆼ겨나서
너와 나와 두 사람 중 단명하게 생겨나서
차라리 죽엇스면 닛치기나 ᄒᆞ련만은
차라리 죽었으면 잊히기나 하련마는
답답ᄒᆞ고 서른지고 이 내 ᄉᆞ졍 가련ᄒᆞ다
답답하고 서럽구나 이 내 사정 가련하다
혼암ᄒᆞ고 혼암ᄒᆞ다 셰상ᄉᆞ가 혼암ᄒᆞ다
암담하고 암담하다 세상사가 암담하다
쥬야 샹ᄉᆞ 내 ᄆᆞ음을 헤아리고 헤아리니
밤낮 상사하는 내 마음을 헤아리고 헤아려서

9 근근전력勤勤全力. 온 힘을 다함.

못 보기ᄂᆞᆫ 뉘 탓이며 못 닛기ᄂᆞᆫ 무ᄉᆞᆷ 일고
못 보기는 뉘 탓이며 못 잊기는 무슨 일인가
불샹ᄒᆞ고 가련ᄒᆞ다 이 내 청츈 어엽브다
불쌍하고 가련하다 이 내 청춘 가엾도다
네라 ᄒᆞᆫ 들 한 궁녀며 내라 ᄒᆞᆫ 들 귀공ᄌᆞ랴
너라 한들 한나라 궁녀며 나라 한들 귀공자랴
ᄂᆞᆷ의 일을 우섯더니 내게로 도라완네
남의 일을 웃었더니 내게로 돌아왔네
연분으로 ᄉᆡᆼ겻스면 혐의 업시 ᄉᆡᆼ기거나
연분으로 생겼으면 협의 없이 생기거나
못 보게 ᄉᆡᆼ겨스면 눈이나 멀엇거나
못 보게 생겼으면 눈이나 멀었거나
ᄉᆞ랑으로 ᄉᆡᆼ겻스면 리별 업시 ᄉᆡᆼ기거나
사랑으로 생겼으면 이별 없이 생기거나
츈하츄동 ᄉᆞ시졀에 이런 영결 ᄯᅩ 잇ᄂᆞᆫ가
춘하추동 사계절에 이런 영결[10] 또 있는가
ᄒᆞᆫ번 가고 아니 오니 쟝탄식이 시시로다
한번 가고 아니 오니 장탄식이 때때로 난다
엇더ᄒᆞᆫ 할미년이 두세번 ᄃᆞᆫ니더니
어떠한 매파 할미 두세 번 다니더니
그덧 어ᄂᆡ 틈에 청혼 편지 왓단 말가
그 사이 어느 틈에 청혼 편지 왔단 말인가
신랑 온 지 보름 만에 웨 ᄒᆞᆫ 놈을 ᄯᆞ라가네
신랑 온 지 보름 만에 웬 한 놈을 따라가네

10 영결永訣. 산 사람과 죽은 사람이 영원히 이별함.

이런 줄 젼혀 몰나 외짝 즐검 긋게 잇고

이런 줄 전혀 몰라 외짝 즐거움 굳게 믿고

나 혼자 ᄆᆞᄋᆞᆷ으로 궁합디합 골낫더니

나 혼자 마음으로 궁합지합[11] 골랐더니

어렴풋ᄉᆡ 일삭 만에 뜬구름이 되단 말가

어렴풋이 한 달 만에 뜬구름이 되었단 말인가

원슈로다 원슈로다 할미년이 원슈로다

원수로다 원수로다 할미년이 원수로다

밋고 밋고 밋엇고나 너를 일ᄉᆡᆼ 밋엇고나

믿고 믿고 믿었구나 너를 일생 믿었구나

소담ᄒᆞ고 소담ᄒᆞ다 네 거동이 소담ᄒᆞ다

소담하다 소담하다 네 거동이 소담하다

아모리 소담ᄒᆞᆫ들 뵈ᄂᆞᆫ 거시 무어신고

아무리 소담한들 뵈는 것이 무엇인가

아름다온 ᄌᆞᄐᆡ 거동 지쳑에 잇것만은

아름다운 자태 거동 지척[12]에 있건마는

무숨 약슈 막혓관ᄃᆡ 어이 그리 못 보ᄂᆞᆫ고

무슨 약수[13] 막혔기에 어찌 그리 못 보는가

헛 샹ᄉᆞ 밋친 한이 나 혼자 깁헛서라

헛 상사 맺힌 한이 나 혼자 깊었구나

흡흡ᄒᆞᆫ 이 내 슈심 몟 만 가지 슈심인가

흡흡한 이 내 수심 몇 만 가지 수심인가

---

11 궁합지합宮合之合. 혼인할 때 신랑 신부의 사주四柱를 보아 길흉吉凶을 점치는 일.

12 지척咫尺. 가까운 곳.

13 약수弱水. 아무리 가벼운 물건이라도 다 가라앉기 때문에 건널 수 없으며, 강폭이 삼천리나 되는 강.

가슴에 니ᄂᆞᆫ 불이 오장을 다 살오니
가슴에 일어나는 불이 오장을 다 태우니
월명샤창 뇨젹ᄒᆞᆫᄃᆡ 잠 못 드러 원슈로다
월명사창[14] 요적[15]하여 잠 못 들어 원수로다
보고지고 보고지고 님의 얼골 보고지고
보고싶네 보고싶네 님의 얼굴 보고싶네
인ᄉᆡᆼ이 ᄉᆡᆼ겨날 제 이목구비 ᄀᆞᆺ것만은
인생이 생겨날 때 이목구비 같건마는
쳔만 사ᄅᆞᆷ 뉘를 알이 다시 못 볼 님이로다
천만 사람 누구를 알리 다시 못 볼 임이로다
무심ᄒᆞ다 뎌 녀ᄌᆞ야 가련ᄒᆞ다 이 내 청츈
무심하다 저 여자야 가련하다 이 내 청춘
님 못 보와 병이 되고 님 못 니져 원슈로다
님 못 봐서 병이 되고 님 못 잊어 원수로다
텹텹ᄒᆞᆫ 이 내 시름 골슈에 져졋스니
첩첩한 이 내 시름 골수에 젖었으니
식불감미ᄒᆞ고 침불안셕이라
식불감미[16]하고 침불안석[17]이라
답답ᄒᆞᆫ 이 내 ᄉᆡᆼ각 님 못 본 탓이로다
답답한 이 내 생각 님 못 본 탓이로다
나ᄂᆞᆫ 홀노 병이 드러 다만 한숨ᄲᅮᆫ이로다
나는 홀로 병이 들어 다만 한숨뿐이로다

---

14 달 밝은 비단 창문.
15 요적寥寂. 고요하고 쓸쓸함.
16 식불감미食不甘味. 근심 걱정이 있어 음식을 먹어도 맛이 없음.
17 침불안석寢不安席. 불안이나 근심 따위로 편안히 자지 못함.

아모리 허ᄉᆞ인들 무단이 이슬손가
아무리 허사인들 무단히 잊을까
님 ᄉᆡᆼ각고 지ᄂᆞᆫ 눈물 벼기 아릐 소이로다
임 생각하고 지는 눈물 베개 아래 늪[18]이로나
나 죽은 무덤 우에 네가 나를 차자오며
나 죽은 무덤 위에 네가 나를 찾아오며
너 죽은 무덤 우에 내가 너를 차자가랴
너 죽은 무덤 위에 내가 너를 찾아가랴
네 ᄒᆞᆫ 몸 위ᄒᆞ여셔 만ᄉᆞ가 ᄯᅳᆺ이 업네
네 한 몸 위하여서 만사가 뜻이 없네
이 내 몸 죽어지면 언제 다시 ᄉᆡᆼ각ᄒᆞᆯ가
이 내 몸 죽어지면 언제 다시 생각할까
일신이 천금보니 그 아니 가셕ᄒᆞᆫ가
일신이 천금보[19]니 그 아니 가석[20]한가
렬녀 정절 본밧으면 천만 년을 살을손가
열녀 정절 본받으면 천만 년을 살 것인가
님아 님아 각씨님아 나의 목숨 살녀 쥬소
님아 님아 각시님아 나의 목숨 살려 주소
화무십일홍이오 셰무십년이라
화무십일홍[21]이요 세무십년이[22]라

18 소沼. 늪.
19 천금보千金寶. 천금의 보물.
20 가석可惜. 애틋하고 아까움.
21 화무십일홍花無十日紅. 꽃이 열흘을 피어있지 않듯이, 아무리 아름다운 것도 오래 가지 못한다는 뜻.
22 세무십년이勢無十年利. 아무리 강한 권세라도 십 년을 가지 못한다는 말.

이 내 경샹 도라 보소 이 내 졍디 가련ᄒᆞ오
이 내 경상[23] 돌아 보소 이 내 심정 가련하오
널노 ᄒᆞ여 든 병이니 ᄒᆞᆫ번 ᄉᆞ졍 허ᄒᆞ여라
너로 하여금 든 병이니 한 번 사정 허하여라
목셕이 아니여든 인졍조차 업슬손가
목석이 아니거든 인정조차 없겠는가
이런 일 ᄉᆡᆼ각ᄒᆞ니 눈에 암암 귀에 ᄌᆡᆼᄌᆡᆼ
이런 일 생각하니 눈에 암암 귀에 쟁쟁
샹ᄉᆞ불견 ᄒᆞ든 몸이 황쳔ᄀᆡᆨ이 되리로다
상사불견[24] 하던 몸이 황천객[25]이 되리로다
ᄌᆞ탄 ᄌᆞ탄 이 내 ᄌᆞ탄 가ᄉᆞᆷ 답답 이 내 ᄌᆞ탄
자탄[26] 자탄 이 내 자탄 가슴 답답 이 내 자탄
ᄌᆞ탄 ᄭᅳᆺ헤 한숨 지고 한숨 ᄭᅳᆺ헤 셩이 난다
자탄 끝에 한숨 지고 한숨 끝에 성이 난다
ᄉᆡᆼ각ᄒᆞ고 ᄉᆡᆼ각ᄒᆞ니 슯흐고 슯흐도다
생각하고 생각하니 슬프고 슬프도다
이리뎌리 ᄉᆡᆼ각ᄒᆞ니 누와 ᄒᆞᆷ게 변졍ᄒᆞ랴
이리저리 생각하니 누구와 함께 변정[27]하랴
졀ᄃᆡ가인 양귀비도 안록산을 보려 ᄒᆞ고
절대가인[28] 양귀비도 안녹산[29]을 보려 하고

---

23 경상景狀. 좋지 못한 몰골.
24 상사불견相思不見. 서로 그리워하면서도 만나지 못함.
25 황천객黃泉客. 저승으로 간 나그네.
26 자탄自嘆. 스스로 탄식함.
27 변정辨正. 옳고 그름을 가려 바로 잡음.
28 절대가인絶代佳人. 당대에 견줄 상대가 없는 빼어난 미인.
29 안녹산安祿山. 중국 당나라 때 무장.

길고 긴 건네 줄을 두 번 세 번 굴너거든
길고 긴 그네 줄을 두 번 세 번 굴렀거든
각씨님 무정ᄒᆞ여 날 ᄉᆡᆼ각 니졋고나
각시님 무정하여 날 생각 잊었구나
우졍이 밋엇더니 무졍ᄒᆞ고 야속ᄒᆞ다
유정[30]이 믿었더니 무정하고 야속하다
급급ᄒᆞᆫ 이 내 병이 ᄉᆞ경을 범힛스니
급급한 이 내 병이 사경[31]을 범했으니
무심ᄒᆞᆫ 이 셰월이 나날이 깁허 간다
무심한 이 세월이 나날이 깊어 간다
각씨님 힘을 써서 잠간잠간 ᄉᆡᆼ각ᄒᆞ오
각시님 힘을 써서 잠깐잠깐 생각하오
반가온 님의 쇼식 회답 보기 기ᄃᆞ리네
반가운 님의 소식 회답 보기 기다리네

---

30 유정有情.
31 사경死境.

12. 규원가閨怨歌

① 작품명 : 규원가閨怨歌

② 작자명 : 허초희(許楚姬, 1563～1589)

허초희는 조선 중기의 여류시인으로, 본관은 양천陽川, 호는 난설헌蘭雪軒, 별호는 경번景樊이다. 난설헌은 강릉江陵 출생으로, 초당 허엽許曄의 딸이며 허균許筠의 누이이다. 삼당파三唐派 시인 이달李達에게 시를 배워 천재적인 시재詩才를 발휘했다.

③ 출전 : 《고금가곡古今歌曲》

④ 해제

이 작품은 조선의 봉건제도 아래서 빈 방을 지키며 눈물로 세월을 보내는 여인의 한정恨情을 노래한 규방가사다. 3·4조를 기본 자수율로 이루고 있으며, 〈원부사怨夫詞〉라고도 한다. 작품을 시상 전개에 따라 기·승·전·결의 네 단락으로 나눌 수 있다. 이 작품에 담긴 슬픔은 작자 자신의 외로움과 이로 인한 한恨의 표출이라고 하겠다. 흐르는 세월 속에 쌓여온 여인의 슬픔과 한, 모든 것을 운명적으로 받아들이는 체념의 인생관이 나타나 있다. 규방가사로서 사대부들의 전유물이었던 가사의 작자층을 여성으로 확대시킨 계기가 된 작품이기도 하다.

⑤ 원문과 현대역

엇그제 졈엇더니 ᄒᆞ마 어이 다 늙거니

엇그제 젊었는데 벌써 어이 다 늙었으니

少年行樂 생각ᄒᆞ니 닐너도 쇽절업다
소년행락[1] 생각하니 말을 해도 속절없다[2]
늙거야 셜운 말ᄉᆞᆷ ᄒᆞ쟈 ᄒᆞ니 목이 멘다
늙어서 서러운 말씀 말하자니 목이 메네
夫生母育 辛苦ᄒᆞ야이 내 몸 길러낼 제
부생모육[3] 신고[4]하여 이 내 몸 길러낼 때
公侯配匹은 못 ᄇᆞ라도 君子好逑 願ᄒᆞ더니
공후배필[5]은 못 바라도 군자호구[6] 원했더니
三生의 宿業이오 月下의 緣分으로
삼생[7]의 숙업[8]이요 월하[9]의 연분[10]으로
長安遊俠 輕薄子를 ᄭᅮᆷᄀᆞᆺ치 맛나 이셔
장안유협[11] 경박자[12]를 꿈같이 만나서
常時예 用心ᄒᆞ기 살어름 디듸ᄂᆞᆫ ᄃᆞᆺ
당시에 용심[13]하기를 살얼음 디디는 듯
三五二八 겨우 디나 天然麗質 절로 이니
삼오이팔[14]을 겨우 지나 천연여질[15] 절로 드러나니

1 어릴 적 즐겁게 지내던 일.
2 아무리 하여도 어쩔 도리가 없음.
3 부생모육父生母育이 바른 표기. 어버이가 낳고 기름.
4 신고辛苦. 곤란한 일을 겪어 몹시 애를 씀.
5 높은 벼슬아치의 배필.
6 군자의 좋은 배필.
7 전생前生, 금생今生, 내생來生.
8 숙업宿業. 전생에 지은 선악의 행업.
9 남녀의 인연을 맺어준다는 전설상의 월하노인月下老人.
10 하늘이 맺어준 인연.
11 장안에 놀기 좋아하는 사람.
12 생각이 깊지 않고 조심성이 없어 말과 행동이 가벼운 사람.
13 어떤 일에 마음을 씀. 여기서는 남편 시중.
14 열다섯, 열여섯 살을 말함.

이 얼골 이 態度로 百年期約 ᄒᆞ얏더니
이 얼굴과 이 자태로 백년기약 하였더니
年光이 倏忽ᄒᆞ고 造物이 多猜ᄒᆞ야
연광[16]이 숙홀[17]하고 조물주가 다시[18]하여
봄ᄇᆞ람 ᄀᆞ을ᄃᆞᆯ이 뵈오리예 북 디나듯
봄바람 가을달이 베틀 사이에 북 지나가듯
雪膚花顔 어ᄃᆡ 가고 面目可憎 되거고나
설부화안[19] 어디 가고 면목가증[20] 되었구나
내 얼굴 내 보거니 어늬 님이 날 필소냐
내 얼굴을 내가 보니 어느 임이 나를 사랑할까
스ᄉᆞ로 慚愧ᄒᆞ니 누구를 怨望ᄒᆞ랴
스스로 참괴[21]하니 누구를 원망하랴
三三五五 冶遊園의 새 사ᄅᆞᆷ이 나닷 말가
삼삼오오 야유원[22]에 새로운 기생이 나타났다는 말인가
곳 픠고 날 졈은 제 定處 업시 나가 이셔
꽃 피고 날이 저물 때면 정처 없이 나가 있어
白馬金鞭으로 어ᄃᆡ어ᄃᆡ 머므ᄂᆞᆫ고
백마금편[23]으로 어디어디 머무는가

---

15 타고난 아름다운 성품.
16 젊은 나이. 또는 흘러가는 시간.
17 훌훌하다와 같은 말. 거침없고 시원스러움.
18 시기심이 많음.
19 꽃같이 아름다운 얼굴.
20 생김새나 행동이 남에게 미움을 받을 만함.
21 몹시 창피스럽고 부끄러이 여김.
22 야유원冶遊園. 홍등청루의 술집.
23 흰말과 금빛나는 채찍. 화려한 차림새.

遠近을 모ᄅᆞ거니 消息이야 더욱 알냐
원근을 모르는데 소식이야 더욱 알겠느냐
因緣을 긋처신들 ᄉᆡᆼ각이야 업슬소냐
인연을 끊었던들 생각이야 없겠는가
얼굴을 못보거든 그립기나 마르려믄
얼굴을 못보거든 그립기나 말았으면
열두째 김도 길샤 셜흔 날 支離ᄒᆞ다
하루가 길기도 길구나 서른날 지루하구나
玉窓의 심근 매화 몃 번이나 픠여 딘고
옥창[24]에 심은 매화는 몇 번이나 피었던가
겨을 밤 ᄎᆞ고 ᄎᆞᆫ 제 자최눈 섯거 티니
겨울 밤 차고 찰 때는 진눈깨비 섞어 내리고
녀름 날 길고 길 제 구즌 비는 무슴 일고
여름 날 길고 긴 때 궂은비는 무슨 일인가
三春花柳 好時節의 景物이 시름업다
삼춘화류[25] 호시절에 경물이 시름없다[26]
ᄀᆞ올ᄃᆞᆯ 房의 들고 蟋蟀이 床에 울 제
가을 달 방에 들고 귀뚜라미 침상에서 울 때
긴 한숨 디ᄂᆞᆫ 눈물 속절업시 혬만 만타
긴 한숨 흘리는 눈물 속절없이 생각만 많다
아마도 모딘 목숨 죽기도 어려울샤
아마도 모진 목숨 죽기도 어렵구나

---

24 아름다운 창가.
25 봄날 버들잎이 돋아나는 좋은 시절.
26 아무런 감흥이 없음.

도ᄅᆞ혀 플텨 혜니 이리ᄒᆞ야 어이ᄒᆞ리
돌이켜 곰곰 생각하니 이리하여 어이하리
青燈을 돌나 노코 綠綺琴 빗기 안아
청등을 돌려놓고 녹기금[27] 비껴 안아
接蓮花 ᄒᆞᆫ 곡조를 시름조차 섯거 ᄐᆞ니
벽련화 한 곡조를 시름조차 섞어 타니
瀟湘 夜雨의 대소ᄅᆡ 섯도ᄂᆞᆫ ᄃᆞᆺ
소상야우[28]에 댓잎 소리 섞여 들리는 듯
華表 千年의 別鶴이 우니ᄂᆞᆫ ᄃᆞᆺ
화표 천년[29]의 별학이 울고 있는 듯
玉手의 ᄐᆞᄂᆞᆫ 手段 녜 소ᄅᆡ 잇다마ᄂᆞᆫ
옥수로 타는 솜씨 옛 가락이 있다마는
芙蓉帳 寂寞ᄒᆞ니 뉘 귀예 들닐소니
부용장[30] 적막하니 뉘 귀에 들리겠는가
肝臟이 九回ᄒᆞ야 구ᄇᆡ구ᄇᆡ 근처셰라
간장이 구곡되어 굽이굽이 끊어질 듯
출하리 잠을 드러 ᄭᅮᆷ의나 보려 ᄒᆞ니
차라리 잠이 들어 꿈에나 보려 하니
ᄇᆞᄅᆞᆷ의 디ᄂᆞᆫ 닙과 풀 속의 우ᄂᆞᆫ 즘ᄉᆡᆼ
바람에 지는 잎과 풀 속에 우는 짐승
므슴 일 怨讐로셔 잠조차 ᄭᆡ오ᄂᆞᆫ다
무슨 일로 원수로서 잠조차 깨우는가

27 한漢나라 사마상여司馬相如가 쓰던 거문고.
28 순임금의 두 왕비인 아황娥皇, 여영女英의 넋이 비가 되었다고 함.
29 무덤 위에 세우는 망주석에 천년 만에 돌아와 앉음.
30 연꽃무늬 휘장이 있는 방 안.

天上의 牽牛織女 銀河水 막혀셔도
천상의 견우직녀 은하수 막혔어도
七月七夕 一年一度 失期티 아니커든
칠월칠석 일년 한번 실기[31]치 아니하거든
우리 님 가신 後는 므슴 弱水 ᄀ렷관대
우리 임 가신 후는 무슨 약수[32] 가렸길래
오거니 가거니 消息조차 그쳣는고
오거니 가거니 소식조차 그쳤는가
欄干의 비겨 셔셔 님 가신 ᄃᆡ ᄇᆞ라보니
난간에 비껴 서서 임 가신 데 바라보니
草露는 ᄆᆡ쳐 잇고 暮雲이 디나갈 제
초로[33]는 맺혀 있고 모운[34]이 지나갈 때
竹林 프른 곳의 새 소ᄅᆡ 더욱 셟다
대숲 푸른 곳에 새소리 더욱 서럽다
世上의 셜운 사룸 數 업다 ᄒᆞ려니와
세상에 서러운 사람 많다고 하려니와
薄命ᄒᆞᆫ 紅顔이야 날 ᄀᆞᆺᄒᆞ니 또 이실가
박명한 홍안[35]이야 나 같은 이 또 있을까
아마도 이 님의 지위로 살 동 말 동 ᄒᆞ여라
아마도 이 임의 지위로 살 듯 말 듯 하여라

31 때를 놓침.
32 신선이 살았다는 전설적인 강, 길이가 삼천 리가 되며 부력이 약해 기러기털조차 가라앉는다고 함.
33 풀잎에 맺힌 이슬.
34 저물녘 구름.
35 붉은 얼굴. 젊어서 혈색이 좋은 얼굴. 곧 젊은 사람.

13. 금강별곡金剛別曲

① 작품명 : 금강별곡金剛別曲

② 작자명 : 박순우(朴淳愚, 1686～1759)

박순우는 전남 영암 출생으로, 과거에 급제한 적도 있지만 호적 문제로 결국 취소되었고, 문장으로 명성을 얻었으나 벼슬에 나아가지는 못했다. 산수를 탐승하며 생애를 보냈는데, 평생 소원이던 금강산 유람 후 가사 〈금강별곡〉과 기행문 〈동유록東遊錄〉을 지어 《명촌유고明村遺稿》에 남겼다.

③ 출전 : 석판본 《명촌유고明村遺稿》

④ 해제

〈금강별곡〉은 작자의 나이 54세 때인 1739년에 지은 것으로, 한 달 남짓 금강산 일대를 유람하고 난 소회를 국한문혼용체로 진술한 유람기행가사다. 금강산 탐방 동기, 고향 영암의 소금강 탐방, 한양에서의 과거 응시, 금강산에 당도하는 여정, 내금강·외금강·해금강 탐승, 여정을 마치는 소회 등을 노래했다. 고향 영암에서 출발하여 한양에서 과거 응시 후 금강산을 탐방하는 유다른 여정을 노래하고 있다는 점에서 주목되는 작품이다. 향촌 사족의 향리 선양의식과 산수유람에 대한 인식을 살필 수 있다. 다른 사람이 지은 〈금강별곡〉과 구분하기 위해 작자의 호를 따서 〈명촌 금강별곡〉이라고도 일컫는다.

⑤ 원문과 현대역

此身이 悠悠하야 山水의 癖이 잇셔
이 몸이 유유[1]하여 산수에 고질병 있어
名山을 遍踏홈이 一生의 素計로다
명산을 편력[2]함이 일생의 소계[3]로다
江原道 金剛山이 三山中의 一山이라
강원도 금강산이 삼산 중의 한 산이라
東方의 第一이오 天下의 無雙이다
동방의 제일이요 천하에 무쌍[4]이다
千里ᄅᆞᆯ 不遠ᄒᆞ고 一見이 願이러니
천리를 멀다 않고 한번 봄이 원이러니
世上 功名의 妄靈도이 뜻을 두어
세상 공명에 망령되이 뜻을 두어
書籍의 汨沒ᄒᆞ고 場屋의 奔走ᄒᆞ니
서적에 골몰하고 장옥[5]에 분주하니
五十四 光陰이 倏忽히 지나거다
오십사년 세월이 재빨리[6] 지나갔도다
男兒의 事業이 白牌 ᄒᆞᆫ 丈 哀嗟ᄒᆞ다
남아가 해온 일이 백패[7] 한 장 슬프구나

---

1 움직임이 느릿느릿함. 아무렇지 않고 태연함.
2 널리 이곳저곳을 다님.
3 소박한 계획.
4 서로 견줄 말한 짝이 없을 정도로 뛰어남.
5 과거 시험장에서 햇볕이나 비를 피해 시험을 치를 수 있게 만든 장소.
6 숙홀倏忽. 붙잡을 수 없을 만큼 재빠름.
7 소과에 급제한 생원이나 진사에게 주던 흰 종이 증서.

溪山 宿約을 至今에 못 ᄇᆞ리니
산수에 숙약[8]을 이제 와 못 버리니
집 뒤희 小金剛을 試驗ᄒᆞ야 몬져 보쟈
집 뒤에 소금강을 시험 삼아 먼저 보려
道岬山 藍輿 ᄐᆞ고 北池塘의 徘徊ᄒᆞ야
월출산에 남여[9] 타고 북지당을 배회하여
奉仙庵 上下見性 午前의 지나가셔
봉선암 상하견성[10] 오전에 지나가서
龍庵의 쉬여 자고 九井峰 올라 셔니
용암에 쉬어 자고 구정봉 올라 서니
擎天臺 般若峰은 三尊을 對ᄒᆞ얏고
경천대 반야봉은 삼존불을 마주하였고
露積峰 香爐峰은 金水窟을 連ᄒᆞ얏다
노적봉 향로봉은 금수굴을 이었도다
靈ᄒᆞ다 動石이여 郡名이 맛당토다
영험하다 움직이는 돌이여 군명[11]이 마땅하도다
天王峰 上下頭의 飄然히 혼자 셔셔
천왕봉 꼭대기에 표연히[12] 혼자 서서
層層 七池ᄅᆞᆯ 眼下의 구버 보니
층층 칠연못을 눈 아래 굽어 보니
飛湍瀑流ᄂᆞᆫ 몃 길이 걸련ᄂᆞᆫ고
비단폭류[13]는 몇 길이 걸렸는가

---

8 오래 전에 한 약속.
9 뚜껑이 없고 의자와 비슷하게 생긴 작은 가마.
10 위아래 분별지를 벗어나 자기가 본래 갖추고 있는 불성을 깨달아 부처가 됨.
11 '영암'이라는 지명을 뜻함.
12 모든 것을 떨쳐버려 얽매임 없이 매우 가벼운 상태.

仙藥峰 雨花峰은 氣像도 雄壯ᄒᆞ다

선약봉 우화봉은 기상도 웅장하다

小金剛이 이러ᄒᆞ니 大金剛을 可知로다

소금강이 이러하니 대금강을 알만 하도다

己未 三月 十九日의 謁聖을 定ᄒᆞ거늘

기미 삼월 십구일에 알성시[14]를 정하거늘

趂期 上京ᄒᆞ야 禮圍예 드러나니

진기[15] 상경하여 예위[16]에 들었더니

命舛 數奇ᄒᆞ야 不得意 ᄒᆞ닷말가

명천수기[17]하여 뜻을 얻지 못한단 말인가

韓公의 含淚渡霸 그다지 陜隘던가

한공의 함루도패[18] 그다지 협애[19]던가

大丈夫 志氣를 一得失의 摧挫ᄒᆞ랴

대장부 지기를 득실 하나에 최좌[20]하랴

路由 關東ᄒᆞ야 金剛山을 ᄎᆞ자가셔

관동으로 길을 잡아 금강산을 찾아가서

半百年 졋던 비슬 이제야 갑프리라

반백년 졌던 빚을 이제야 갚으리라

---

13 흐르는 물살이 매우 센 폭포.

14 알성시謁聖試. 임금이 문묘에 참배한 뒤 성균관에서 실시한 과거.

15 미리 기약한 시기에 이름.

16 과거시험 또는 과거시험 장소.

17 시운이 어긋나 운명이 기구함.

18 한나라 고조 유방이 진나라 수도 함양을 정복한 후 그곳에서 호화롭게 지내며 머물고 싶었으나, 번쾌와 장량의 간언으로 눈물을 머금고 패상霸上 땅으로 물러난 일.

19 지세가 몹시 높고 험함.

20 어떤 일에 대해 의지나 기운이 꺾임.

三月 聚粮ᄒᆞ야 卜日 發行ᄒᆞᆯ식
삼월에 식량 꾸려 복일[21]에 출발할 때
郭處士 李生員이 徒步 相從ᄒᆞ니
곽처사 이생원이 서로 따르며 걸어가니
行裝이 瀟灑ᄒᆞ야 三尺篇 一介로다
행장이 소쇄[22]하여 세 치 퉁소 한 개로다
弱馬로 兼卜ᄒᆞ고 殘駟으로 벗을 삼아
어린 말에 의탁하고 남은 말로 벗을 삼아
東大門 내ᄃᆞ라셔 關王廟 지난 後의
동대문 내달아서 관왕묘 지난 후에
무너미 點心ᄒᆞ고 비운돌 너머 드러
무너미[23]에서 점심 먹고 비운돌 넘어 들어
征夫ᄅᆞᆯ 만나 보면 前路ᄅᆞᆯ 仔細 무러
정부[24]를 만나보면 앞길을 자세히 물어
抱川 鐵原 金化 金城 次第로 지나도다
포천 철원 금화 금성 차례로 지났도다
길 난지 엿새 만의 淮陽 짜 계유 드러
길 떠난 지 엿새만에 회양[25] 땅 겨우 들어
摩尼洞 깁픈 골로 斷髮嶺 올라 셔셔
마니동 깊은 골로 단발령 올라 서서

---

21 점을 쳐서 좋은 날을 가림.
22 기운이 맑고 깨끗함. 여기서는 차림새가 간결함.
23 서울 강북구 수유동에 있는 마을 이름. 수유동水踰洞이라는 지명은 물이 넘친다고 해서 무너미라고 함.
24 먼길 가는 남자. 전쟁터에 나가는 군인.
25 강원도 북동쪽에 있는 지명.

金剛山 眞面目을 처엄으로 ᄇᆞ라보니

금강산 진면목을 처음으로 바라보니

心神이 灑落ᄒᆞ고 眼目이 豁然ᄒᆞ다

정신이 쇄락[26]하고 눈길이 활연[27]하다

百川橋 지나가셔 山暎樓 올라가니

백천교 지나가서 산영루 올라가니

一帶 淸流ᄂᆞᆫ 檻前의 둘러 잇고

한 줄기 맑은 시내 난간 앞에 둘러 있고

四面 蒼顔은 簷檻의 隱暎ᄒᆞᆫ다

사면 창안[28]은 처마와 난간에 은은히 비친다

長安寺 寅賓堂의 一夜ᄅᆞᆯ 留宿ᄒᆞ고

장안사 인빈당에서 하룻밤을 유숙하고

曉飯을 催促ᄒᆞ야 指路僧 압셰오고

새벽밥을 재촉하여 지로승[29] 앞세우고

粧鏡峰 도라보며 觀音峰 지나가니

장경봉[30] 돌아보며 관음봉 지나가니

地藏 釋迦 두 峰 ᄉᆞ이 玉鏡臺 골이로다

지장 석가 두 봉 사이 옥경대 골이도다

臺 우희 刻ᄒᆞᆫ 글ᄌᆞ 宛然히 어제 ᄀᆞᆺ다

대 위에 새긴 글자 완연히 어제 같다

그 아ᄅᆡ 黃川江을 긔 뉘라셔 일홈ᄒᆞᆫ고

그 아래 황천강을 그 누구가 이름지었는가

---

26 기분이나 몸이 상쾌하고 깨끗함.

27 환하게 트여 시원함.

28 늙은 얼굴을 뜻하나 여기서는 푸른 나무를 뜻함.

29 산속에서 길을 인도해주는 스님.

30 장경봉長慶峯이 바른 표기.

上下 澄潭間의 네 혼자 金빗치다
상하 맑은 연못 사이에서 너 혼자 금빛이다
江 우희 城을 쑤고 城腰의 門을 내니
강 위에 성을 쌓고 성 허리에 문을 내니
門名 地獄이 어닉 즁 지어낸고
문 이름 지옥이라고 어느 중이 지어냈는가
明鏡臺 묽근 눗출 門 우희 거러시니
명경대 맑은 낯을 문 위에 걸었으니
依然흔 一幅障子 畵筆로 그려낸 둧
의연한 한 폭 장자[31] 붓으로 그려낸 듯
門으로 드러가면 靈源洞이 그 안히다
문으로 들어가면 영원동이 그 안이다
泉石도 됴커니와 峰名도 有心흐다
천석[32]도 맑거니와 봉이름도 유심[33]하다
十王峰 將軍峰과 童子峰 獅子峰은
시왕봉 장군봉과 동자봉 사자봉은
일홈흔 처엄 뜻이 明鏡의 照應흔다
이름한 처음 뜻이 명경에 조응[34]한다
地獄門을 憑藉흐야 衆生을 警戒토다
지옥문을 빙자하여 중생을 경계하도다
百川洞 구버 보고 鳴淵潭 지나가니
백천동 굽어 보고 명연담 지나가니

31 얇은 종이를 바르거나 끼워 만든 장지.
32 물과 돌이 어우러진 자연의 경치.
33 속뜻이 있음. 어떤 것을 살피는 데 주의가 깊음.
34 사물이나 현상 따위가 서로 비추어 꼭 맞게 대응함.

萬瀑洞 氣像을 이졔 보아 알리로다
만폭동 기상을 이제 보아 알겠도다
安養庵 石面佛과 白華庵 前後佛이
안양암 돌부처와 백화암 앞뒤 부처가
人功이 奇異ᄒᆞ나 上願佛의 밋츨소냐
사람 공력이 기이하나 상원불에 미치겠는가
表訓寺 잠간 쉬여 萬瀑洞 드러갈 제
표훈사에 잠깐 쉬고 만폭동 들어갈 때
金剛門 ᄀᆞᆺ 지나며 石路를 攀緣ᄒᆞ니
금강문 막 지나며 돌길을 반연[35]하니
五賢 遺跡이 石峰만 남어셰라
다섯 현인 유적이 돌 봉우리만 남았구나
靑鶴은 어ᄃᆡ 가고 蒼松만 셔 인ᄂᆞᆫ고
청학은 어디 가고 푸른 소나무만 서 있는가
그 겻ᄐᆡ 天日臺ᄂᆞᆫ 華表柱 되엿도다
그 곁의 천일대는 화표주[36] 되었도다
蓬萊楓嶽 元化洞天 天下第一 名山字ᄂᆞᆫ
봉래풍악 원화동천 천하제일 명산 글씨는
크나큰 盤石 우의 뉘라 써 삭엿ᄂᆞᆫ고
크나큰 반석 위에 누가 써 새겼는가
上下 八潭을 일홈 ᄎᆞ자 보아 가니
위 아래 여덟 연못을 이름 찾아보러 가니
萬里 東溟의 長鯨이 품어낸가
만 리 동해의 큰 고래가 뿜어내는가

---

35 끌어잡고 의지하여 기어오름.
36 여덟 모를 깎은 한 쌍의 돌기둥.

黃河水 西來ᄒᆞ야 崑崙을 헛치ᄂᆞᆫ ᄃᆞᆺ
황하의 물 서쪽으로 가서 곤륜산을 덮치는 듯
흣터지니 구슬이오 ᄲᅮᆯ히니 안개로다
흩어지니 구슬이요 뿌리느니 안개로다
四時의 飛雪이오 萬古의 雷聲이다
사시에 눈 날리고 만고에 뇌성[37]이다
李謫仙 瀑布詩ᄅᆞᆯ 壯히 녀겨 닑엇더니
이적선[38] 폭포시를 장히 여겨 읽었더니
이제 와 이ᄅᆞᆯ 보니 뉘야 더 雄壯ᄒᆞᆫ고
이제 와 이를 보니 어떤 게 더 웅장한가
報德窟 올라가셔 石窟을 求景ᄒᆞ고
보덕굴 올라가서 석굴을 구경하고
銅柱ᄅᆞᆯ 구버 보니 몃 길이 놉닷말고
구리기둥을 굽어보니 몇 길이 높다는 말인가
人力을 浪費ᄒᆞ니 佛道의 有益ᄒᆞᆫ가
인력을 낭비하니 불도에 유익한가
浮虛도 ᄒᆞ거니와 誕妄도 그지업다
부허[39]도 하거니와 탄망[40]도 그지없다
獅子峰 도라 드러 摩訶淵 드러 보고
사자봉 돌아들어 마하연 들어보고
表訓寺로 ᄂᆞ려 오며 萬瀑을 다시 보니
표훈사로 내려오며 만폭동을 다시 보니

37 천둥소리. 우레.
38 당나라 시인 이백李白.
39 마음이 들떠 있어 미덥지 못함.
40 터무니 없고 망령됨.

ᄉᆞ랑코 ᄆᆡ친 ᄆᆞᄋᆞᆷ 美色인들 이ᄀᆞᆺ트랴
사랑하여 맺힌 마음 미색인들 이 같으랴
正陽寺 ᄎᆞ자 가셔 歇惺樓 안자 보니
정양사 찾아가서 헐성루에 앉아보니
三十洞 萬二千峰을 一一히 다 볼로라
삼십 골짜기 만이천봉을 일일이 다 보겠도다
北으로 衆香城이 嵬然히 特立ᄒᆞ야
북으로 중향성이 우뚝이 뛰어나서
南으로 穴望峰을 마조 안자 ᄇᆞ라거던
남으로 혈망봉을 마주 앉아 바라보거늘
그 남은 許多峰巒 다 각각 뫼셔시니
그 남은 허다한 봉우리 다 각각 모시고 있으니
兩將이 對陣ᄒᆞ야 玉帳을 노피 열고
양쪽 장수가 진을 마주해 옥장[41]을 높이 열고
千兵 萬馬ᄅᆞᆯ 井井히 排置ᄒᆞᆫ ᄃᆞᆺ
천병 만마를 정정히[42] 배치한 듯
劍戟은 森嚴ᄒᆞ고 隊伍ᄂᆞᆫ 整齊ᄒᆞ니
칼과 창은 삼엄하고 대오는 가지런하니
一山中 奇觀이 指點 間의 다 버렷다
산중의 기이한 경관이 가리키는 곳마다 벌어져 있다
毗盧峰 大小香爐 先鋒인가 中軍인가
비로봉 대소향로 선봉인가 중군인가
望軍臺 石鷹峰은 左翼인가 右翼인가
망군대 석응봉은 왼날개인가 오른날개인가

41 장수가 거처하는 진영을 아름답게 이르는 말.
42 질서있게 가지런함.

日出 月出 永郎峰은 伏兵이 分明ᄒᆞ다
일출 월출 영랑봉은 복병이 분명하다
千態萬象이 兩眼의 昭昭ᄒᆞ니
온갖 자태 형상이 두 눈에 뚜렷하니
올라가 다시 본ᄃᆞᆯ 무어시 더 나으리
올라가 다시 본들 무엇이 더 나으리
內山을 그만 보고 外山을 求景ᄒᆞ쟈
산 안쪽 그만 보고 산 바깥을 구경하자
李生은 人馬 주어 通川으로 돌게 ᄒᆞ고
이생에게 말과 사람을 붙여 통천으로 돌게 하고
郭處士 나 ᄃᆞ리고 內水岾을 너머갈 제
곽처사는 나 데리고 내수점을 넘어갈 때
或先 或後ᄒᆞ야 八潭을 고쳐 보고
앞서거니 뒷서거니 여덟 연못 다시 보고
摩訶淵 ᄀᆞᆺ 지나며 別世界ᄅᆞᆯ 만나 보니
마하연 갓 지나며 별세계를 만나보니
層峰 澄潭이 일홈 업ᄉᆞᆫ 空地로다
층층 봉우리 맑은 연못이 이름 없는 빈 땅이도다
數업ᄉᆞᆫ 峰壑을 다 제금 主張ᄒᆞ니
수없는 봉우리 골짜기를 다 제각기 주장하니
仙客의 ᄯᅡ 안니면 釋家의 物이로다
신선의 땅 아니면 불가의 물상이도다
堂堂ᄒᆞᆫ 君子儒ᄂᆞᆫ 어ᄃᆡᄅᆞᆯ 次知ᄒᆞᆯ고
당당한 유가 군자는 어디를 차지할까
호올로 이 石峰이 特立居中 ᄒᆞ여시니
홀로 이 석봉이 그 가운데 빼어나 있으니

不偏 不倚는 中庸의 道 아닌가
어느 한쪽에 치우치지 않음은 중용의 도 아닌가
靜而有常은 君子의 德 아닌가
고요하면서도 늘 그러함은 군자의 덕 아닌가
峰下의 흐른 물이 方塘이 절로 되어
봉우리 아래로 흐른 물이 사각 연못이 절로 되어
不括 不停ᄒᆞ야 活水源이 되어셰라
매이지 않고 머물지 않아 활수원[43] 되었어라
峰稱 樂仁ᄒᆞ고 潭號는 處智로다
봉 이름은 요인[44]하고 못 이름은 처지[45]로다
活源洞 三字로 洞名을 肇錫ᄒᆞ니
활원동 세 글자로 골짜기 조석[46]하니
슬프다 이내 行色 寂廖를 免ᄒᆞ도다
슬프다 이내 행색 적요를 면했도다
楡岾寺로 드러가며 泉石을 翫賞ᄒᆞ고
유점사로 들어가며 천석을 완상[47]하고
各因其形ᄒᆞ야 潭名을 分定ᄒᆞ니
각각 형상에 기인하여 못 이름을 정했으니
內外山 八潭이 恰然이 彷佛ᄒᆞ다
내외산 여덟 못이 흡연[48]히 방불[49]하다

---

43 끊임없이 흐르는 물.
44 인자요산仁者樂山. 어진 이는 산을 좋아한다에서 유래.
45 이치에 맞음.
46 비로소 하사하다. 또는 좋은 이름을 지어주다. 굴원屈原의 《이소경離騷經》에서 유래.
47 즐겨 구경함.
48 흡족한 모양.
49 거의 비슷함.

隱身臺 萬景臺ᄅᆞᆯ 指顧ᄒᆞ고 지나가셔
은신대 만경대를 지고[50]하고 지나가서
朴達峙 올라 안저 南으로 ᄇᆞ라보니
박달치에 올라 앉아 남으로 바라보니
北崖 陰谷의 곳곳이 凍雪이다
북쪽 벼랑 그늘진 골짜기 곳곳에 언눈이다
돌인가 어름인가 光色이 一樣이라
돌인가 얼음인가 광색[51]이 한가지도다
滿山 檜栢은 蒼翠가 爛漫ᄒᆞ고
산 가득 회나무 측백나무는 창취[52]가 난만[53]하고
躑躅 杜鵑은 紅白이 低仰ᄒᆞ니
철쭉 진달래는 홍백이 저앙[54]하니
一時 風物이 客興을 도아낸다
한 시절 풍물이 나그네 흥취 돋아낸다
木橋ᄅᆞᆯ 攀緣ᄒᆞ야 佛頂臺 올라 보고
나무다리를 더위잡고 불정대 올라 보고
短笻을 힘을 샤아 峻坂을 계유 ᄂᆞ려
짧은 대지팡이로 힘을 삼아 비탈길을 겨우 내려와
松林 窟中의 쉬어 안저 指點ᄒᆞ니
소나무숲 굴속에 쉬어 앉아 지점[55]하니

---

50 손짓하며 뒤돌아봄.
51 찬란한 빛.
52 싱싱하게 푸르름.
53 한창 만발하여 성함.
54 오르내림. 흔들흔들.
55 손으로 가리킴.

造化翁 手段이 到處의 技巧ᄒᆞ다
조화옹 수단이 도처에 기묘하다
通庵 午飯ᄒᆞ고 孝養峙를 ᄯᅩ 너므며
통암에서 점심 먹고 효양치를 또 넘으며
以手로 撫膺ᄒᆞ고 步步의 休息ᄒᆞ니
손으로 가슴을 쓸며 걸음걸음 휴식을 하니
使人凋朱顔이 헛말이 아니로다
붉은 얼굴 창백해지게 한다는 것이[56] 헛말이 아니도다
眼目을 專爲ᄒᆞ고 脚力을 不計ᄒᆞ니
눈길을 한곳으로만 하고 다리 힘을 헤아릴 수 없으니
古人의 깁픈 癖이 내 ᄆᆞ음과 一般이다
옛사람의 깊은 벽이 내 마음과 한가지다
鉢淵寺 ᄇᆞ라보고 瀑布庵 ᄎᆞ자가니
발연사 바라보고 폭포암 찾아가니
盤陀 大巖이 澗底의 펴엿ᄂᆞᆫᄃᆡ
널찍한 큰 바위가 계곡 아래 펼쳤는데
一條 淸波ᄂᆞᆫ 瀑布水 되어셰라
한줄기 맑은 물결 폭포수 되었구나
蓬萊島 刻ᄒᆞᆫ 글字 楊士彦의 筆이로다
봉래도 새긴 글자 양사언의 필체로다
衣裳을 버서 노코 물졀의 드러 안저
옷을 벗어 놓고 물결에 들어 앉아

56 사인조주안使人凋朱顔. 이백의 시 〈촉도난蜀道難〉에 '사인청차조주안使人聽此凋朱顔·사람이 이를 들으면 붉던 얼굴 창백해진다.'라는 구절이 나옴. 험준한 행로의 의미를 담고 있음.

汗垢를 다 시ᄉᆞ니 我心이 淸兮로다

땀과 때를 다 씻으니 내마음이 맑도다

一點 塵念이 胸中의 留滯ᄒᆞ랴

한 점 세속의 상념이 가슴속에 머무르랴

千秋에 浴沂 氣像 이예서 더ᄒᆞᆯ런가

천추[57]에 욕기[58] 기상이 이보다 더할 것인가

시내ᄅᆞᆯ 조차 ᄂᆞ려 下瀑을 다ᄃᆞᄅᆞ니

시내를 좇아 내려가 아랫폭포에 다다르니

水光 石色이 上局의셔 一倍로다

물빛 돌 색깔이 위쪽보다 더 좋도다

鉢淵寺 즁을 불러 馳瀑을 求景ᄒᆞ니

발연사 중을 불러 치폭[59]을 구경하니

赤身 渾脫ᄒᆞ고 돌홈의 箕坐ᄒᆞ야

알몸으로 혼탈[60]하고 돌 홈에 걸터 앉아

水勢ᄅᆞᆯ 흘리 ᄯᆞ라 번개 ᄀᆞᆺ치 ᄂᆞ려가니

물결을 흘려 따라 번개 같이 내려가니

非常타 이 奇觀을 뉘 처엄 시겨 낸고

비상하도다 이 기이한 경관을 누가 처음 시켜 냈는가

下流의 三層淵이 갈ᄉᆞ록 新奇ᄒᆞ다

하류의 삼층 연못이 갈수록 신기하다

---

57 길고 오랜 세월.

58 기수沂水에서 목욕한다는 뜻으로, 명리名利를 잊고 유유자적함을 이르는 말. 공자가 몇몇 제자에게 각자가 가진 뜻을 말해 보라고 하자, 증석曾晳이 기수沂水에서 목욕하고 무우舞雩에 올라가 바람을 쐬고 노래하며 돌아오겠다고 대답한 고사에서 유래함.

59 비스듬히 흐르는 폭포. 진표율사眞表律士가 잡념이 생기면 폭포로 달려들어가 마음을 안정시켰다고 함.

60 세속을 벗어남.

山僧 鉢盂形이 이 아니 宛然ᄒᆞᆫ가

산승의 발우 형상이 이 아니 비슷한가

新溪寺 洞口 밧긔 막대 잡고 ᄇᆞ라보니

신계사 동구 밖에 막대 잡고 바라보니

層巖 疊障이 이 어인 形狀인고

층층 바위 겹겹 장벽이 이 어찌된 형상인가

眼中의 依依ᄒᆞ야 面分니 ᄀᆞ쟝 닉다

눈에 어른어른 면분[61]이 가장 익다[62]

離別ᄒᆞᆫ 內金剛을 예 와 볼 줄 혜여시랴

이별한 내금강을 여기 와서 볼 줄 생각이나 했으랴

淸溪를 幾渡ᄒᆞ야 玉流洞을 드러간고

맑은 시내 몇 번 건너 옥류동을 들어갔던가

반가은 萬瀑洞을 ᄯᅩ 어더 보리로다

반가운 만폭동을 또 얻어 보겠도다

夸夫로 運轉ᄒᆞᆫ가 壑舟로 옮겻ᄂᆞᆫ가

과보[63]가 운전한가 학주[64]로 옮겼는가

雄偉ᄒᆞᆫ 形勢ᄂᆞᆫ 長短이 잇거니와

웅위[65]한 형세는 길고 짧음이 있거니와

---

61 얼굴이나 알 정도로 사귐.

62 자주 보고 듣고 해서 낯설지 않고 친숙함.

63 중국 신화에 등장하는 힘센 거인 과보夸父. 과보가 해와 달리기 경주를 했으나 도중에 목이 말라 죽었다고 함.

64 도적을 겁내어 배를 골짜기에 숨겨 놓았으나 밤중에 힘센 사람이 배를 메고 도망가 버렸다는 《장자莊子》 〈대종사大宗師〉편에 있는 고사. 사물은 우리가 깨닫지 못하는 사이에 땅에 머물지 않고 변화한다는 자연의 운행 이치를 비유하는 경우에 쓰임. 도연명의 〈잡시십이수雜詩十二數〉 가운데 "삶은 골자기의 배처럼 잠시도 머물지 않고, 나를 끌어 당겨 안주하지 못하게 하는구나. 학주무수유인아부득주壑舟无須臾引我不得住"라는 구절이 있음.

65 뛰어나게 웅장하고 훌륭함.

廣闊ᄒᆞᆫ 規模ᄂᆞᆫ 이야 더 快活ᄒᆞ다
광활한 규모는 여기가 더 쾌활하다
天地도 偏僻ᄒᆞ고 造物도 多事ᄒᆞᆯ샤
천지도 치우치고 조물주도 일 많구나
萬瀑洞 玉流洞을 內外에 ᄒᆞᆷᄭᅴ 내니
만폭동 옥류동을 안팎에 함께 내놓으니
遊客의 題品이 前後의 紛紜ᄒᆞ다
유객[66]의 제품[67]이 예도 지금도 분분하다
九龍沼 上下淵은 ᄯᅩ 어이 竝設ᄒᆞᆫ고
구룡소 위 아래 못은 또 어찌하여 한곳에 갖추었나
雄壯도 雄壯ᄒᆞ고 危險도 危險ᄒᆞ다
웅장하기도 웅장하고 위험하기도 위험하다
蜿蜒 神物이 淵中의 ᄌᆞᆷ겨시니
완연[68] 신물이 못 속에 잠겨 있으니
네 萬一 變化ᄒᆞ야 德施를 너비 ᄒᆞ고
네 만일 변화하여 덕 베풀기를 널리 하고
數千里 東方의 雨順風調ᄒᆞ게 ᄒᆞ면
수천 리 동방에 우순풍조[69] 하면
人民의 崇奉ᄒᆞᆷ이 東南海神 ᄒᆞᆯ로 ᄒᆞ랴
백성들의 숭봉[70]함이 동남해신 홀로 하겠는가
엇디타 乾二爻를 取象치 아니ᄒᆞ고
어찌하여 세상 밝히는[71] 현룡의 형상 취하지 않고

---

66 두루 구경하며 돌아다니는 사람.
67 사물의 가치나 우열을 평가함.
68 기어가는 모양이 꾸불꾸불함.
69 비가 때 맞춰 알맞게 내리고 바람이 고르게 불어옴. 농사짓기에 알맞은 날씨.
70 숭배하여 받듦.

無浪ᄒᆞᆫ 遊山客의 指點만 ᄒᆞ이ᄂᆞᆫ다
잠잠한 유산객이 가리키게만 하는가
頷下의 明月珠를 날 ᄒᆞ나식 ᄂᆞᆫ화 주어
턱 아래 명월주를 내게 하나씩 나눠 주어
筆頭 波瀾의 珠玉을 품게 ᄒᆞ렴
붓끝으로 파란의 주옥[72]을 품게 하렴
逸興은 無窮ᄒᆞ고 夕陽은 빗겨셰라
일흥[73]은 무궁하고 석양은 비껴 서네
青山裏 水聲中의 밧비 거러 ᄂᆞ려 와셔
청산 속 물소리에 바삐 걸어 내려 와서
玉洞을 下直ᄒᆞ고 三日浦로 도라셔니
옥동을 하직하고 삼일포로 돌아서니
東海ᄂᆞᆫ 앏픠 잇고 金剛은 뒤희 잇다
동해는 앞에 있고 금강산은 뒤에 있다
僕夫ᄅᆞᆯ 分付ᄒᆞ야 征馬를 모지 마라
복부[74]에게 분부하여 정마[75]를 몰지 마라
一步 一回ᄒᆞ니 遲遲타 吾行이여
걸음마다 돌아보니 더디도다 나의 행로여
溪聲을 못 드르니 漸漸 먼 줄 ᄭᆡ칠로다
시냇물 소리 못 들으니 점점 멀어지는 줄 깨닫겠도다

---

71 주역周易 · 효사爻辭 · 건괘乾卦 · 구이九二의 현룡見龍을 말함. 현룡은 낮은 지위로도 능히 세상을 밝힌다는 수고로운 용.

72 주옥같은 명문장.

73 세속을 벗어난 흥취.

74 종으로 부리는 남자.

75 먼길 가는 말. 싸움터에 나가는 말.

白日은 無情ᄒᆞ야 西嶺을 지나가고
밝은 해는 무정하여 서녘 고개를 넘어가고
烟霧ᄂᆞᆫ 무ᄉᆞᆷ 일로 孱顏을 ᄀᆞᆷ초ᄂᆞᆫ다
안개는 무슨 일로 험한 산을 감추는가
惜別 無限 情은 갈ᄉᆞ록 ᄆᆡ쳐셰라
아쉬운 이별에 무한한 정은 갈수록 맺히는구나
뭇노라 溪神 山靈 내 懷抱 아ᄂᆞᄉᆞᆫ다
묻노라 계신 산령 내 회포 아는 건가
宿債ᄅᆞᆯ 못다 갑고 新債ᄅᆞᆯ 다시 지니
묵은 빚 못다 갚고 새 빚 다시 지니
自顧塵踪이 淸分 적은 탓시로다
자고진종[76]이 청분[77] 적은 탓이도다
四仙亭 後嶺 우희 도라셔셔 ᄇᆞ라보니
사선정 뒷고개 위에 돌아서서 바라보니
澗水ᄂᆞᆫ 東流ᄒᆞ야 歸客을 ᄯᆞ로ᄂᆞᆫ 듯
계곡은 동으로 흘러 나그네를 따르는 듯
翠眉ᄂᆞᆫ 攢愁ᄒᆞ야 離恨을 ᄯᅴ엿도다
버들잎은 시름을 모아 이한[78]을 띄웠도다
東南이 絕遠ᄒᆞ야 終老約을 못 ᄆᆡᄌᆞ니
동남쪽이 동떨어져 종로약[79]을 못 맺으니
文字로 記錄ᄒᆞ고 畵筆로 그려내여
문자로 기록하고 붓으로 그려내어

76 스스로 돌아보니 세속의 몸이라.
77 분수에 맞음.
78 이별하는 안타까움.
79 늙을 무렵 맺은 약속.

常目在之ᄒᆞ야 不忘資를 삼으리라

상목재지[80]하여 못잊을 자산 삼으리라

九郡 八景을 歷路의 보아 가며

구군 팔경을 지나는 길에 보아 가며

다치 못ᄒᆞᆫ 나믄 興이 雪嶽山을 ᄎᆞ자 가셔

다하지 못한 남은 흥이 설악산을 찾아 가서

彷佛ᄒᆞᆫ 네 얼굴을 다시 보고 반길로다

흡사한 네 얼굴을 다시 보고 반기겠노라

내 집이 靈巖이라 月出山 아ᄅᆡ로다

내 집이 영암이라 월출산 아래도다

小金剛 名稱이 善形容ᄒᆞ단 말이

소금강 명칭이 형용 잘했다는 말이

이 아ᄅᆡ ト居ᄒᆞ니 네 顔面을 차리로다

이 아래 깃들어 사니 네 얼굴을 찾으리로다

戀戀ᄒᆞᆫ 깁픈 情을 片夢中의 부치리라

연연한 깊은 정을 편몽[81]중에 부치리라

아마도 此生 未死前의 다시 갈가 ᄒᆞ노라

아마도 이 세상 죽기 전에 다시 갈까 하노라

---

80 늘 눈여겨 봄.

81 조각난 꿈.

14. 금당별곡金塘別曲

① 작품명 : 금당별곡金塘別曲

② 작자명 : 위세직(魏世稷, 1655～1721)

위세직은 전남 장흥 출생으로, 생애와 행적을 살필 수 있는 자료가 많지 않다. 당쟁에 휘말려 1675년 장흥으로 유배 온 민정중(閔鼎重, 1628～1692)의 문하에서 수학, 《동국여지승람》 장흥조 편찬에 참여한 것으로 알려져 있다.

③ 출전 : 《삼족당가첩三足堂歌帖》[1]

④ 해제

〈금당별곡〉이 언제 지어졌는지 현재로서는 확인하기 어렵다. 이 작품의 작자를 밝히고 있는 위세보(魏世寶, 1669～1707)의 《석병집石屛集》을 근거로 하면, 적어도 위세보가 세상을 뜬 해인 1707년 이전에 지어진 것으로 볼 수 있다. 〈금당별곡〉은 위세직이 당시 장흥(현재 완도 앞바다)에 있는 금당도金塘島와 만화도萬花島를 배를 타고 이틀에 걸쳐 돌아보고 지은 일종의 해양유람기행가사다. 자연을 벗삼아 생활하는 작자의 유람 떠나기 전 심경, 금당도에 이르는 여정, 금당도의 풍광과 정취, 만화도의 여정, 만화도의 풍광과 정취, 현실로 복귀하는 여정과 심회 등을 노래했다. 자의에 의해 이루어진 해양유람을 노래했다는

---

1 〈금당별곡〉이 학계에 처음 소개될 때 위세보魏世寶가 지은 것으로 보아, 그의 호인 삼족당三足堂을 염두에 두고 작품이 수록된 문헌을 《삼족당가첩》으로 잠칭했음. 그러나 이 작품의 작자가 위세직魏世稷임이 밝혀졌고, 장흥에 거주하던 사람들에 의해 지어진 작품들 또한 여기에 실렸음을 감안할 때 이를 《위문가첩魏門歌帖》으로 일컬어야 온당하다는 견해가 제기되어 있음.

점에서 주목되는 작품이다.

⑤ 원문과 현대역

일신一身의 병病이 드러 만사萬事에 흥황興況 업셔
일신에 병이 들어 만사에 흥미 없어
죽림竹林 깁픈 곳의 원학猿鶴을 벗슬 삼마
대숲 깊은 곳에 원숭이와 학을 벗을 삼아
십년十年 셔창書窓의 고인시古人詩뿐이로다
십 년 서창[2]에 옛사람 시 뿐이로다
일생호입一生好入 명산곡名山曲을 우연偶然히 기리 을펴
일생 동안 명산에 들어 놀기 좋아했다는 노래[3] 우연히 길게 읊어
만고萬古 시호詩豪을 녁녁歷歷히 혀여 본이
만고의 시 호걸들 역력히 헤아려 보니
팔션八仙 천재후千載後에 니을 이 긔 뉜 게요
여덟 신선 천 년 후에 이을 이 그 누구인가
강산江山 풍월風月이 한가閑暇ᄒᆞᆫ 지 여러 해여
강산 풍월이 한가한 지 여러 해라
분분세사紛紛世事 나도 슬여 풍월쥬인風月主人되랴 ᄒᆞ야
어수선한 세상사 나도 싫어 풍월주인 되려 하여
명구名區 션경仙境이 반공半空의 얼른얼른
이름난 곳 신선 사는 곳이 공중에 어른어른

2 서재의 창.

3 이백의 시 〈여산요기로시어허주廬山謠寄盧侍御虛舟·여산의 노래를 노시어 허주에게 부치다〉에 "일생 동안 명산에 들어 놀기를 좋아했네·일생호입명산유一生好入名山游"라는 구절이 있음.

명구名區 션경仙境에 반세半世를 늙어 잇다
이름난 곳 신선 사는 곳에 반평생 늙어 있다
젼산前山 아ᄎᆞᆷ 비애 쵸목草木이 만발滿發이라
앞산 아침 비에 초목이 만발해서
산화山花 피온 곳이 흥미興味도 하고 만타
산꽃 피어난 곳이 흥미도 많기도 많구나
학鶴 우의 션자仙子들은 이 ᄯᅢ에 만나 보아
학 위에 신선들을 이 때에 만나 보아
항금단黃金丹 지어 내여 삼동계參同契 뭇쟈 ᄒᆞ야
황금단 지어 내어 참동계[4] 묻고자 하여
송뇨松醪을 박타 내여 일렵편쥬一葉片舟 실어 두고
송료[5]를 걸러 내어 일엽편주에 실어 두고
말니萬里 연파烟波의 임의任意로 ᄯᅴ워 내이
만 리 안개 속에 내맡겨 띄워 내니
엽셔 화담花潭은 망안望眼의 가경佳境ㅣ요
옆에 화담은 눈 앞의 멋진 경개요
백빈白蘋 홍뇨紅蓼ᄂᆞᆫ 단도短棹의 향긔香氣로다
흰 마름풀 붉은 여뀌는 짧은 노에 향기롭다
산형山形도 됴컨이와 슈셰水勢도 ᄀᆞ이 업다
산세도 좋거니와 물세도 끝이 없다
청강淸江 백구白鷗야 문노라 가ᄂᆞᆫ 길이
청강 백구야 묻노라 가는 길이

---

4 '참동계參同契'로 읽어야 함. 《참동계》는 중국 동한 사람 위백양魏伯陽이 지었다고 하는 책으로, 신선이 되기 위해 제조하는 단약丹藥인 금단金丹에 대해 언급하고 있음.
5 송진으로 만든 술.

삼신산三神山 ᄂᆡ린 활기 이리로쇼 어듸 멀며
삼신산에서 내린 활기[6] 이리로서 어디 멀며
도원도桃園島 지ᄂᆞᆫ 곳은 언의 물로 ᄂᆞ리ᄂᆞᆫ고
도원도 지난 곳은 어느 물로 내리는고
계도桂棹을 흘리 져어 가ᄂᆞᆫ 대로 노하스라
월계수 노 편히 저어 가는 대로 놓았어라
년회連回 고면顧眄ᄒᆞ야 곳곳지 지졈持點ᄒᆞᆯ 제
연거푸 돌아보아 곳곳이 가리킬 때
샹운祥雲 일편一片이 해쳔海天의 검어 이셔
상서로운 구름 한 조각이 바다 위에 검게 떠 있어
온자溫藉ᄒᆞᆫ 학鶴의 소ᄅᆡ 십니十里의 들니거ᄂᆞᆯ
온자[7]한 학의 소리 십 리에 들리거늘
난도蘭棹을 ᄲᅡᆯ리 저어 ᄂᆞᄃᆞ시 들어가니
향기로운 노 빨리 저어 날듯이 들어가니
부용화芙蓉花 퓌운 거동擧動 반공半空의 소사ᄂᆞᆫᄃᆡ
연꽃 피운 거동 공중에 솟았는데
올저 듯던 그 솔의 잇 ᄶᅡ히셔 나실셰라
올 때 듣던 그 소리 이 땅에서 생겨났구나
평사平沙의 닷슬 주고 치하彩霞을 헷쳐 보니
평사[8]에 닻을 내리고 채하[9]를 헤쳐 보니
ᄃᆡᆺ 알에 물 우희 그 ᄉᆞ이 쳔쳑千尺이라
들판 아래 물 위 그 사이가 천 척이라

---

6 활동의 원천이 되는 정기精氣.
7 온화하고 인자함.
8 모래로 덮여 있는 평평한 갯벌.
9 빛이 아름다운 노을.

긔성氣象이 만쳔滿天이라 파능巴陵이 이갓든가
기운과 형상 하늘 가득하니 파릉[10]이 이 같은가
대ᄀᆞᆯ은 그 알홈이 이졔 보니 과연果然ᄒᆞ다
대강은 그 알음이 이제 보니 과연하다
연하烟霞와 ᄒᆞᆷ긔 ᄂᆞ려 셕노石路로 올나가니
안개 노을과 함께 내려 돌길로 올라가니
경화瓊花 요초瑤草ᄂᆞᆫ 곳곳의 깁펴 잇고
선경에 피는 꽃이며 초목 곳곳에 펼쳐져 있고
옥뎐玉殿 금깅金莖은 골골이 널려 잇다
옥 궁전 황금 기둥 골마다 널려 있다
한졔금갱漢帝金莖 언의 ᄣᅢ예 잇 ᄯᅡ히 옴계시며
한나라 황제 황금 기둥 어느 때에 이 땅에 옮겼으며
와황보쳔媧皇補天 어이 ᄒᆞ야 해쳔海天에 ᄯᅥᆯ어진고
무너진 하늘 메웠다더니[11] 어이 하여 바다에 떨어졌는가
죠코도 ᄆᆞᆯ근 긔상氣象 ᄀᆞ즘도 ᄀᆞ즐시고
깨끗하고도 맑은 기상 갖추기도 갖추었구나
셕쟉년화石作蓮花 운작ᄃᆡ雲作臺ᄂᆞᆫ 이런 ᄃᆡ롤 이롬이ᄅᆞ
돌로 만든 연화 운작대는 이런 곳을 이름이라
애미산蛾媚山 젹벽강赤壁江의 츄경츄상秋景秋狀 이러ᄒᆞᆫ저
아미산 적벽강의 가을 경치 가을 형상이 이러한가
젹송ᄌᆞ赤松子 안긔상安期生은 우화등션羽化登仙 예와 ᄒᆞᆫ가
적송자와 안기생[12]은 신선 된 것 여기에 와 하였는가

---

10 한나라 때 악양岳陽의 다른 이름. 양자강 높이 솟은 절벽에 지은 군사 요새.
11 중국 천지창조 신화에 나오는 여신 여와女媧(여왜)가 오색 돌을 빚어서 하늘의 갈라진 곳을 메우고 큰 거북의 다리를 잘라 하늘을 떠받치고 갈잎의 재로 물을 빨아들이게 하였다고 하는 고사.
12 적송자와 안기생 모두 중국 진나라 때의 신선.

반산半山의 흘러 쉬여 제일봉第一峰 올라 가이
산 중턱에 편히 쉬어 제일봉에 올라 가니
일진一陣 션풍仙風이 양액兩腋의 빅기 부러
한줄기 선풍이 양 어깨에 비껴 불어
표표飄飄 쌍메雙袂예 심신心身이 청냉淸冷흔니
표표히 양 소매에 스며 심신이 청랭[13]하니
봉구蓬丘 소식消息을 거의 안니 드을쏘냐
봉구[14] 소식을 거의 아니 듣겠는가
왕ᄌ王子 요듸瑤臺예 벽도碧桃만 늘거 잇고
왕장 요대에 천도복숭아만 늙어 있고
냥열兩列 셕구石臼의 칙하彩霞만 즘겨 잇다
양쪽 열 돌절구에 채색 노을만 잠겨 있다
셕각石角을 노피 베고 히경海景을 다시 보이
돌모서리 높이 베고 바다 풍경을 다시 보니
표묘漂渺흔 동명샹東溟上의 만텹강산萬疊江山 여긔저긔
어렴풋한 동쪽 바다 위에 만첩강산 여기저기
창망滄茫흔 운히雲海가의 닐편어쥐一片漁舟 오락가락
넓고도 아득한 구름 바닷가에 한조각 고깃배 오락가락
안져眼底의 모든 경景이 식식色色이 쟈랑흐이
눈 아래 모든 경관이 저마다 빛깔을 자랑하니
건곤乾坤의 이 조화造化을 뉘라셔 아러 보리
하늘과 땅의 이 조화를 누구에게 알아 보리
셩관星冠 월패月佩을 꿈애나 보쟈 흐야
성관 월패를 꿈에나 보자 하여

---

13 맑고 시원함.
14 봉래산蓬萊山의 다른 표현.

송근松根을 놉피 베고 낫잠을 잠간暫間 드니
송근을 높이 베고 낮잠을 잠깐 드니
청동靑童이 나을 잡여 봉내산蓬萊山 건너 뵈ᄂᆡ
청의동자가 나를 잡고서 봉래산 건너 보이네
송뇨쥬松醪酒 ᄀᆞ득 부어 나 잡고 저 권勸ᄒᆞᆯ 제
송료주 가득 부어 나 잡고 저 권할 때
장생게長生揭 뭇ᄌᆞᆫ 말을 반튼 채 못들어
장생 비법 묻던 말을 반도 채 못 들어
구고九皐 일셩一聲의 션몽仙夢을 놀나 ᄭᆡ이
천상 연못[15]의 일성에 신선 꿈을 놀라 깨니
장연長烟이 일공一空ᄒᆞᆫᄃᆡ 호월皓月이 쳔니千里로다
긴 안개 하늘에 드리워져 흰 달이 천 리로다
화졍霞汀의 멸파滅波ᄒᆞ고 수로水路도 무변無邊ᄒᆞ다
노을진 물가 파도 재우고 물길도 끝이 없다
애장牙檣을 다시 ᄭᅮᆷ며 만화도萬花島로 ᄂᆞ려간이
상아 삿대 다시 꾸며 만화도로 내려가니
산음山陰 셜야雪夜의 ᄌᆞ유子猶의 호흥豪興이라
산 북쪽 눈내린 밤 자유[16]의 호쾌한 흥취로다
셕강石江 츄월秋月의 ᄇᆡᆨ야白也의 시졍詩情이라
석강 가을 달빛 아래 백야의 시정이라
지낸 경景도 됴컨이와 밤 경景이 더옥 됴타
지나온 경관도 좋거니와 밤 경관이 더욱 좋다

15 천상에 있는 그윽하고 깊은 연못.

16 양구거梁丘據의 자字. 제나라 경공이 밤에 불쑥 신하의 집을 방문했는데, 다른 이들은 거절했으나 양구거는 반갑게 맞아 주어 함께 술과 음악을 즐겼다는 일화가 있음. 무료함을 달래주는 사람.

사변沙邊의 자던 구로鷗鷺 됴셩潮聲의 절로 ᄭᆡ여
물가에서 자던 갈매기 조수 소리에 절로 깨어
삼강三江 연월烟月의 ᄒᆞᆷ긔 놀자 우ᄂᆞᆫ ᄯᆞᆺ
삼강[17]의 안갯속 달과 함께 놀자 우니는 듯
슈져水底의 노던 상애湘娥 요슬瑤瑟을 ᄡᅵ아ᄅᆞᆯ 제
물 아래 놀던 달[18]이 구슬 비파를 연주할 때
남풍南風 오현五絃의 셩음聖音을 젼傳ᄒᆞᄂᆞᆫ ᄃᆞᆺ
남풍 실은 다섯 현으로 성음을 전하는 듯
괴예扣枻 승류乘流ᄒᆞ야 흥興겨워 머물을 제
뱃전 두드리며[19] 물결 타고 흥겨워 머무를 때
셔산西山의 ᄃᆞᆯ이 지고 동곡東谷의 날이 나니
서산에 달이 지고 동쪽 골짜기에 해가 나니
금파金波을 탕양蕩漾ᄒᆞ야 만강滿江이 능란凌亂ᄒᆞᆯ 제
금빛 파도 넘실거려 온 강이 어지러울 때
연져烟渚의 ᄇᆡ을 ᄆᆡ고 낙화落花을 ᄯᆞᆯ아 드이
안개 낀 물가에 배를 매고 낙화를 따라 들어가니
새벽 안개 ᄎᆞᆫ 이슬이 초의草衣예 저즐셰라
새벽 안개 찬 이슬이 풀옷에 젖을까 싶구나
산하山下 벽도碧桃ᄂᆞᆫ 녯 봄을 그져 ᄠᅴ여 훗 쥐인主人을 기ᄃᆞ리고
산 아래 천도복숭아는 옛 봄을 그냥 띄워 뒷 주인을 기다리고
곡니谷裏 유란幽蘭은 ᄇᆞ람 긋테 향긔香氣로 날리은 닷 알와ᄂᆞᆫ ᄃᆞᆺ
골자기 속 그윽한 난은 바람 끝에 향기로 날리는 듯 알리는 듯

---

17 중국 강소성江蘇省의 태호大湖에서 흘러 내리는 송강松江·누강婁江·동강東江. 또는 오송강吳淞江·전당강錢塘江·포양강浦陽江을 이르기도 함.
18 달 속에 살고 있다는 선녀 상아. 항아姮娥라고도 함.
19 악기를 연주하는 모양.

해ᄀᆡᆨ海客은 무심無心ᄒᆞ야 ᄇᆡᆨ구白鷗을 ᄯᅩᆯ우거을
바다 유랑객은 무심하여 백구를 따르거늘
션인仙人은 어ᄃᆡ 가고 황학黃鶴만 남안ᄂᆞᆫ고
신선은 어디 가고 황학만 남았는가
ᄇᆡᆨ화향白花香 ᄒᆞᆺ든 곳의 옥쇼玉簫을 ᄇᆡᆨ기 부이
백화향 흩어지는 곳에서 옥피리를 비껴 부니
뱍히碧海 청쳔靑天의 ᄇᆡᆨ학白鶴이 ᄂᆞ라든다
푸른 바다 파란 하늘에 백학이 날아든다
어와 황홀恍惚ᄒᆞ야 내 아니 신션神仙인가
어와 황홀하여 내 아니 신선인가
일ᄇᆡ쥬一盃酒 ᄌᆞ로 부어 취醉토록 머근 후後의
한 잔 술 자주 부어 취하도록 먹은 후에
삼화루三花樓 비겨 안저 물 밋틀 그버보니
삼화루에 비껴 앉아 물 밑을 굽어보니
월계越溪의 싯던 비단 어ᄂᆡ 물의 밀려 오며
월계에 씻던 비단 어느 물에 밀려 오며
낙포洛浦의 ᄂᆞ던 선녀仙女 어이ᄒᆞ야 잠긴 계뇨
낙포에 날던 선녀 어이하여 잠겼는가
슈ᄉᆡᆨ水色도 긔이奇異ᄒᆞ다 다시곰 살펴보니
물빛도 기이하다 다시금 살펴보니
호산湖山의 픠온 고시 물 아래 빗출셔라
호산에 피는 꽃이 물 아래 비칠새라
ᄀᆞᆺ 업ᄉᆞᆫ 이 경개景槪을 일폭一幅의 옴겨 내여
끝 없는 이 경개를 한폭에 옮겨 내어
셔시西施와 안긔安期 뵈여 대동젼大同殿의 보내딘ᄃᆞᆯ
서시와 안기에게 보여 대동전에 보내진들

오농五龍의 그린 가릉嘉陵 이 산수山水와 엇덜런고
오룡이 그린 가릉[20] 이 산수와 어떠할는지
풍광風光도 ᄒᆞᆫ限이 업고 의사意思도 그지업다
풍광도 한이 없고 생각도 끝이 없다
ᄋᆡ도ᄅᆞᆯ사 이내 몸이 션화仙化의 연분緣分 업셔
애닯을사 이내 몸이 신선될 연분이 없어
진심塵心이 미진未盡ᄒᆞ야 향관鄕關을 ᄉᆡᆼ각ᄒᆞ여
세속의 마음 떨치지 못해 고향을 생각하여
강산江山의 후긔後期 두고 ᄇᆡᆨ구白鷗와 ᄆᆡᆼ셔盟誓ᄒᆞ야
강산에 기약하고 백구와 맹세하여
허쥐虛舟을 다시 ᄐᆞᆯ라 오던 길노 ᄎᆞ자오니
빈 배를 다시 타고 오던 길로 찾아오니
못다 본 나믄 경景을 글귀예 영냥領量ᄒᆞ이
못다 본 남은 경치를 글귀에 담아내니
도긔려지 호구狐裘ᄂᆞᆫ 천만고千萬古의 과연果然ᄒᆞ다
오래 입은 여우 갖옷[21] 오랜 세월에 과연하다
산창山窓을 다시 ᄃᆞᆮ고 섬써히 누어시이
산창을 다시 닫고 편안히 누워 있으니
말니萬里 강쳔江天의 몽흔夢魂만 ᄎᆞ자 잇다
만 리 강과 하늘에 꿈속 혼만 찾아 있다
엇지타 갑업ᄉᆞᆫ 강산풍월江山風月을 절로 가게 ᄒᆞᄂᆞᆫ고
어찌하여 값없는 강산풍월을 절로 가게 하는가

---

20 중국 장강長江 상류의 지류인 강 이름. 아름다운 경치로 유명함.
21 여우 가죽으로 만든 웃옷. 제나라 안영晏嬰이 한 벌을 30년 동안 입었다는 고사가 있음.

15. 금루사金縷詞

① 작품명 : 금루사金縷詞

② 작자명 : 민우룡(閔雨龍, 1732～1801)

민우룡은 조선시대 선비로 본관은 여흥, 자는 은경殷卿, 호는 취은정醉隱亭이다. 그의 집안은 고려 때부터 벼슬을 했으나 6대조인 기정에 이르러 을사사화를 만나 경상북도 문경에 내려와 살았다.

③ 출전 : 필사본 《영주재방일기瀛洲再訪日記》

④ 해제

〈금루사〉는 3·4조와 4·4조로 구성된 단편 정형가사이다. 작품의 배경과 동기가 분명하고 형식이 정제되어 있다. 〈금루사〉는 민우룡이 제주 기생 애월과의 사랑을 노래한 염정가사로, 기법상 적절한 용사用事를 원용하여 봉별의 과정에서 일어나는 상사와 환락, 훼절과 비련의 주정적 감정을 잘 드러냈다. 이 가사는 그의 수필고본인 《영주재방일기瀛洲再訪日記》에 수재收載되어 있다. 이 작품은 1778년 영조 시대를 배경으로 하여 창작되었다. 내용도 특이하여 문학적 가치가 크다.

⑤ 원문과 현대역

어와 져 娘子ㅣ야 내 말ᄉᆞᆷ 드러보소
어와 저 낭자야 내 말씀 들어보소
烟火에 뭇쳐신ᄃᆞᆯ 宿緣이야 이즐소냐
연화에 묻혔던들 숙연[1]이야 잊겠는가

洛浦仙女 보랴ᄒᆞ면 前生에 네 아닌다
낙포선녀 보려하면 전생에 너 아닌가
南關布衣 白面生도 仙客인 줄 뉘 알니오
남관[2] 벼슬 없는 선비 백면생[3]도 선객인 줄 뉘 알겠는가
蟠桃春色 瑤池宴에 도적ᄒᆞᆫ 이 네언마는
반도춘색[4]의 요지연[5]에 마음 뺏긴 이 너이지만
與受를 同罪ᄒᆞ니 너와 나와 謫下로다
여수를 동죄[6]하니 너와 내가 귀양옴이로다
滄茫ᄒᆞᆫ 九點烟에 參商이 난호이니
창망한 구점연[7]에 삼상으로 나누이니[8]
碧海水 洋洋ᄒᆞ야 一帶 銀河 되어 잇다
벽해수 양양하여 한 띠 은하수 되어 있다
너도 나를 보랴 ᄒᆞ면 八嶺이 疊疊ᄒᆞ고
너도 나를 보려 하면 팔령이 첩첩이고
나도 너를 보랴 ᄒᆞ면 三山이 杳杳ᄒᆞ다
나도 너를 보려 하면 삼산이 묘묘하다

---

1 오래 묵은 인연. 전생의 인연.
2 마천령 남쪽 지방. 함경남도를 일컫는 말.
3 글만 읽고 세상에 대한 실제 경험은 없는 사람. 아직 나이가 어려 경험이 부족한 사람.
4 봄날 복숭아라는 뜻으로 여기서 복숭아는 한무제가 서왕모가 준 복숭아를 먹고 그 씨를 심으려 하자, '그 복숭아는 삼천 년에 한번 열매를 맺는다'고 하는 전설이 있다.
5 요지는 선녀인 서왕모西王母가 거주했던 곳으로, 목천자穆天子가 요지의 연회에서 서왕모에게 축수를 올렸던 데서 온 말.
6 장물贓物을 주는 이나 받는 이나 둘 다 죄罪가 같음.
7 당唐나라 이하李賀의 시 〈몽천夢天〉의 "중국을 멀리 바라보니 아홉 점의 연기요遙望齊州九點煙"에서 비롯된 것으로 중국도 높은 곳에서 바라다 보면 아홉 개의 운무 덩어리로 보인다는 말.
8 두 사람이 멀리 헤어져 있어 만나기 어려운 것을 뜻함.

平生에 恨이 되고 寤寐예 願ᄒᆞ더니
평생의 한이 되고 자나깨나 원하였더니
玉皇이 感動ᄒᆞᆫ지 仙官이 斗護ᄒᆞᆫ지
옥황이 감동한지 선관이 두호[9]한지
太乙의 蓮葉舡에 風帆을 놉히 달아
태을의 연엽배에 바람 돛을 높이 달아
六鰲鬚에 ᄇᆡ를 ᄆᆡ고 瀛洲山에 드러오니
육오수[10]에 배를 매고 영주산에 들어오니
仙區物色은 琪樹와 瑤花 ㅣ 로다
선계 물색은 기수[11]와 요화[12]로다
風景도 됴커니와 好因緣이 더욱 됴타
풍경도 좋거니와 좋은 인연 더욱 좋다
芙容顔 柳葉眉는 前生과 ᄒᆞᆫ 빗치오
부용얼굴 버들눈썹 전생과 같은 빛이요
綠雲鬢 玉雪肌ᄂᆞᆫ 塵態가 전혀 업다
녹운빈 옥설피부는 진태[13]가 전혀 없다
定遠樓 ᄇᆞᆰ은 ᄃᆞᆯ에 月姥絲를 자아내야
정원루 밝은 달의 월노사를 자아내어
鸎啼燕語 花柳節에 楚臺 雲雨 多情ᄒᆞ니
앵제연어[14] 꽃피는 계절 초나라 누대 운우지정 다정하니

---

9 남을 두둔하여 보호함.

10 육오수六鰲鬚. 여섯 마리 자리의 수염. 여기서 육오는 바다 속에서 삼신산을 머리로 이고 있다는 여섯 마리 자라를 가리킴.

11 옥과 같이 아름다운 나무.

12 아름다운 꽃. 사람을 홀릴 만큼 아름다운 여자를 비유.

13 속세의 때.

14 꾀꼬리와 제비 우짖는 소리.

人間에 四月 八日 天上에 七日일다
인간의 사월 팔일 천상에 칠일이라
사랑도 그지업고 態度도 가즐시고
사랑도 끝이 없고 태도도 갖출시고
娼條冶葉은 王郎의 玉檀인 듯
창조야엽은 옥랑의 옥단인 듯
舞袖纖腰는 小游의 鶯鴻인 듯
무희 옷소매 가느다란 허리는 소유의 앵홍인 듯
淸楊은 眞眞이오 丹唇은 娉娉이라
푸른 버들은 진진[15]이요 붉은 입술은 빙빙[16]이라
깁흔 사랑 고은 態度 比홀 듸 젼혀 업다
깊은 사랑 고운 태도 비할 데 전혀 없다
綠水春波 깁흔 곳에 노는 鴛鴦 써 잇놋 듯
녹수 춘파 깊은 곳에 노는 원앙 떠 있는 듯
紅葩 瓊蘂 灼灼훈 듸 나는 蝴蝶 머무는 듯
홍파 경예 작작[17]한데 나는 호접 머무는 듯
芙容帳 들리후고 合歡夢 일울 적의
부용장 드리우고 합환의 꿈 이룰 적에
羅衫을 후려잡고 細語로 하은 말슴
비단 적삼 부여잡고 속삭이며 하신 말씀
靑山이 不老후고 綠水ㅣ 長存이라
청산이 늙지 않고 녹수가 길게 유존하리라

---

15 변하지 않고 그대로의 모습.
16 예쁜 모양.
17 빠듯하지 않고 넉넉한 모양.

前生此生 긋은 연분 百年으로 긔약ᄒᆞ고
전생 이생 굳은 연분 백년을 기약하고
後生에 갈지라도 ᄯᅥ나지 마오리라
후생에 갈지라도 떠나지 마오리라
너는 주거 弄玉이오 나는 주거 子晋이라
너는 죽어 농옥이오 나는 죽어 자진이라[18]
남기 되면 蓮理枝오 고기 되면 比目魚ㅣ라
나무 되면 연리지요 고기 되면 비목어라
山盟海誓 깁히 ᄒᆞ고 天定佳緣 밋엇더니
산맹해서[19] 깊이 하고 천정가연[20] 믿었더니
新情이 未洽ᄒᆞ야 中道改路 무ᄉᆞᆷ 일고
새로운 정이 미흡하여 중도개로[21] 무슨 일인가
山鷄 野鶩 本情性이 路柳墻花 도로 되니
산계 야목[22] 본정성이 노류장화[23] 헛수고 되니
芳盟도 浮雲이오 사랑도 春夢이라
꽃다운 맹세도 뜬구름이오 사랑도 춘몽이라
城中 一步地예 三千 弱水 茫茫ᄒᆞ니
성안 한 발자국 땅에 삼천 약수 아득하니

18 이승에서 실현되지 못한 미진한 사랑을 선계仙界에서나마 이루려는 다정한 부부의 상징적 표현임.
19 산과 바다에 맹세함.
20 하늘이 정해준 아름다운 인연.
21 중간에서 길을 바꿈.
22 성질이 사납고 거칠어서 제 마음대로만 하며 다잡을 수 없는 사람을 비유적으로 이르는 말.
23 쉽게 꺾을 수 있는 길가의 버들과 담 밑의 꽃이라는 뜻으로, 기생을 비유적으로 이르는 말.

青山眉 細柳腰는 뉘게 뉘게 獻態ᄒᆞ여

청산같은 눈썹 버들같은 허리 누구누구 보여주어

金步搖 碧甸環은 어듸 어듸 노니ᄂᆞᆫ고

금보요 벽전환은 어디 어디 노니는가

青鳥는 아니 오고 杜鵑이 슬피 울 제

청조는 오지 않고 두견이 슬피 울 때

旅舘寒燈 寂寞ᄒᆞᆫ듸 온 가슴에 불이 난다

여관의 차가운 불빛 적막한 데 온 가슴에 불이 난다

이 불을 뉘 ᄭᅳ리오 님 아니면 홀 낄 업고

이 불을 누가 끄리오 임 아니면 할 길 없고

이 병을 뉘 곳치리 님이라야 扁鵲이라

이 병을 누가 고치겠는가 임이라야 편작[24]이라

ᄆᆡᆺ친 ᄆᆞᄋᆞᆷ 외사랑은 나는 졈졈 깁건마ᄂᆞᆫ

맺친 마음 외사랑은 나는 점점 깊건마는

無心ᄒᆞ신 이 님이야 虛浪코도 薄情ᄒᆞ다

무심하신 이 임이여 허랑[25]코도 박정하다

三更에 못 든 잠을 四更에 계오 드러

삼경에 못 든 잠을 사경에 겨우 들어

蝶馬를 놉히 달녀 녯 길흘 ᄎᆞ자 가니

접마를 높이 달려 옛 길을 찾아 가니

月態 花容을 반가이 만나 보고

달 같은 자태와 꽃 같은 얼굴을 반갑게 만나보고

千愁 萬恨을 歷歷히 ᄒᆞ렷더니

천수의 깊은 한을 역력히 하였더니

---

24 천하의 명의.

25 허황하고 착실하지 못함.

窓前碧梧 疎雨聲에 三魂이 흣터지니
창 앞 벽오동 성긴 빗소리에 삼혼이 흩어지니
落月이 蒼蒼훈 듸 三五小星 쑨이로다
달빛이 창창한데 삼삼오오 작은 별 뿐이로다
어와 내 일이야 진실로 可笑로다
어와 내 일이야 진실로 가소롭다
너도 싱각ᄒᆞ면 뉘웃츰이 이시리라
너도 생각하면 뉘우침이 있으리라
黃玉京에 올나 가셔 上帝끠 復命홀 제
황옥경에 올라가서 상제께 복명[26]할 때
이 말숨 다 알외면 네 죄가 즁ᄒᆞ리라
이 말씀 다 아뢰면 네 죄가 중하리라
다시곰 싱각ᄒᆞ야 回心을 두온 후에
다시금 생각하여 회심을 두온 후에
三生宿緣을 져ᄇᆞ리지 말게 ᄒᆞ라
삼생의 인연을 저버리지 말게 하라

26 어떤 일의 결과를 그 일을 마치고 돌아온 사람이 보고함.

16. 기음노래

① 작품명 : 기음노래

② 작자명 : 미상

③ 출전 : 이병기, 《국문학개론》(일지사, 1965)

④ 해제

〈기음노래〉는 작자와 창작 연대를 알 수 없는 가사 작품이다. '기음'은 논밭에 난 잡풀을 뜻하는 '김'의 옛 표현으로, 〈기음노래〉는 곧 논이나 밭에서 잡풀을 제거하는 김매기를 할 때 부르는 노래인 것이다. 농사를 지으면서 부르는 노래라는 점에서 〈농부가〉 종류에 속한다. 그러나 고단한 농민의 현실에 대한 비판적인 내용을 담고 있어 현실비판 가사로 파악하는 것이 적절하다고 여겨진다. 대체로 작품의 내용은 농사를 짓는 농민들의 생활을 제시하고, 그럼에도 가난을 벗어나지 못하는 생활에 대한 고달픔을 사실적으로 형상화하고 있다. 비슷한 주제를 다루고 있는 〈농가월령가〉와는 그 성격이 전혀 다르며, 농민들의 생활상을 구체적으로 표현하고 있는 점이 특색이다. 작품은 전체적으로 3개의 단락으로 구분할 수 있으며, 농민들의 생활상과 수탈 과정이 상세하게 드러나 있다.

⑤ 원문과 현대역

어유와 계장님늬 이 기음 미아스라

어와 계장[1]님네 이 김[2]을 매자꾸나

기음노ᄅᆡ ᄂᆡ ᄇᆞ름ᄉᆡ
김매기 노래 내가 부르리
텬지 삼기실 제 사ᄅᆞᆷ이 갓치 나니
천지[3] 생겨날 때 사람이 같이 태어나니
너르나 너른 텬하 만ᄒᆞ나 만ᄒᆞᆫ 사ᄅᆞᆷ
넓고도 넓은 천하 많고도 많은 사람
현우가 다르거니 귀쳔이 갓틀손가
현우[4] 다르기에 귀천[5]이 같을까
셩인이 법을 지어 ᄉᆞ민을 난호시니
성인[6]이 법을 만들어 사민[7]을 나누시니
ᄒᆡᆼ실 ᄃᆞᆨ고 글 닑기ᄂᆞᆫ 션ᄇᆡ님ᄂᆡ ᄒᆞᆯ 일이오
행실 닦고 글 읽기는 선비님들 할 일이요
ᄆᆡᆫ들기ᄂᆞᆫ 쟝인이오 밧고기ᄂᆞᆫ 쟝ᄉᆞ로다
만들기는 장인이요 바꾸기는 장사로다
치치ᄒᆞᆫ 우리들은 ᄒᆞᆯ 일이 무어신고
하찮은 우리들은 할 일이 무엇인가
속미와 포루ᄂᆞᆫ 고금의 ᄒᆞᆫ 법이니
속미[8]와 포루[9]는 고금에 한 법이니

---

1 조직에서, 계를 운영하고 관리하는 직책.
2 논밭에 난 잡풀.
3 천지天地.
4 현우賢愚.
5 귀천貴賤.
6 성인聖人.
7 사민四民. 백성의 네 가지 계급이나 신분. 사농공상士農工商을 일컬음.
8 속미粟米. 조의 열매를 찧은 쌀.
9 포루布縷. 베와 실.

복젼 녁ᄉᆡᆨ이 이 아니 근본인가
복전[10] 역색[11]이 이 아니 근본인가
종년 작고 슈곤 줄도 알건마ᄂᆞᆫ
종년 작고 수고로운 줄도 알지마는
앙ᄉᆞ부휵이 이 아니면 어이ᄒᆞ리
앙사부육[12]이 이 아니면 어찌하리
챵경이 처엄 울고 ᄲᅩᆼ닙히 플을 적의
창경[13]이 처음 울고 뽕잎이 푸를 적에
동풍은 습습ᄒᆞ고 셰우ᄂᆞᆫ 몽몽ᄒᆞᆫᄃᆡ
동풍은 습습[14]하고 가랑비는 몽몽[15]한데
밧츠로 가쟈셔라 ᄒᆡᆼ혀 잇 ᄯᆡ 일흘셰라
밭으로 가자꾸나 행여 이 때 잃을세라
송아지 먹거냐 ᄂᆞᆷ은 ᄇᆞᆯ셔 가ᄂᆞᆫ고나
송아지 먹였느냐 남은 벌써 가는구나
자ᄂᆡ 거름 다 ᄂᆡ간가 우리 씨앗 난화 가소
자네 거름 다 가져갔나 우리 씨앗 나눠 가소
압집 보십 뒤집 쟝기 션후롤 닷톨손가
앞집 보습[16] 뒷집 쟁기 앞뒤를 다툴까
놉흔 언덕 나즌 이랑 ᄎᆞ례로 일운 후의
높은 언덕 낮은 이랑 차례로 일군 후에

---

10 복전福田. 법력있는 사람에 공양하고 선행을 닦아 내생의 복을 마련하는 일.
11 역색力索. 필요한 것을 힘써 구함.
12 앙사부육仰事俯育. 부모를 섬기고 처자식을 보살핌.
13 창경鶬鶊. 까마귀과에 속한 새.
14 부는 것이 기분좋을 만큼 차고 부드러움.
15 자욱하게 끼억 흐릿함.
16 쟁기의 술바닥에 끼워 땅을 갈아 흙덩이를 일으키는 데에 쓰이는 삽모양의 농기구.

고로로 ᄲᅦ여셔라 힝여 뷘 ᄃᆡ 이슬셰라
골고루 씨 뿌려라 행여 빈 데 있을까
이삭이 비록 션들 갓고와야 아니 되랴
이삭이 비록 난들 가꾸어야 아니 될까
엇그제 갓 ᄆᆡᆫ 기음 어ᄂᆞ ᄉᆞ이 ᄇᆞᆯ셔 기ᄂᆡ
엊그제 갓 맨 김이 어느 사이 벌써 길었네
ᄀᆞ을을 ᄇᆞ라거니 세벌 슈고 ᄶᅥ릴손가
가을을 바라거니 세벌[17] 수고 꺼릴까
ᄭᅳᆯᄂᆞᆫ 흙 ᄶᅵᄂᆞᆫ 풀속 상하로 오락가락
끌은 흙 찌는 풀속 상하로 오락가락
호뮈도 녹으려든 혈육이 견ᄃᆡᆯ소냐
호미도 녹는데 혈육이 견딜까
오뉵월 삼복더위 ᄯᆞᆷ으로 ᄂᆞᆺ츨 ᄲᅵᆺ고
오뉴월 삼복더위 땀으로 얼굴을 씻고
헌 삿갓 쇠코듕의 열양을 막을소냐
헌 삿갓 쇠코홑바지[18] 열기를 막을까
보리술 건듯 ᄭᆡ니 코노ᄅᆡ도 경이 업ᄂᆡ
보리술 잠깐 깨니 콧노래도 틈이 없네
븕은 다락 프른 난간 놉은 벼ᄀᆡ 둥근 부체
붉은 다락 푸른 난간 높은 베개 둥근 부채
누으락 안즈락 가ᄉᆡᆨ 가난 긔 뉘 알니
누을락 앉을락 가색[19] 가난 그 누가 알리

---

17 세 번에 걸쳐 김을 매는 것.
18 농부가 여름에 일할 때 입는, 무릎까지 오는 짧은 홑바지.
19 가색稼穡. 벼나 보리, 밀 따위의 주식이 되는 곡물을 재배하는 농업을 말함.

비 오면 장마질가 볏 나면 가믈셰라
비 오면 장마질까 볕 나면 가물까
독ᄒᆞᆫ 안ᄀᆡ 모진 ᄇᆞ람 시름도 하도 홀샤
짙은 안개 모진 바람 시름도 많기도 많구나
츄풍이 건듯 브러 ᄇᆡᆨ뇌 위상ᄒᆞ니
가을바람 잠깐 불어 백로[20]에 위상[21]하니
들 가온ᄃᆡ 누른 구름 네녁흐로 ᄒᆞᆫ 빗치라
들 가운데 누런 구름 사방으로 한 빛이라
왼 녀름 주린 ᄇᆡ속 먹지 아녀 절노 부릐
온 여름 주린 뱃속 먹지 않아도 절로 배부르네
이른 논의 참ᄉᆡ 무리 느즌 노의 기러기 ᄯᅦ
이른 논에 참새 무리 늦은 논에 기러기 떼
ᄂᆞᆷ의 자ᄇᆡ 모로기ᄂᆞᆫ 얄뮈올손 즘ᄉᆡᆼ이라
남의 속 모르기는 얄미운 게 짐승이라
ᄂᆡ일은 들 거두ᄉᆡ 새벽밥 일즉 ᄒᆞ소
내일을 들 거두자 새벽밥 일찍 하소
낫 갈아 손의 들고 지게 쑤며 등의 걸고
낫 갈아 손에 들고 지게 차려 등에 걸고
뷔거니 묵거니 이거니 디거니
베거니 묶거니 이거니 지거니
졈으신ᄂᆡ 도리치질 늙으신ᄂᆡ 그ᄂᆡ[22]질
젊으신 네 도리깨질 늙으신 네 그네질

20 백로白露.
21 위상爲霜. 서리내림.
22 빗살처럼 날을 세우고 그 사이에 곡식의 이삭을 넣고 훑어내어 낟알을 터는 농기구의 하나.

셔 우기ᄂᆡ 삿기 ᄭᅩᄂᆡ 어즈러이 구ᄂᆞᆫ지고
섬 욱이네 새끼 꼬네 어지럽게 구는구나
자내 밧희 몃 뭇신고 내 논 소츌 이 ᄲᅮᆫ일ᄉᆡ
자네 밭에 몇 묶음인가 내 논 소출[23] 이 뿐일세
공ᄉᆞ칙 다 갈희면 남은 거시 언마칠고
공사채 다 갚으면 남은 것이 얼마일까
어유와 계장님ᄂᆡ 이 내 말ᄉᆞᆷ 드러보소
어와 계장님네 이 내 말씀 들어보소
죵년 토록 슈고타가 하로 결을 못 어들가
한 해 동안 수고하다가 하루 겨를 못 얻을까
건넌 동ᄂᆡ ᄯᅥᆨ을 ᄒᆞ고 넘언 마을 술을 빗소
건너 동네 떡을 하고 너머 마을 술을 빚소
울 뒤희 밤이 벌고 마당가희 대쵸 듯ᄂᆡ
울 뒤에 밤이 벌어지고 마당가에 대추 떨어지네
게 ᄶᅵᆫ이 ᄃᆞᆰ 살모니 가지가지 향미로다
게 찌니 닭 삶으니 가지가지 향미[24]로다
룡복기 봉탕인들 이에셔 나을손가
양볶이[25] 봉탕[26]인들 이보다 나을까
김풍헌 니약정을 좌상으로 뫼신 후의
김풍헌 이약정을 좌상[27]으로 모신 후에
헌 펴랑이 뵈 무즙이 ᄎᆞ례로 안즌 후의
헌 패랭이 베 무지렁이 차례로 앉은 후에

---

23 소출所出. 논밭에서 생산한 곡식의 양.
24 향미香味. 음식물의 향기로운 맛.
25 소의 위를 잘게 썰어 양념을 치고 볶아서 만든 음식.
26 봉탕鳳湯. '닭국'을 익살스럽게 이르는 말.
27 좌상座上. 앉은 자리에서 제일 어른되는 사람.

질동의 나아노코 쪽박 잔 ᄀᆞ득 부어
질동이 내어놓고 쪽박 잔 가득 부어
잡거니 밀거니 ᄉᆞ양ᄒᆞ며 츄쳔ᄒᆞᆯ가
잡거니 밀거니 사양하며 추천[28]할까
믈쟝구 초김 피리 곡됴도 죠흘시고
물장구 초금[29] 피리 곡조도 좋을시고
술김의 흥이 나니 되춤이 절노 난다
술김에 흥이 나니 뒤춤이 절로 난다
어ᄃᆡ로셔 면쥬인은 불속ᄀᆡᆨ이 오단 말고
어디에서 면주인[30]은 불속객[31]이 온단 말인가
쟌기츰 굵은 호령 반졀은 무ᄉᆞᆷ 일고
잔기침 굵은 호령 반절은 무슨 일인가
어셔 나소 자로 나소 반ᄀᆡᆨ인들 내몰손가
어서 나소 자주 나소 반객[32]인들 내몰까
환ᄌᆞ ᄇᆡᄌᆞ 부셰 젼령 응당 구실 말냐 ᄒᆞᆯ가
환자[33] 배자[34] 부세[35] 전령[36] 응당 구실 말라 할까
향청 분부 작청 구청 원님인들 어이 알리
향청[37] 분부 작청[38] 구청[39] 원님인들 어찌 알까

---

28 추천鞦韆. 민속놀이의 하나. 여기서는 몸을 앞뒤로 움직이는 모습을 뜻함.
29 초금草琴. 입술 사이에 풀잎을 대거나 물고 불어 소리를 내는 것.
30 면주인面主人. 주나 부·군·현과 면 사이를 오가며 문서 심부름을 하던 사람.
31 불속객不速客. 오라고 청하지 않았는데도 스스로 찾아온 손님.
32 반객反客. 원치 않는 손님이란 뜻인 듯.
33 환자還子. 춘궁기에 곡식을 대여하고 추수기에 돌려받는 제도.
34 지위가 높은 사람이 낮은 사람에게 권한을 위임하는 공식적인 문서를 이르던 말.
35 부세賦稅. 세금을 매겨 물림.
36 전령傳令. 명령을 전하는 사람.
37 향청鄕廳. 지방 군현의 수령을 보좌하던 자문기관.
38 작청作廳. 군아에서 아전이 일을 보던 곳.

ᄒᆞᆫ집의 세네 군포 제 구실도 못 ᄒᆞ거든
한 집에 세네 군포[40] 제 구실도 못 하거든
사돈일지 권당일지 일족 무리 더옥 셜위
사돈인지 권당[41]인지 일족 무리 더욱 설워
져 너머 십여 호가 어젯밤의 닷단 말가
저 넘어 십여 집이 어젯밤에 도망갔단 말인가
뉘라셔 우리 명상 그려다가 구듕궁궐의 님 계신 ᄃᆡ 드리리.
누가 우리 정상[42] 그려다가 구중궁궐의 님 계신 곳 드릴까

---

39 구청求請. 남에게 어떤 일을 부탁하거나 요구함.
40 군포軍布. 조세 제도의 하나.
41 권당眷黨. 혈연적 관계가 있는 일정한 범위의 사람들.
42 정상情狀. 딱하고 가엾는 형편.

17. 낙빈가樂貧歌

① 작품명 : 낙빈가樂貧歌

② 작자명 : 이이(李珥, 1536∼1584)

이이의 호는 율곡栗谷·석담石潭·우재愚齋로, 29세에 생원시 식년 문과에 모두 장원하여 구도장원공九度壯元公이라 불렸다. 사가독서賜暇讀書한 뒤 호조좌랑을 시작으로 대사간을 지낸 뒤 병으로 율곡과 석담에서 학문 연구에 힘썼다.

③ 출전 : 대학본《청구영언靑丘永言》

④ 해제

〈낙빈가〉는《청구영언》에 낙빈가퇴계혹운율곡사십육구樂貧歌退溪或云栗谷四十六句라고 하였으나,《잡가》에는 54행 105구가 실려 있으며, 가사 끝에 차율곡선생지소제야此栗谷先生之所製也라는 해설이 있어 믿음이 간다. 이는 내용에 따라 기승전결起承轉結 4단락으로 나누고, 기起는 벼슬을 떠나 자연을 벗 삼아 안빈낙도하는 생활을, 승承은 무릉도원과 같은 자연경치에서 저녁 낚시를 즐기는 어옹漁翁생활을, 전轉은 중국의 은사인 소부와 허유에 비교하여 세속을 멀리 떠나, 찾는 이도 없으니 탁주에 반취하여 북창하에 누웠음을, 결結은 위수의 여상과 남양의 제갈양처럼 백운을 바라보며 강산풍월을 벗 삼아 늙어가겠음을 노래하였다. 〈퇴계가〉처럼, 율곡이 관계를 떠나 파주의 율곡이나 해주의 석담에서 안빈낙도의 생활을 노래한 은일가사다.

⑤ 원문과 현대역

이 몸이 쓸듸 업셔 聖上이 바리시니
이 몸이 쓸데 없어 임금이 버리시니
富貴를 下直ᄒᆞ고 貧賤을 樂을 삼아
부귀를 하직하고 빈천을 낙을 삼아
數間茅屋을 山水間의 지어 두고
수간모옥[1]을 산수간에 지어 두고
三旬九食을 먹그나 못 먹그나
삼순[2] 구식을 먹으나 못 먹으나
十年一冠을 쓰거나 못 쓰거나
십년에 갓을 한 번[3] 쓰거나 못 쓰거나
分別이 업셔시니 是非을 뉘 알손야
분별이 없었으니 시비인들 누가 있을소냐
만ᄉᆞ을 다 이즈니 一身이 閑暇ᄒᆞ다
만사를 다 잊으니 일신이 한가하다
靑松亭下의 혼자 안자 바라보니
푸른솔 정자 아래[4] 혼자 앉아 바라보니
壺裡乾坤의 석양이 거의로다
호리병속[5]의 세상 석양이 거의로다
逸興을 못 이긔여 달발을 놉피 것고
일흥[6]을 못이기어 달발[7]을 높이 걷고

---

1 두어간 되는 초가집. 오두막집.
2 한 달 30일 동안 아홉 번 밖에 못 먹을 정도로 가난함.
3 십년일관十年一冠. 십 년에 갓 하나로 지낼 정도로 의관을 잘 차리지 못함.
4 청송정하靑松亭下.
5 술 항아리 속 인생으로 항상 술에 취하여 있는 사람을 이름.

遠近山川을 一望의 다 드르니
원근산천이 한 눈에 들어오니
地勢도 조커니와 風景도 그지업다
지세도 좋거니와 풍경도 끝이 없다
霞鶩은 齋飛ᄒᆞ고 水天이 一色인져
물오리 떼지어 날고 물과 하늘 한 빛인데
南北村 두셰 집이 暮煙에 잠겨셔라
남북촌 두어집이 저녁 연기[8]에 잠겼구나
三山은 어듸메요 武陵이 여긔로다
삼신산[9]이 어디메요 무릉[10]이 여기로다
無心ᄒᆞᆫ 져 구름은 翠峀[11]을 잠가[12] 있고
무심한 저 구름은 푸른 계곡을 휘감고
有意ᄒᆞᆫ 갈마기는 白沙의 버러잇다
뜻 있는 갈매기는 백사장에 벌려 있다
아츰의 ᄏᆡ온 취을 點心의 다 먹근 後의
아침에 캔 취나물을 점심에 다 먹으니
일 업시 논일면서 夕釣을 말냐ᄒᆞ고
일 없이 놀면서 저녁 낚시 말라 하고
낙ᄃᆡ를 두리 메고 釣臺로 나려가니
낚시대 둘러매고 조대[13]로 내려가니

---

6 세속을 떠나 숨어 지내는 삶의 즐거움.
7 달이란 풀로 만든 발.
8 저녁 무렵의 연기.
9 삼신산. 산신이 산다는 봉래산, 영주산, 방장산을 이름.
10 무릉도원. 별천지. 낙원.
11 푸른빛의 산골짜기.
12 구름이 산골짜기를 휘감고 있음.
13 낚시터.

흐르느니 물결이요 뛰노느니 고기로다
흐르는 것이 물결이요 뛰는 것이 고기로다
銀鱗玉尺을 버들 움에 께여 들고
은린옥척[14]을 버들가지에 꿰어 들고
落照淸江의 寂寞히 도라오며
노을 물든 맑은 강에 적막히 돌아오니
山歌村笛을 漁父詞로 화답ᄒᆞ니
산가촌적을 어부사[15]로 화답하니
西湖梅鶴은 겨로지 못하여도
서호매학[16]과 겨루지는 못하여도
曾點의 詠而歸야 이에셔 더ᄒᆞᆯ손냐
증점의 영이귀[17]가 이보다 더할소냐
箕山潁水의 巢許의 몸이되여
기산영수[18]의 소허[19]의 몸이 되어
千駟을 냉소ᄒᆞ고 萬鍾이 草芥로다
부귀[20]를 냉소하고 만종[21]이 초개[22]로다
ᄂᆡ 살리 淡薄ᄒᆞ니 어늬 버지 ᄎᆞᄌᆞ오리
내 삶이 담박하니 어느 벗이 찾아올까

---

14 은빛 비늘에 한 자가 넘는 고기.
15 초나라 굴원의 시. 어부의 달관한 삶과 굴원의 강직한 인품을 대비하여 중취독성衆醉獨醒을 읊음.
16 송나라 임포가 매화를 아내로 학을 자식으로 신선처럼 살았다는 고사.
17 《논어》 6선진편. 관직에 오르면 어쩌겠는가 하는 공자의 질문에 증점曾點이 "욕호기浴乎沂 풍호무우風乎舞雩 영이귀詠而歸"라 대답함.
18 중국 하남성 산과 물.
19 요순 때 속세를 멀리한 은사 소부와 허유.
20 천사千駟. 천대의 수레, 부귀영화.
21 만종萬鍾. 쌀 만 섬의 녹봉, 높은 지위.
22 초개草芥. 지푸라기. 매우 하찮음.

瓦樽의 濁醪를 瓢杯의 가득 부어
술동[23]에 막거리를 박잔[24]에 가득 부어
淸風의 半醉ᄒᆞ고 北窓下에 누어시니
맑은 바람에 반쯤 취해 북창아래 누었으니
無懷氏 젹 백성인가 葛天氏 젹 사람인가
무회씨[25] 때 사람인가 갈천씨[26] 때 사람인가
人間 風雨中의 擾亂ᄒᆞᆫ 져 奇別을
세상 풍우 중에 요란한 저 소식을
들은 듯 못 들은 듯 아는 듯 모르는 듯
들은 듯 못 들은 듯 아는 듯 모르는 듯
누오면 잠이요 깬 후엔 이러 앉아
누우면 잠이고 깬 후에는 일어나 앉아
黃庭經 숀에 쥐고 紫芝曲 노릭하니
황정경[27] 손에 들고 자지곡[28]을 노래하니
四皓가 다셧시요 三隱이 네히로다
사호[29]가 다섯이요 삼은[30]이 넷이로다
滔滔한 風味를 닷토리 뉘 이시리
도도[31]한 풍미를 다툴 이 있겠는가

---

23 와준瓦樽. 진흙으로 빚은 술동이.
24 표주박 술잔.
25 중국 태고의 성왕. 무위자연으로 통치함.
26 중국 태고의 군왕. 무위로 천하를 다스림.
27 도가의 경전, 한 글자 잘 못 읽으면 속세로 내쳐짐.
28 상산사호가 난을 피하여 남전상에 들어가 지은 노래.
29 한나라 섬서성 상산에 은거한 네 노인, 수염과 눈썹이 흰.
30 고려말 삼은(야은, 목은, 포은)
31 막힘없이 넘치는 것.

落落雲踪을 조차리 뉘 이시리
흩어지는 구름[32]을 좇을 이 있을까
歷代를 按鑑하야 넷 사람 혜어하니
여러 대를 두루 살펴 옛 사람 헤아려 보니
周時 呂尙도 渭水에 고기 낙고
주나라 여상[33]은 위수[34]에서 고기를 낚고
漢代 諸葛亮은 南陽의 밧츨 가니
한나라 제갈양[35]은 남양에서 밭을 가니
이 아니 그 따이며 닉 아니 긔돗던가
이 아니 그 땅이며 내가 아니 그들인가
ᄉ람은 古ᄉ이나 뜻지야 다를손냐
사람은 고금이나 뜻이야 다를까
富貴를 다 니지니 榮辱을 모르겠도다
부귀를 다 잊으니 영욕을 모르겠다
狐狢을 모르거든 幣布을 붓그리랴
좋은 옷[36] 모르거든 누추한 옷[37]을 부끄러 하랴
皇扉의 벗님닉야 이 닉 柴扉 웃지마쇼
황비[38]의 벗님네야 가난한 삶[39]을 비웃지 마라
青雲은 뎨 즐겨도 白雲은 내 조해라
청운[40]은 저들 즐겨도 백운은 내 좋아라

---

32 낙낙운종落落雲踪. 흩어지는 구름의 자취.
33 주나라 강태공. 문왕에 등용됨.
34 황하로 흘러드는 강.
35 촉한의 재상. 남양에서 밭 갈다 유비의 삼고초려로 출사함.
36 호학狐狢. 여우와 담비.
37 폐포幣布. 남루한 옷.
38 황비皇扉. 고귀하고 부유한 집의 황색 사립문.
39 가난한 집의 사립문.

竹杖芒鞋로 分數ᄃᆡ로 집고 신고
대지팡이와 짚신을 분수대로 짚고 신고
千山 萬水間에 슬토록 오며 가며
많은 산과 물가를 싫도록 오고 가며
잇으면 粥이요 업스면 굴믈망뎡
있으면 죽이요 없으면 굶을망정
갑업순 江山風月과 함께 늙쟈 하노라
값 없는 강산풍월과 함께 늙자 하노라

40 부귀영화.

18. 남정가南征歌

① 작품명 : 남정가南征歌

② 작자명 : 양사준(楊士俊, 1519～1579)

양사준의 본관은 청주, 자는 응거應擧, 호는 풍고楓皐이다. 형 사언士彦, 동생 사기士奇와 함께 문장으로 이름을 떨쳐 세간에서는 이들 세 형제를 중국의 삼소三蘇(소순蘇洵 · 소식蘇軾 · 소철蘇轍)에 비견하기도 했다. 37세(1555)에 을묘왜변乙卯倭變이 일어나 전라우도 방어사 김경석金景錫의 요청으로 그의 종사관이 되어 왜구를 토벌하는 데 큰 공을 세웠다. 이때의 경험을 바탕으로 가사 〈남정가〉와 한시 〈정왜대첩征倭大捷〉을 지었다. 39세에 평양서윤을 시작으로 간성군수, 진주목사 등을 역임하였다.

③ 출전 : 《남판윤유사南判尹遺事》

④ 해제

이 작품은 을묘왜변에서 남정군南征軍으로 출전하여 왜구를 물리치고 승전한 것을 읊은 전쟁가사다. 전란에서 크게 승리하게 된 과정과 우국충정을 노래했다. 모두 160여 구로 되어 있으며, 을묘왜변 때 방어사로 호남에 파견된 남치근(南致勤, ?～1570)의 사적을 그의 후손인 남학명이 정리한 《남판윤유사》(1699)에 실려 전한다.

⑤ 원문과 현대역

나라히 무ᄉᆞᄒᆞ야 이ᄇᆡᆨ 년이 너머드니
나라가 무사하여 이백 년이 넘었더니
文恬武嬉ᄒᆞ야 兵革을 니젓다가
무념무희[1]하여 병혁[2]을 잊었다가
時維 乙卯ㅣ오 歲屬三夏애
시유 을묘[3]요 세속 삼하[4]에
島寇 雲翔ᄒᆞ니 ᄇᆡᆺ수ᄅᆞᆯ 뉘 혜려요
도구[5]가 구름처럼 일어나니 배 수를 누가 셀까
혜욤 업ᄉᆞᆫ 뎌 兵使야 네 딘을 어ᄃᆡ 두고 達島로 드러간다
생각[6] 없는 저 병사[7]야 네 진을 어디 두고 달도로 들어갔느냐
옷 버서 乞降이 처엄 뜻과 다ᄅᆞᆯ셰고
옷 벗어 항복[8]하니 처음 뜻과 다르구나
父母 妻子을 뉘 아니 두어실고
부모 처자를 뉘 아니 두었을까
칼 맛거니 살 맛거니 枕屍遍野ᄒᆞ니
칼 맞거니 살 맞거니 시신이 들에 넘쳐나니

1 문념무희文恬武嬉. 세상이 평화로워 문관도 무관도 세월을 즐김.
2 병혁兵革. 무기를 통틀어 이르는 말.
3 1555년.
4 때는 한여름.
5 도구島寇. 섬나라 도둑. 곧 왜구를 말함.
6 혜욤은 혜다의 명사형으로 '사고하다', '생각하다', '헤어리다'의 뜻을 가진 순 우리말.
7 을묘왜변 때 병마절도사 원적, 장흥부사 한온을 가리킴. 달량포에서 포위되어 위기에 처하자 차라리 화친하는 것이 낫겠다고 판단, 항복한 후 전사한 사건을 비판하고 있음.
8 옷을 벗어 항복을 구걸한 일.

어엿쁠샤 南民이야

가련하다 남민이여

賊勢乘勝ᄒᆞ야 十城을 連陷ᄒᆞ니

적세가 승승하여 십성을 연이어 함락하니

峯峯이 候望이오 골골이 兵火로다

봉봉이 후망이요 골골이 병화로다

桓桓 老將과 一介書生이

환환[9] 노장과 일개 서생이

紫霞을 ᄀᆞ득 부어 北闕의 拜辭ᄒᆞ니

자하를 가득 부어 북궐에 배사하니

우리 집을 다 닛과다

우리 집을 다 잊겠다

天作高山ᄒᆞ야 月出是崇ᄒᆞ니

하늘이 고산을 지어 월출산이 높으니

靈岩 巨鎭애 사흘만의 오단 말가

영암 큰 진에 사흘만에 왔단 말인가

先生 創業ᄒᆞ샤 丕基ᄅᆞᆯ 두겨시니

선왕 창업하셔 비기[10]를 두셨으니

軍政도 이시며 紀律도 업건마ᄂᆞᆫ

군정도 있으며 기율도 없건마는

不敎ᄒᆞᆫ 軍卒과 齟齬ᄒᆞᆫ 器械로 大事ᄅᆞᆯ 엇디려요

미숙한 군졸과 엉성한 기계로 대사를 어찌 하려오

블티 밤티 가라재 山路ㅣ 嵯峨ᄒᆞ고 草樹茂密ᄒᆞᆫ ᄃᆡ

불치 밤치 가라재 산길이 험하고 초목이 빽빽한데

---

9 굳세고 용맹스러운 모양.

10 여러 임금 대대로 물려 내려오는 큰 사업.

업더니 닐ᄠᅳ고 ᄀᆞᆺ보리 ᄃᆞ라오니

엎어진 이 일으켜 세우고 굿볼 이 달려오니

清風院 普賢院을 瞬息間의 오도고야

청풍원 보현원을 순식간에 오겠구나

朱盾이 騰羅ᄒᆞ고 白刃 交揮어ᄂᆞᆯ

붉은 방패 높이 들고 흰 칼날 부딪쳐

主將 三令ᄒᆞ고 從事 五申ᄒᆞ니

주장은 삼령하고 종사는 오신하니

大軍 肅肅ᄒᆞ고 士士 駟馬 규규어ᄂᆞᆯ

대군은 숙숙[11]하고 군사 사마[12] 규규[13]하거늘

東城애 티ᄃᆞ라 賊兵을 구버보니 已在目中이로다

동성에 치달아 적병을 굽어보니 이미 눈앞이로다

閟彼明宮이 先聖의 所享이오 學士의 攸墍어ᄂᆞᆯ

깊이 닫힌 사당은 공자 모신 곳이자 선비의 유기[14]인데

爰居爰處ᄒᆞ야 汚穢庭廡ᄒᆞ니

원거원처[15]하며 정무[16]를 지저분하게 더럽히니

劇賊의 無道ㅣ 庚午年도 이러턴가

극적[17]의 무도함이 경오년[18]에도 이렇던가

노프나 노픈 재 향교 뒤해 잇단 말가

높고도 높은 재가 향교 뒤에 있단 말인가

---

11 엄숙하고 고요함.

12 하나의 수레를 끄는 네 필의 말.

13 규규赳赳. 굳세고 기운이 매우 장대함.

14 《시경詩經》 '백성을 편히 쉬게 한다, 민지유기民之攸墍'에서 유래.

15 여기저기 옮겨 삶.

16 향교의 대성전 안팎과 정원, 섬돌을 말함.

17 범행의 규모가 아주 큰 도둑.

18 삼포왜란이 일어났던 중종 5년(1510).

賊徒 隳突ᄒᆞ야 烏鵲戱 倡優戱

적도[19] 휴돌[20]하니 오작희[21] 창우희[22]

萬具 齊發ᄒᆞ니 聲振一城이로다

온갖 군기 펼치는 소리로 성이 진동하도다[23]

軍士야 두려 마라 裨將아 니거스라

군사야 두려워 마라 비장[24]아 가자꾸나

賊謀不測이라 一陣은 徘徊ᄒᆞ고 一陣은 行軍ᄒᆞᆫ다

적의 계책 불측이라 한 무리 배회하고 한 무리는 행군한다

錦城 橫截ᄒᆞ야 茅山으로 도라드니 元帥府애 갓갑도다

금성[25]을 횡절[26]하여 모산으로 돌아드니 원수부에 가깝도다

皮轢轅門이 이대도록 ᄒᆞ단 말가

피력원문[27]이 이토록 심하단 말인가

鷹揚隊 風馬隊 左花列 右花列 一時躍入ᄒᆞ니

응양대 풍마대 좌화열 우화열 일시에 뛰어드니

炮火ㅣ 雹散이오 怒濤飛雪이오 射矢如雨로다

포화가 우박 흩어지듯 성난 파도 눈 날리듯 화살 비오듯 하도다

莫我敢當이어ᄂᆞᆯ 어ᄃᆡ라 드러온다

나를 감당할 수 없거늘 어디라고 들어오느냐

---

19 도둑의 무리. 여기서는 왜적을 말함.
20 들이받아 무너뜨림.
21 까치와 까마귀가 서로 부딪침.
22 가면 놀이.
23 온갖 병장기가 일제히 펼쳐져 그 소리가 한 성을 진동시킴.
24 사신을 따라다니며 일을 돕던 무관.
25 나주의 옛 이름.
26 가로로 자르거나 끊음.
27 피력은 짓밟히다는 뜻으로 被轢이 옳은 표기. 원문轅門은 군문軍門과 같은 말.

長槍을 네 브린다 大劍을 네 쁠다

장창을 네 쓰겠는가 대검을 네 쓸까

칼 마자 사더냐 살 마자 사더냐

칼 맞아 살더냐 살 맞아 살더냐

天兵四羅 흔듸 내드라 어듸 갈다

우리 병사 포위하니 내달아 어디 가리

春蒐夏苗와 秋獵冬狩를 龍眠妙手로

춘수 하묘 추선 동수[28]를 용면 묘수[29]로

山行圖를 그려내다 이 ᄀᆞ트미 쉬오랴

산행도를 그려내도 이같이 쉬우랴

金鼓爭擊ᄒᆞ니 勝氣塡城이오猛士飛揚ᄒᆞ야 執訊 獲醜로다

징과 북을 두드리니 성엔 승기 가득하고 용맹한 군사는 적을 사로잡네

旌旗을 보와 ᄒᆞ니 ᄃᆞᆯ니니 賊首 l 오

깃발을 보아하니 매단 것 적의 머리요

東城 도라보니 빠히니 賊屍로다

동성 돌아보니 쌓인 것이 적의 시체로다

日 l 夕矣 兵苦 馬疲ᄒᆞ야 不得盡殲이야 닐너 므슴 ᄒᆞ리오

날이 저물고 병사와 말이 피곤하여 다 섬멸하지 못함이야 말해 무엇 하리오

裨將아 올나가 獻馘王庭 ᄒᆞ고라

비장[30]아 올라가 헌괵왕정[31] 하거라

---

28 춘수春蒐는 봄에 새끼를 배지 않은 짐승을 사냥. 하묘夏苗는 여름에 농사 방해하는 짐승을 사냥. 추선秋獮은 가을에 날짐승과 들짐싱을 사냥. 동수冬狩는 겨울에 사냥터를 포위하여 그 안에서 사냥.

29 용면은 송나라 화가 이공린을 지칭하는 것으로 현재 벌어지고 있는 전투 장면을 이공린이 그린 사냥 그림에 빗대고 있음.

30 여기서 비장은 보낸 비장 남정南井을 말함. 김경석은 자신의 공을 드러내기 위해 남정을 한양으로 보내었으나 영암의 승전은 전주판윤全州判尹 이윤경李潤慶과 전

崎嶇 峻阪애 馳射 擊刺ᄅᆞᆯ 다 아라 가ᄂᆞ니라

기구[32] 준판[33]에 치사[34] 격자[35]를 다 알아 가느니라

賊屍 收拾ᄒᆞ야 京觀 是封ᄒᆞ나

적의 시신을 수습하여 경관[36] 무덤을 만드니

德津橋 上의 녜 업던 새 뫼히여

덕진교 위에 예 없던 새 산이여

어제 일 ᄉᆡᆼ각거든 急遽도 ᄒᆞᆯ셰이고

어제 일 생각하면 급거[37]도 하였구나

連戰 不利ᄒᆞ니 下有元帥 上有聖主人ᄭᅴ 므어시라 ᄉᆞᆯ오려뇨

싸울수록 불리하니 원수는 임금께 무엇이라 아뢸까

廉頗 李牧이면 수이 아니 ᄒᆞᆯ가마ᄂᆞᆫ

염파 이목[38]이면 쉽게 아니할까마는

馬援 瞿鑠을 어늬 스ᄎᆡ 발흘 뵐고

마원[39]의 확삭[40] 어느 때 밝혀 뵐까

先王이 在天이시고 我王이 聖明이시니

선왕은 하늘에 있고 우리 임금 어지시니

주군관全州軍官에 의해 이루어진 것이라 얼마 안 되어 마각을 드러내고 말았음.

31 헌괵왕정獻馘王庭. 머리를 바쳐 임금께 고함.

32 울퉁불퉁한 산길.

33 몹시 가파른 언덕.

34 말타며 화살 쏨.

35 칼이나 창 따위로 때리고 찌름.

36 전쟁에서 상대편 전사자의 유해를 한곳에 모아 만든 무덤.

37 몹시 서두름.

38 염파廉頗・이목李牧. 둘 다 중국 전국시대 조趙나라의 뛰어난 장군.

39 중국 동한東漢 때의 장군. 마원은 남방을 정벌하는데 공을 세웠는데, 그는 일찍이 남자는 마땅히 변방의 들에서 죽어, 말가죽에 싼 시체로 돌아와야 한다고 했음.

40 확삭은 건장하다는 표현으로 기운좋고 동작이 민첩한 노인을 말함. 矍鑠이 옳은 표기.

靈岩 一捷은 우리 功이 아니로다

영암의 큰 승리는 우리 공이 아니로다

眷右下民ᄒᆞ샤 全我三軍ᄒᆞ시니 先王이 孔靈이샷다

백성을 돌보시어 삼군을 보전하니 선왕의 영험함이도다

邦國이 有慶ᄒᆞ야 將士ㅣ 蹈舞ᄒᆞ니 我王은 萬歲쇼셔

나라에 경사 있어 군사들 춤추니 우리 임금 만세로다

月出이 놉단 말가 德津이 ᄆᆞᆯ단 말가

월출산이 높단 말인가 덕진[41]이 맑단 말인가

天雨 洗兵ᄒᆞ야 海岱 永淸ᄒᆞ니

하늘 비로 세병[42]하여 해대[43]에 영청하니

壯士 喧呼ᄒᆞ야 歡聲이 四合이로다

군사들 환호하여 탄성이 사방에 가득하도다

士女百姓ᄃᆞᆯ하 어ᄃᆡ 어ᄃᆡ가 잇다가 모다곰 오ᄂᆞᄉᆞᆫ다

남녀 백성들아 어디어디 가 있다가 모두들 오는가

禾穀이 離離ᄒᆞ고 桑麻이 芃芃이로다

곡식은 이리하고[44] 뽕과 삼은 봉봉[45]하니

國富 民安ᄒᆞ야 太平을 ᄒᆞ리로다

나라는 부강하고 백성이 편안하여 태평하리로다

安不忘危라 이긔과라 마로시고

안불망위[46]라 이겼노라 말고

---

41 전남 영암군 덕진포를 말함.

42 병기를 씻어서 거두어 들임. 곧 전쟁을 끝냄.

43 발해渤海와 태산泰山을 합한 말로 여기서는 전남 영암군 일대를 뜻함.

44 이삭이나 열매가 맺어 늘어져 있는 모양.

45 초목이 울창한 모양.

46 편안한 때에도 위태로움을 잊지 아니함.

膳甲兵 修器械 兵農을 兼理ᄒᆞ샤
선갑병[47] 수기계[48] 병농을 겸리[49]해서
軍政을 ᄇᆞᆯ키샤ᄃᆡ 禮義로 알외쇼셔
군정을 밝히시되 예의로 아뢰소서
親其上 事其長이 긔 아니 됴ᄒᆞᆫ닛가
웃어른 공경함이 그 아니 좋으리까
不敎而戰이오 進之以殺이면 罔民이 아니닛가
불교이전[50]이오 진지이살[51]이면 망민[52]이 아닙니까
夜歌을 激烈ᄒᆞ니 어릴셔 이 몸이여
야가[53]가 격렬하니 어리석다 이 몸이여
忠心애 憂國一念이야 니칠 스치 업서이다
충심에 우국일념[54]이야 잊힐 때 없소이다

---

47 군사들에게 선물을 줌.
48 기계를 고침.
49 겸하여 처리함.
50 안 가르치고 싸우게 함.
51 전장에 나아가 죽게 함.
52 백성을 속이는 것.
53 밤에 문밖에서 노래함.
54 나라를 걱정하고 염려하는 한 가지 마음.

19. 남초가南草歌

① 작품명 : 남초가南草歌

② 작자명 : 박사형(朴士亨, 1635～1706)

박사형의 자는 서옹瑞翁, 호는 청광자淸狂子 혹은 암은巖隱이다. 전남 보성 지역에서 활동하던 문인으로, 박춘장朴春長과 안방준安邦俊 문하에서 수학한 도학자道學者였으며, 보성의 마고산 밑에 암은정사를 짓고 후진을 양성하며 일생을 보냈다.

③ 출전 : 《청광집淸狂集》

④ 해제

이 작품은 담배를 소재로 한 가사이며, 박사형에 의해 1666년(현종 7)에 지어진 것으로 저자의 문집 《청광집》에 수록되어 있다. 남초南草는 담배를 달리 일컫는 말이며, 이 작품에서 담배의 효능을 긍정적으로 표현하고 있다. 화자는 7년간의 병으로 인해 고생하다가 남초를 얻어 피우면서 그 신이한 효험으로 인해 병이 다 나은 것을 기뻐하며 지었다고 하였다. 작품은 대략 6개의 단락으로 구성되어 있다. 화자가 7년 동안의 병으로 고생하는 과정, 담배를 재배하여 피우는 과정과 그 영험으로 인해 병이 낫고, 다시 이를 임금에게 바쳐 축원하고 싶다는 말로 마무리하고 있다. 작품에 사용된 표현에서 다소 관념적이고 추상적인 면모가 있으나, 담배를 재배하고 그것을 즐기며 효험을 보는 과정의 묘사는 매우 사실적이라 할 수 있다. 담배를 소재로 하고 있다는 점에서 가사문학사에서도 매우 독특한 위치를 지니고 있다고 하겠다.

⑤ 원문과 현대역

平生의 病이 잇셔 온갓 풀을 다 맛보니
평생에 병이 있어 온갖 풀을 다 맛보니
人蔘 蒼朮 遠志 菖蒲 鄕藥方의 ᄒᆞ엿거ᄂᆞᆯ
인삼 창출 원지 창포 향약방으로 하였거늘
三年을 長服ᄒᆞᆫ돌 七年 病을 말긴숀야
삼년을 장복한들 칠년 병을 맡길텐가
南方셔 나온 풀이 靈異ᄒᆞ다 有名커ᄂᆞᆯ
남방에서 나온 풀이 영이[1]하다 유명하거늘
花階ᄅᆞᆯ 조히 ᄡᅳᆯ고 藥欄을 놉피 비겨
꽃 계단을 깨끗이 쓸고 약초밭 난간을 높이 비껴
梅花雨 ᄀᆞᆺ 긴 後의 花草조차 셧거 심거
장맛비[2] 갓 갠 후에 화초까지 섞어 심어
薰風의 ᄌᆞ라ᄂᆞ여 甘露를 맛쳐떠니
따뜻한 바람에 자라나서 이슬을 맞았더니
翠鳳의 ᄭᅩ리 ᄀᆞᆺ치 프ᄅᆞ고 프른 닙을
봉황의 꼬리 같이 푸르고 푸른 잎을
黃鶴의 ᄂᆞ릐 ᄀᆞᆺ치 누러케 킈워ᄂᆡ여
황학의 날개 같이 누렇게 키워내어
먹던 챠 물리치고 試驗ᄒᆞ야 맛슬 보니
먹던 차 물리치고 시험하여 맛을 보니
燻燻한 ᄂᆡ ᄒᆞᆫ 줄긔 喉舌의 ᄀᆞᆺ 너무며
훈훈한 냄새 한 줄기 코와 혀에 갓 넘으며

1 신령스럽고 색다름.
2 매화우梅花雨. 매실이 익을 때쯤 내리는 비라는 뜻으로, 장맛비를 의미함.

絪縕ᄒᆞᆫ 氣運이 腸腑에 ᄀᆞ득ᄒᆞ니
인온[3]한 기운이 장부에 가득하니
從前 ᄡᅡ힌 痰이 ᄒᆞᆫ ᄣᆡ예 다 ᄂᆡ리게
이전에 쌓인 담이 한 때에 다 내리고
宿病이 다 調和ᄒᆞ니 ᄯᅩᄒᆞᆫ 興을 이라리라
오랜 병이 다 조화하니 또한 흥을 이루리라
靑樓 ᄇᆞᆯ근 달의 ᄀᆡ리던 님 만나보니
청루 밝은 달에 그리던 님 만나보니
芙蓉帳 寂寞ᄒᆞᆫᄃᆡ 온ᄀᆞᆺ 辭緣 다 ᄒᆞ면셔
부용장[4] 적막한데 온갖 사연[5] 다 하면서
沈香 가ᄂᆞᆫ 刀磨 燈盞 압프 내여놋코
가는 침향 가는 도마 등잔 앞에 내어놓고
銀粧刀 드ᄂᆞᆫ ᄂᆞᆯ노 닙닙히 싸ᄒᆞᄂᆞᆫ 양은
은장도 드는 칼로 잎잎이 쌓는 모습은
廣寒殿 玉杵邊의 가문 셔리 ᄲᅮ리ᄂᆞᆫ 듯
광한전 옥절구에 가뭄에 서리 뿌리는 듯
朱紅櫃 ᄂᆡ여노코 銀竹을 흘리 자바
주홍궤 내어놓고 은 담뱃대 흘려 잡아
纖纖玉手로 넌ᄌᆞ시 담는 양
섬섬옥수[6]로 넌지시 담는 모습
鶴山 仙人이 白玉笛을 빗긔 쥔 듯
학산 선인이 백옥 피리를 비껴 쥔 듯

---

3 하늘의 기운과 땅의 기운이 서로 합하여 어림.
4 연꽃을 그리거나 수놓은 방장.
5 하고자 하는 말이나 편지의 내용.
6 가냘프고 고운 여자의 손.

金爐의 무든 불을 銀箸로 집어ᄂᆡ여
금로[7]에 붙은 불을 은 젓가락으로 집어내어
丹脣 皓齒로 가는 ᄂᆡ 품ᄂᆞᆫ 樣은
붉은 입술 하얀 이로 가는 연기 뿜는 모습은
赤城 ᄇᆞᆯ근 날의 흰 안ᄀᆡ ᄒᆞᆺ나ᄂᆞᆫ 듯
적성 밝은 날에 흰 안개 흩날리는 듯
平生에 興味 업셔 世味를 모르더니
평생에 흥미 없어 세상 재미 모르더니
이 풀 어든 後의 憂患을 이자리라
이 풀 얻은 후에 우환을 잊으리라
香山에 네 낫든들 瓊液酒[8]를 부러보랴
향산에 네가 태어났던들 경액주를 부러워하랴
淸風이 生腋ᄒᆞ니 羽化術이 뵈아ᄂᆞᆫ ᄃᆞᆺ
맑은 바람이 겨드랑이에서 생기니 우화술[9]이 재촉하는 듯
三神山 碧桃ᄅᆞᆯ 爽快타 ᄒᆞ건마ᄂᆞᆫ
삼신산 벽도를 상쾌하다 하건마는
弱水 三千里에 어ᄂᆡ 神仙 보ᄂᆡᆯ손야
약수 삼천리에 어느 신선 보낼까
安期生 火棗를 仙藥이라 ᄒᆞᆫ ᄃᆞᆯ
안기생[10] 화조[11]를 선약이라 한들
三千年 여ᄂᆞᆫ 열ᄆᆡ 어ᄃᆡ 가 어들손야
삼천년 여는 열매 어디 가 얻을텐가

7 금으로 장식하여 만든 향로.
8 신비로운 약물로 빚은 술.
9 신선이 되는 기술.
10 중국 전설상의 신선의 이름.
11 도가에서 말하는 신선이 먹는 과일.

蓬萊 方丈 第一峯의 不死草 잇다 호되
봉래산 방장산 제일봉에 불사초 있다 하되
童男童女 나간 後의 바리되 안이 온니
동남동녀 나간 후에 되돌아 아니 오니
秦皇이 너를 보면 一定 리가 너기리라
진시황이 너를 보면 정한 이치로 여기리라
이 몸이 貧賤ᄒᆞ야 草野의 뭇쳐시니
이 몸이 빈천하여 초야에 묻혔으니
藜藿羹을 못 免ᄒᆞ되 葵藿忱은 혼자 잇셔
여곽갱[12]을 못 면하되 규곽침[13]은 혼자 있어
너 갓튼 마슬 보니 獻芹誠이 보야날 졔
너 같은 맛을 보니 헌근성[14]이 스며들 때
兩腋에 짓을 돗쳐 九天의 ᄂᆞ라올나
양 겨드랑이에 깃이 돋쳐 하늘에 날아올라
閶闔門 드리달나 玉皇긔 進上ᄒᆞ면
창합문[15] 빨리 달려 옥황께 바치면
香案에 노아 보고 우리 東皇 賞給ᄒᆞ야
책상에 놓아 보고 우리 임금에게 상으로 내리면
千千 萬萬歲를 거의 疾病 업사실까
천천 만만세를 거의 질병 없으실까
그제야 太平烟月에 壽民丹을 삼으리라
그제야 태평세월에 수민단[16]을 삼으리라

---

12 명아주잎과 콩잎으로 만든 국.
13 아욱과 콩잎 반찬.
14 헌근성獻芹誠. 좋은 고사리를 보면 임금께 바치고 싶은 백성들의 마음.
15 하늘에 오르는 첫 문.
16 백성을 오래 살게 하는 알약.

20. 낭호신사朗湖新詞

① 작품명 : 낭호신사朗湖新詞

② 작자명 : 박이화(朴履和, 1739～1783)

조선 후기의 문인으로, 본관은 함양咸陽, 자는 화이, 호는 구계 · 용계이다. 평생을 전남 영암에서 향토 교화에 힘썼다. 문집으로 《구계집》이 있고, 가사로 〈낭호신사〉 외에 〈만고가〉가 있다.

③ 출전 : 필사본 《낭호신사》

④ 해제

이 작품은 18세기 후반 영암 구림마을에 거주하던 박이화가 지은 가사이다. 낭호는 낭주(지금의 영암)와 서호(서구림리에 있는 호수)에서 따온 이름으로 영암군 군서면 구림마을을 가리키며, 낭호신사는 이 마을에 대한 새로운 노래라는 뜻이다. 박이화의 문집인 《구계집》과 필사본 《낭호신사》에 실려 있다. 내용은 구림 열두 마을의 역사적 유래 및 주요 인물, 그 인물들이 세운 집과 정자 등을 두루 거론함으로써 마을의 품격이 빼어남을 자랑하는 것이 중심을 이루고 있다.

⑤ 원문과 현대역

호남에 가려지은 랑셔의 ᄌᆡ일이라

호남의 가려지[1]는 낭서[2]가 제일이라

---

1 가려지佳麗地. 아름다운 곳.

2 낭서朗西. 지금 전남 영암군의 서쪽 구림鳩林.

바우가 신령ᄒᆞ니 읍호을 령람이라
바위가 신령하니 읍호를 영암이라
월출산 억만 장이 벽락의 소사올나
월출산 억만 장이 하늘에 솟아올라
청황봉이 셔남하고 쥬지봉이 남셔ᄒᆞ니
천황봉이 서남하고 주지봉이 남서하니
운긔는 양양하고 산ᄉᆡ는 긔졀ᄒᆞ다
구름 기운 양양하고 산세는 빼어나다
그 아ᄅᆡ 십이 동ᄂᆡ 명승지 되야셔라
그 아래 열두 마을 명승지 되었도다
촌기는 뉘 정하고 촌호을 뉘 이른고
마을 터는 뉘 정하고 마을 이름 뉘 일렀나
관음사 폭포슈의 동지셧달 외가 소사
관음사 폭포수에 동지섣달 외가 솟아
셔답 신난 아ᄒᆡ 긔집 자식 ᄇᆡ이 긔히하다
빨래하는 아이 계집 자식 배에 기이하다
신인은 탄ᄉᆡᆼ하니 승명는 도션이라
신인이 탄생하니 승명은 도선[3]이라
지리을 통달하야 산ᄆᆡᆨ을 살펴보니
지리를 통달하여 산맥을 살펴보니
도갑산이 쥬산이요 은적산이 안산이라
도갑산이 주산[4]이요 은적산이 안산[5]이라

3 통일신라 말기의 승려. 풍수지리설의 대가로 후세에 큰 영향을 미침.
4 풍수지리에서, 뫼자리나 집터 따위의 운수 기운이 서렸다는 산.
5 풍수지리에서, 집터나 뫼자리의 맞은편에 있는 산.

칠셩으로 벌인 바우 북현무을 둘너 잇고
칠성으로 벌인 바위 북현무를 둘러 있고
고산으로 무은 ᄌᆡ는 남쥬작이 되야셔라
고산으로 쌓은 재는 남주작이 되었도다
비봉이 포란하니 황산이 놉피 나고
봉황이 알 품으니 황산[6]이 높이 나고
갈마가 음슈하니 조암이 완연하다
목마른 말 물 마시니 조암[7]이 뚜렷하다
십니 연파 셔호강이 눈셥갓치 둘너난듸
십 리 연파 서호강이 눈썹같이 둘렀는데
쌍용이 농쥬ᄒᆞ고 수구을 잘나스니
쌍룡이 농주[8]하고 수구[9]를 잘랐으니
경쳐도 조커니와 살롬직도 하올시고
경처도 좋거니와 살만도 하겠구나
녯 일홈 쌍화촌은 셕을 보니 분명하다
옛 이름 쌍와촌은 돌을 보니 분명하다
뒤에 일른 구림촌는 비구가 집림이라
뒤에 이른 구림촌은 비둘기의 숲이라네
국사의 노든 바우 몃 ᄇᆡᆨ 년 왕젹인고
국사[10]가 놀던 바위 몇 백년 왕적[11]인가

---

6 황산凰山. 주지봉 앞에 있음.
7 조암槽巖. 구유바위.
8 농주弄珠. 구슬을 가지고 노는 놀이.
9 수구水口. 풍수지리에서, 득得이 흘러간 곳.
10 도선道詵을 가리킴.
11 왕적往跡. 지나간 자취.

녜로붓터 일은 말리 삼박시의 구긔로다
예로부터 이른 말이 세 박씨의 옛터로다
설립한 삼셩바지 남포 함양 번남이라
설립한 삼성바지 남포 함양 반남이라
문호은 칭칭하고 자손이 번번하니
문호는 창성하고 자손이 번성하니
열어 셩이 이웃하야 촌락을 벌려스며
여러 성이 이웃하여 촌락을 벌였으며
도원죽니 군자향의 만호천문 몃 집인고
무릉도원 군자 마을 천문만호[12] 몇 집인가
례이을 숭상하니 동셔의 학궁이라
예의를 숭상하니 동서에 배움터라
글도 ᄒᆞ고 활도 쏘니 문무화긱 출입한다
글도 하고 활도 쏘니 문무 함께 출입한다
번화도 하려이와 풍유 남자 만할시구
번화도 하거니와 풍류남자 많을시고
요월당 놉픈 집은 림목사의 랑사로다
요월당[13] 높은 집은 임목사의 별채로다
년당의 빅을 타고 형지상유 하올시고
연못에 배를 타고 형제끼리 노는구나
강호 빅발 양령자은 쌍취졍이 완련하다
강호 백발 두 그림자 쌍취정[14]이 분명하다

12 천문만호千門萬戶.
13 광주목사를 지낸 임구령林九齡(1501~1562)이 말년에 거처한 집.
14 임구령林九齡(1501~1562)이 세운 정자.

ᄃᆡᄉᆡ에 지은 정각 일홈을 간쥭이라
닷새에 지은 정각 이름을 간죽[15]이라
오한공이 창건하고 고광공이 즁슈하니
오한공[16]이 창건하고 고광공[17]이 중수하니
쳥금사 ᄇᆡᆨ면서ᄉᆡᆼ 강학하난 소ᄅᆡ로다
백면서생[18] 유생들이 강학하는 소리로다
머음 아ᄅᆡ 련원슈은 나문 물결 분망하야
마을 아래 연원수는 남은 물결 바삐 보내
구부구부 벽ᄀᆡ 되야 평원을 둘녀난듸
굽이굽이 시내 되어 평원을 둘렀는데
그 아ᄅᆡ 조흔 정각 회사졍이 가려하다
그 아래 좋은 정각 회사정[19]이 아름답다
오ᄉᆡᆨ단쳥 칠분도로 쥬류 죠양 ᄭᅮᆷ여스니
오색단청 칠분도로 누각[20] 들보[21] 꾸몄으니
연연가무 사시잔치 노소가 ᄀᆡ회할 ᄌᆡ
연년가무 사시잔치 노소가 다 모일 때
이관을 졍ᄌᆡ하이 풍광은 이이하다
의관을 정제하니 풍광이 이이하다[22]

---

15 박성건朴成乾(1418～1487)이 지은 정자.
16 박성건.
17 박성건의 아들 박권朴權(1465～1506).
18 청금사靑衿士. 푸른 깃이 달린 옷을 입은 선비. 유생儒生.
19 구림 대동계의 모임 장소로 사용하기 위해 1565년경 조행립曺行立·현건玄健·박성오朴省吾·임호林浩·박규정朴奎精 등에 의해 세워진 정자.
20 주루朱樓. 붉게 칠한 누각.
21 조량雕梁. 조각을 하여 꾸민 대들보.
22 이이怡怡. 즐겁고 기쁨.

헌판을 둘너보니 몃 군자의 감회련가
현판을 둘러보니 몇 군자의 감회던가
ᄐᆡ호공 죠션ᄉᆡᆼ은 일향묘위 되야셔라
태호공 조선생[23]은 사당 배향 되었구나
그 아ᄅᆡ ᄌᆡ호 곳집 슈천 금이 출립한다
그 아래 여러 곳집 수천 금이 출입한다
시ᄂᆡ 남편 발ᄅᆡ보니 정여한 육우당는
시내 남쪽 바라보니 정연[24]한 육우당[25]은
한 형ᄌᆡ 여셧 벗시 우ᄋᆡ하난 경사로다
한 형제 여섯 벗이 우애하는 정사[26]로다
반송은 울울ᄒᆞ고 교셕은 층층ᄒᆞᆫᄃᆡ
반송은 무성하고 돌무더기 쌓였는데
유벽한 취정자은 쥬인이 거 뉘련고
유벽[27]한 취정자는 주인이 누구던가
슈변의 층람절벽 상ᄒᆞᄃᆡ을 무어스니
물가의 층암절벽 상하대를 쌓았으니
관동 육칠 모든 번림 속슈풍류 하난 ᄃᆡ라
육칠 명 모든 벗님 음풍영월 하는 데라
사안의 강좌풍류 초당 마당 바독 뒤고
사안의 강좌풍류[28] 초당 마당 바둑 두고

---

23 조행립曺行立(1580~1663). 서호사西湖祠(초명 태호사)에 배향되어 있음.

24 정연整然. 가지런하고 질서가 있음.

25 박준朴濬·박흡朴洽·박용朴溶·박주朴澍·박영朴泳·박형朴瀅 등 함양박씨 여섯 형제가 담소를 나누며 즐기던 곳.

26 정사精舍. 불교에서 스님이 거처하는 곳. 일반적으로 공부하는 장소를 뜻함.

27 유벽幽僻. 한적하고 외짐.

28 중국 동진東晉의 사안謝安이 강좌, 즉 강동江東에서 풍류를 즐긴 것을 가리킴.

동파의 황쥬셜름 서호가 이곳이라
소동파의 황주 설움[29] 서호[30]가 이곳이라
바독판 밀쳐두고 빅을 타고 날려가니
바둑판 밀쳐두고 배를 타고 내려가니
충파 즁의 적은 셤은 쩔기 듸가 둘러잇고
푸른 물 속 작은 섬은 떨기 대가 둘러있고
희문 노푼 바우는 빅식이 싱식이라
해문 높은 바위는 백색이 생색이라
빅구로 벗을 숌고 도가로 이웃흐야
백구로 벗을 삼고 뱃노래로 이웃하여
물결을 거스리이 슈경 즁의 시월이라
물결을 거스르니 물 구경에 세월이라
물결갓치 가난 시월 가난 줄을 뉘 알손가
물결같이 가는 세월 가는 줄을 뉘 알텐가
죽순봉 놉푼 고듸 져 고시 문산이라
죽순봉 높은 곳에 저 곳이 문산[31]이라
한거한 문슈암은 승기도 무궁하다
한가한 문수암[32]은 승개[33]도 무궁하다
갑사의 느진 쇠북 빅운 간의 소릐하고
도갑사[34] 늦은 쇠북 백운 간에 소리하고

---

29 동파東坡 소식蘇軾(1037~1101)이 황주에 유배되어 겪은 설움.
30 중국 절강성 항주에 있는 호수. 호수 속에 소동파가 만든 인공 섬이 있음. 여기서는 중국의 서호가 이곳으로 옮겨왔다고 하여 영암의 서호를 동시에 가리키고 있음.
31 문산재文山齋를 가리킴. 1688년에 건립된 조선시대 서당. 왕인王仁이 수학했던 터로 전함.
32 왕인이 공부한 암자로 전함.
33 승개勝塏. 경치가 좋은 곳.

쥬룡의 져문 풍범 청창의 빗계셔라
주룡[35]의 저문 풍경 맑은 창에 비치도다
경니의 조흔 건곤 공부하기 ᄌᆡ일이라
경내의 좋은 천지 공부하기 제일이라
남사산 북사산ᄋᆡ 소포을 놉피 걸고
남사산 북사산[36]에 소포[37]를 높이 걸고
기운 조흔 할양림ᄂᆡ 활쏘기도 조흘시고
기운 좋은 한량님네 활쏘기도 좋을시고
젼강변 후쳔탄의 은인옥쳑 살쪄간다
앞강과 뒷내에 은린옥척[38] 살쪄간다
쳔엽하는 소년ᄇᆡ은 쳔어을 쥬어ᄂᆡ니
천렵[39]하는 소년배들은 천어[40][41]를 잡아내니
ᄉᆡ류지을 생거들고 ᄒᆡᆼ화촌을 차자갈 ᄌᆡ
버들가지 꺾어들고 행화촌을 찾아갈 때
동풍삼월 ᄇᆡᆨ화절ᄋᆡ 온갓 쏫시 만발커을
동풍삼월 꽃 계절에 온갖 꽃이 피었거늘
루각의 놉피 올나 동셔인을 살펴보니
누각에 높이 올라 여러 이웃 살펴보니
ᄒᆡᆼ화 도화 몃 집이며 창송녹죽 몃 마을인고
살구꽃 복사꽃이 몇 집이며 창송녹죽[42] 몇 마을인가

---

34 도갑사道岬寺. 전라남도 영암군 군서면 도갑리에 있는 사찰.
35 주룡포注龍浦. 영암군 학산면 매월리에 있었던 나루. 주룡포 상류가 서호임.
36 남북 활쏘기 터.
37 소포小布. 국궁에서 쓰는 가장 작은 무명 과녁.
38 은린옥척銀鱗玉尺. 비늘이 은빛으로 빛나고 모양이 좋은 큰 물고기.
39 천렵川獵. 냇물에서 고기를 잡음.
40 천어川魚. 냇물에서 사는 물고기.
41 행화촌杏花村. 살구꽃이 피는 마을.

차ᄅᆡ차ᄅᆡ 시어보니 촌여도 무슈하다
차례차례 세어보니 촌려[43]도 무수하다
남송졍 북송졍은 남북으로 갈나 잇고
남송정 북송정은 남북으로 갈라 있고
동ᄀᆡ리 셔호졍은 동셔린니 되야셔라
동계리 서호정은 동서 이웃 되었도다
동졍의 달이 밧고 고산의 ᄆᆡ화 핀니
동정에 달이 밝고 고산에 매화 피니
달구경도 하련이와 봄소식을 젼ᄒᆞ리라
달구경도 하려니와 봄소식을 전하리라
솔을 심어 졍자ᄒᆞ니 종숑졍이 와년하다
솔을 심어 정자하니 종송정이 분명하다
ᄃᆡ 심어 숲플 된니 죽림졍이 져곳시라
대 심어 수풀 되니 죽림정[44]이 저곳이라
안용당 삼ᄐᆡ암은 산도 좃코 물도 좃타
안용당[45] 삼태암은 산도 좋고 물도 좋다
학림암 반월졍은 터도 죠코 들도 죠타
학림암 반월정은 터도 좋고 들도 좋다
화각이 박지ᄒᆞ니 경호가 랑비하다
화각이 박지하니[46] 맑은 호수 즐비하다
락양즉차 곳 여기라 아무려 승지로다
낙양이 곧 여기라 아무렴 승지로다

---

42 창송녹죽蒼松綠竹. 푸른 소나무와 푸른 대나무를 아울러 이르는 말.
43 촌려村廬. 시골에 있는 보통 집.
44 현징玄徵(1629~1702)이 지은 정자.
45 조경찬曺敬璨이 거처한 집.
46 어떤 일이 매우 가까이 다가와 있으니.

조은 산슈 허다한ᄃᆡ 녜 풍속이 변ᄒᆡ간다
좋은 산수 허다한데 옛 풍속이 변해간다
청산록슈 일간옥은 풍월쥬인 어ᄃᆡ 가고
청산녹수 한 칸 집은 풍월주인 어디 가고
ᄀᆡ경쳐사 간 년후ᄋᆡ 사립도 졍막ᄒᆞ다
계정 처사 떠난 후에 사립도 적막하다
문학는 아니ᄒᆞ고 우유도일 무사로다
학문은 아니 하고 우유도일[47] 일없도다
남의 시비 ᄌᆡ 자랑을 셔로 안다 이론하고
남의 시비 제 자랑을 서로 안다 이론[48]하고
여남유월 죠평논은 모르면서 아난 ᄎᆡ라
여남 매월 첫날 평론[49] 모르면서 아는 체라
조흔 이관 옷갓 치ᄅᆡ 향곡의 ᄉᆡ 줄ᄂᆡ라
좋은 의관 온갖 치레[50] 마을의 새 준례[51]라
림쳔의 슈문 션ᄇᆡ 공금이 쓸ᄃᆡ업셔
임천에 숨은 선비 공금이 쓸데없어
빈한한 녜집 유풍 놉푼 일홈 거 뉘련고
빈한한 옛집 유풍 높은 이름 그 누군가
시쥬의 미친 마름 별호을 광ᄇᆡᆨ이라
시와 술에 미친 마음 별호를 광박이라

---

47 우유도일優遊渡日. 아무 하는 일 없이 한가롭게 세월 보냄.

48 이론異論. 다른 이론이나 의견을 냄.

49 여남汝南에서 달마다 있었던 아침 평론. 중국 후한 말엽 여남에 살던 허소許劭는 고을 사람들의 인물을 평하기 좋아하여 한 달에 한 번씩 품평을 하니 이로부터 여남에 월단평月旦評(매월 초하루에 하는 평)이 있게 되었다고 함. 월단평月旦評(매월 초하루에 하는 평)이라고도 함.

50 무슨 일에 실속 이상으로 꾸미어 드러냄.

51 기준이나 본보기가 될 만한 이전의 일.

자위비광 말을 ᄒᆞ니 인긔위지 광성이라
안 미쳤다 말을 하니 광생이라 이르더라
조년공명 발ᄅᆡ더니 호사다마 허사하야
이른 출세 바라더니 호사다마 헛일 되어
이팔 광름 경과토록 문무간의 버셔나셔
이팔 광음[52] 지나도록 문무 간에 벗어나서
립향슌속 하랴 ᄒᆞ고 졀문 번임 팔을 잡고
입향순속[53] 따르려고 젊은 벗님 팔을 잡고
노류장화 곳곳마당 외상 술잔 진취ᄒᆞ야
노류장화 곳곳마다 외상 술잔 진취[54]하여
록름방초 장단정에 위틀ᄇᆡ틀 거려갈 ᄌᆡ
녹음방초 장단정에 비틀비틀 걸어갈 때
금ᄑᆡ 풍잠 도리모자 ᄉᆡᆨ양갓슬 숙여 쓰고
금패 풍잠 도리모자 색양갓을 숙여 쓰고
졀운 셥슈 너운 소ᄆᆡ ᄆᆡᆸ시 조ᄏᆡ 흔들쳐셔
짧은 협수[55] 넓은 소매 맵시 좋게 흔들어서
이긔 업는 협ᄀᆡᆨ 마름 청류 호걸 벗 불은다
의기 없는 협객 마음 청류 호걸 벗 부른다
무식한 경투말은 셔울 할양 가소롭다
무식한 서울투말은 서울 한량 가소롭다
차읍 피읍 화초 구경 남산 북산 단풍 구경
이 읍 저 읍 화초 구경 남산 북산 단풍 구경

52 광음光陰. 시간이나 세월.
53 입향순속入鄕循俗. 다른 지방에 가서는 그곳의 풍속을 따름.
54 진취盡醉. 술에 매우 취함.
55 협수夾袖. 동달이. 검은 두루마기에 붉은 안을 받치고 붉은 소매를 달며 뒤 솔기를 길게 터서 지은 군복.

청류고각 나문 흥을 그리져리 ᄒᆞ올 젹에
청류고각 남은 흥을 그리저리 할 때에
삼동풍셜 젹한키로 문을 닥고 생각ᄒᆞ니
삼동풍설[56] 추위 탓에 문을 닫고 생각하니
청춘의 지ᄂᆡᆫ 일리 숨갓치 허사로다
청춘에 지낸 일이 꿈같이 허사로다
긔한도 어렵건만 문필도 ᄋᆡ도롭다
기한[57]도 어렵건만 문필도 애달프다
추풍이 ᄆᆡᆼ렬ᄒᆞ니 한무ᄌᆡ의 회심이요
추풍이 맹렬하니 한문제의 회심이요
지ᄅᆡ자지 가추하니 진쳐사의 여한이라
지래자지 가추하니[58] 도연명의 여한이라
글도 ᄒᆞ고 치산도 하야 부귀 문장 되오리라
글도 하고 치산[59]도 하여 부귀 문장 겸하리라
양무의 반듸불은 밤이면 주셔오고
양무의 반딧불은 밤이면 주워오고
동ᄇᆡᆨ산 무근 밧슨 낫지면 갈라보자
동백산 묵은 밭은 낮이면 갈아보자
ᄇᆡᆨ아의 거문고로 산슈곡을 화답ᄒᆞ니
백아의 거문고로 산수곡을 화답하니
지름하난 우리 범림 어니 그리 더뒤던고
지음하는 우리 벗님 어찌 그리 더디던가

---

56 삼동풍설三冬風雪. 한겨울 눈보라.
57 기한飢寒. 춥고 배고픔.
58 〈귀거래사歸去來辭〉 '다가올 것은 쫓아갈 수 있음을 깨달았네知來者之可追'
59 치산治產. 집안의 살림살이나 재산을 잘 다스림.

이팔청춘 아동들아 랑호신사 불너보ᄉᆡ
이팔청춘 아동들아 낭호신사 불러보세
여슈ᄉᆡ월 ᄉᆡᆼ각ᄒᆞ야 아ᄒᆡ 경긔 갈라치자
빠른 세월 생각하여 아이 경계 가르치자

21. 노처녀가老處女歌

① 작품명 : 노처녀가老處女歌

② 작자명 : 미상

③ 출전 : 필사본

④ 해제

〈노처녀가〉는 여러 종의 이본이 존재하는데, 대체로 두 가지 계열로 구별하고 있다. 비교적 짧은 형식으로 시집을 가지 못한 노처녀가 신세 한탄을 토로하는 내용으로 된 작품이 그 하나이며, 서사적 구조를 지니고 있는 장형으로 조선 후기 소설집인 《삼설기》에 수록되어 몸이 불편한 노처녀가 여러 과정을 겪으면서 끝내 결혼에 이르게 된다는 내용의 작품이 다른 하나이다. 여기에서 다룰 작품은 짧은 형식으로, 노처녀가 출가하지 못한 자신의 신세를 한탄하면서 결혼하고 싶은 심정을 읊은 가사이다. 이 작품의 화자는 나이 마흔이 넘은 노처녀로서, 밤마다 적막한 빈방에서 잠 못 이루며 결혼을 시켜주지 않는 부모를 원망하기도 한다. 그러면서 다시 날이 밝으면 행여 어디에선가 중매라도 들어올까 기다리는 마음을 실감나는 표현으로 그려내고 있다. 혼자서 자신의 신랑감을 이리저리 꼽아보면서 출가한 뒤의 모습을 그려보기도 하는 모습을 드러내기도 한다.

⑤ 원문과 현대역

인간 세상 사람들아 이 내 말슴 들어보소
인간 세상 사람들아 이내 말씀 들어보소

인간 만물 생긴 후에 금수 초목 짝이 잇다

인간 만물 생긴 후에 짐승과 초목도 짝이 있다

인간에 생긴 남자 부귀 자손 갓건마는

인간 세상에 생긴 남자 부귀 자손 같건마는

이 내 팔자 험구즐손 날 가튼 이 쏘 잇든가

이 내 팔자 험궂으니 나 같은 이 또 있는가

백년을 다 사러야 삼만 육천 날이로다

백년을 다 살아야 삼만 육천 날이로다

혼자 살면 천년 살며 정녀되면 만년 살가

혼자 살면 천년 살며 정녀[1]되면 만년 살까

답답한 우리 부모 가난한 좀 양반이

답답한 우리 부모 가난하고 옹졸한 양반이

양반인 체 도를 차려 처사가 불민하여

양반인 체 도를 차려 하는 일이 불민[2]하여

괴망을 일사므며 다만 한 땀 늘거 간다

괴망[3]을 일삼으며 다만 한 땀 늙어 간다

적막한 빈 방안에 적료하게 홀로 아자

적막한 빈 방안에 쓸쓸하게 홀로 앉아

전전반칙 잠 못 이뤄 혼자 사설 드러보소

전전반측[4] 잠 못 이뤄 혼자 사설[5] 들어보소

노망한 우리 부모 날 길러 무엇하리

늙으신 우리 부모 날 길러 무엇하리

---

1 정녀貞女. 결혼하지 않고 혼자 사는 여자.

2 불민不敏. 어리석고 둔하여 민첩하지 못함.

3 괴망怪妄. 성격이나 언행이 괴상하고 망측함.

4 전전반측輾轉反側. 누워서 몸을 이리저리 뒤척이며 잠을 이루지 못함.

5 사설辭說. 길게 늘어놓는 잔소리나 푸념.

죽도록 날 길러서 자바 쓸가 구어 쓸가

죽도록 날 길러서잡아 쓸까 구워 쓸까

인황씨 적 생긴 남녀 복히씨 적 지은 가취

인황씨 시절 생긴 남녀 복희씨 시절 지은 가취[6]

인간 배필 혼취함은 예로부터 잇건마는

인간 배필 혼취[7]함은 예로부터 있건마는

어떤 처녀 팔자 조하 이십 전에 시집간다

어떤 처녀 팔자 좋아 이십 전에 시집간다

남녀 자손 시집 장가 떳떳한 일이것만

남녀 자손 시집 장가 떳떳한 일이건만

이 내 팔자 기업하야 사십까지 처녀로다

이 내 팔자 기험[8]하여 사십까지 처녀로다

이럴 줄을 아라스면 처음 아니 나올 것을

이럴 줄 알았으면 처음 아니 태어날 것을

월명 사창 긴 긴 밤에 침붐안석 잠 못 드러

달 밝은 창문 길고 긴 밤에 침불안석[9] 잠 못 들어

적막한 빈 방안에 오락가락 다니면서

적막한 빈 방안에 오락가락 다니면서

장래사 생각하니 더욱 답답 민망하다

장래 일 생각하니 더욱 답답 민망하다

부친 하나 반편이요 모친 하나 숙맥불변

부친 하나 반편[10]이요 모친 하나 숙맥불변이라[11]

---

6 가취嫁娶. 시집가고 장가듦.

7 혼취婚娶. 남자와 여자가 예를 갖추어 부부가 됨.

8 기험崎險. 순탄치 못하고 탈이 많음.

9 침불안석寢不安席. 불안이나 근심 등으로 편안히 자지 못함.

10 반편半偏. 지능이 보통 사람보다 아주 낮은 사람.

날이 새면 내일이요 세가 되면 내년이라
날이 새면 내일이요 해가 되면 내년이라
혼인 사설 전폐하고 가난 사설 뿐이로다
혼인 이야기 전혀 없고 가난 이야기 뿐이로다
어대서 손님 오면 행여나 중매신가
어디서 손님 오면 행여나 중매인가
아희 불러 힐문한 즉 풍헌 약정 환자 재촉
아이 불러 힐문[12]한즉 풍헌 약정[13]의 환곡[14] 재촉
어대서 편지 왓네 행여나 청혼선가
어디서 편지 왔네 행여나 청혼서인가
아희다려 무러보니 외삼촌의 부음이라
아이에게 물어보니 외삼촌의 부음[15]이라
애고 애고 서른지고 이 내 강장 어이할고
애고 애고 서럽구나 이 내 감정 어이할까
압집에 아모 아기 발셔 자손 보단 말가
앞집에 아무개 아기 벌써 자손 보았단 말인가
동편 집 용골녀는 금명간에 시집가네
동쪽 집 용골녀는 금명간[16]에 시집가네
그동안에 무정세월 시집기서 플럿마는
그동안에 무정한 세월 시집가서 푸련마는

---

11 숙맥불변菽麥不辨. 콩인지 보리인지 분간하지 못한다는 뜻으로, 어리석은 사람을 비유적으로 이르는 말.

12 힐문詰問. 트집잡아 따져 물음.

13 풍헌風憲 약정約正. 지방 행정 기구.

14 환곡還穀. 춘궁기에 곡식을 빌려주고 추수 때 갚는 제도.

15 부음訃音. 사람이 죽었음을 알리는 기별.

16 금명간今明間. 오늘이나 내일 사이.

친구 업고 혈족 업서 위로하 리 전혀 업고
친구 없고 혈족 없어 위로할 이 전혀 없고
우리 부모 무정하여 내 생각 전혀 업다
우리 부모 무정하여 내 생각 전혀 없다
부귀 번천 생각 말고 인물 풍채 마땅커든
부귀 빈천 생각 말고 인물 풍채 마땅하거든
처녀 사심 나이 적소 혼인 거동 차려 주오
처녀 사십 나이 적소 혼인 거동 차려 주오
김동이도 상처하고 이동이도 가처로다
김동이도 상처[17]하고 이동이도 기처[18]했다
중매할미 전혀 업네 날 차즈 리 어이 업노
중매할미 전혀 없네 날 찾을 이 어찌 없나
감정 암소 살저 잇고 봉사 전답 갓건마는
검은 암소 살쪄 있고 봉사[19] 전답 같건마는
사족 가문 가리면서 이대도록 늙히노니
사족[20] 가문 가리면서 이토록 늙게 하니
연지분도 잇것마는 성적단장 전패하고
연지분도 있건만은 성적단장[21] 전폐[22]하고
감정 치마 흰 저구리 화경 거울 압에 노코
검은 치마 흰 저고리 꽃무늬 거울 앞에 놓고

---

17 상처喪妻. 아내의 죽음을 당함.
18 기처棄妻. 이혼.
19 봉사封祀. 조상의 제사를 받들어 모심.
20 사족士族. 문벌이 좋은 선비 집안.
21 성적단장成赤丹粧. 혼인 날 분을 바르고 연지 찍어 잘 매만져 곱게 꾸밈.
22 전폐全廢. 아주 그만두거나 없앰.

원산 가튼 푸른 눈섭 세류 가튼 가는 허리
원산[23] 같은 푸른 눈썹 실버들 같은 가는 허리
아름답다 나의 자태 묘하도다 나의 거동
아름답다 나의 자태 묘하구나 나의 거둥
흐르는 이 세월에 앗가울손 나의 거동
흐르는 이 세월에 아깝구나 나의 거둥
거울다려 하는 말이 어화 답답 내 팔자여
거울에게 하는 말이 어와 답답 내 팔자야
갈 대 업다 나도 너도 쓸대업다 너도 나도
갈 곳 없다 나도 너도 쓸데없다 너도 나도
우리 부친 병조판서 할아버지 호조판서
우리 부친 병조판서 할아버지 호조판서
우리 문별 이러하니 풍속 쫒기 어려워라
우리 가문 이러하니 풍속 따르기 어렵구나
아연듯 춘절 되니 초목 군생 다 즐기네
어느새 봄이 되니 초목군생 다 즐기네
두견화 만발하고 잔디 닢 속닙 난다
진달래 만발하고 잔디 잎 속잎 난다
자근 바자 쟁쟁하고 종달새 도루 뜬다
작은 바자[24] 쟁쟁하고 종달새 도로 뜬다
춘풍 야월 세우 시에 독수공방 어이 할고
춘풍 달밤 가랑비에 독수공방 어찌 할까
원수의 아희들아 그런 말 하지 마라
원수의 아이들아 그런 말 하지 마라

23 원산圓山. 둥그런 산.
24 싸리 가지를 엮어서 만든 울타리.

앞집에는 신랑 오고 뒷집에는 신부 가네
앞집에는 신랑 오고 뒷집에는 신부 가네
내 귀에 듯는 바는 늣길 일도 하도 만타
내 귀에 듣는 것은 느낄 일도 너무 많다
녹양방초 저믄 날에 해는 어이 수이 가노
녹양방초[25] 저문 날에 해는 어찌 쉬이 가나
초로 가튼 우리 인생 표연히 늘거 가니
초로[26] 같은 우리 인생 가볍게 늙어 가니
머리채를 엽에 끼고 다만 한숨 뿐이로다
머리채를 옆에 끼고 다만 한숨 뿐이로다
긴 밤에 짝이 없고 긴 날에 벗이 업다
긴 밤에 짝이 없고 긴 날에 벗이 없다
안젓다가 누엇다가 다시금 생각하니
앉았다가 누었다가 다시금 생각하니
아마도 모진 목숨 죽지 못해 원수로다
아마도 모진 목숨 죽지 못해 원수로다

25 녹양방초綠楊芳草. 푸른 버드나무와 꽃다운 풀.
26 초로草露. 풀잎에 맺힌 이슬.

22. 노환가老鰥歌

① 작품명 : 노환가老鰥歌

② 작자명 : 이용목(李容穆, 1826～?)

이용목의 자는 경원景遠, 호는 백석白石 혹은 호암湖菴이다. 말년에 겪은 동학혁명에 대해 부정적인 인식을 가졌던 것으로 보이며, 이후 자신의 처소에 은거하면서 1898년에 18편의 가사 작품이 수록된 순한글 필사본 《백석만성가》를 남겼다.

③ 출전 : 필사본 《백석만성가白石謾成歌》

④ 해제

이 작품은 이용목에 의해 지어진 가사로, 제목의 노환老鰥이란 다른 가족이 없이 혼자 사는 늙은 홀아비를 뜻하는 단어이다. 이용목은 70세 되던 1895년에 부인이 먼저 세상을 떠났다고 하는데, 이 작품은 아마도 부인이 죽은 이후 홀로 남은 자신의 처지를 형상화한 것으로 여겨진다. 이 작품은 세상의 모든 동물들도 짝이 있는데, 화자 자신은 홀아비가 되어 깊은 밤에 잠을 이루지 못하는 신세를 한탄하는 내용으로 되어 있다. 〈노환가〉는 늙은 홀아비의 심정과 가련한 신세를 탄식하면서, 먼저 세상을 떠난 부인을 그리워하며 지은 작품이라 하겠다. 이 작품을 포함하여 부인을 그리워하는 작품을 여섯 편 지었는데, 부인에 대한 그리움을 절절하게 읊은 작품들을 통해서 저자가 부인을 생각하는 마음이 깊었다는 것을 헤아릴 수 있을 것이다.

⑤ 원문과 현대역

가련ᄒᆞᄃᆞ 호라비ᄂᆞᆫ 사궁 즁의 웃뜸이라

가련하다 홀아비는 사궁[1] 가운데 으뜸이라

비금쥬슈 짝이 잇ᄂᆡ 나ᄂᆞᆫ 어이 쪽이 읍ᄂᆞ

비금주수[2] 짝이 있네 나는 어이 짝이 없나

안ᄌᆞ시니 뉘가 알며 누어시니 누가 알고

앉았으니 누가 알며 누웠으니 누가 알까

박절ᄒᆞ다 우리 부인 날 바리고 어ᄃᆡ 간고

박절[3]하다 우리 부인 날 버리고 어디 갔나

죠년의 서로 맛나 ᄇᆡᆨ년긔약 ᄆᆡᄌᆞ 놋코

이른 나이에 서로 만나 백년가약[4] 맺어 놓고

부화부슌 본을 바ᄃᆞ 부모께 길기더니

부화부순[5] 본을 받아 부모님께 자라더니

죠물이 시기ᄒᆞ야 일죠의 이별ᄒᆞ니

조물주가 시기하여 일조[6]에 이별하니

명명 즁의 잇서스니 나 일언 쥴 어이 알이

어두운 저승 가운데 있었으니 나 이런 줄 어찌 알리

천ᄃᆡ가 조타한들 이 세상과 갓틀손가

천대[7]가 좋다한들 이 세상과 같을까

---

1 사궁四窮. 늙은 홀아비(鰥)·늙은 홀어미(寡)·부모 없는 아이(孤)·자식 없는 늙은이(獨)를 통틀어 이르는 말.

2 비금주수飛禽走獸. 날짐승 길짐승.

3 박절迫切. 인정없이 매몰참.

4 백년가약百年佳約. 남녀가 결혼하여 평생을 함께 지낼 것을 다짐하는 아름다운 약속.

5 부화부순夫和婦順. 남편은 화락함을 이끌고 부인은 이를 따르는 것으로, 부부 간의 화락함을 나타내는 말.

6 일조一朝. 하루 아침에.

기픈 밤 ᄎᆞᆫ 베ᄀᆡ예 슬푼 ᄉᆡᆼ각 잠 못 잇ᄂᆡ
깊은 밤 찬 베개에 슬픈 생각 잠 못 이루네
몽즁ᄋᆡ도 아니 오니 일어ᄐᆞ시 무정한가
꿈속에도 아니 오네 이렇듯이 무정한가
요지연 모인 잔ᄎᆡ 서왕모을 모섯던가
요지연[8] 모인 잔치 서왕모[9]를 모셨던가
옥경의 올ᄂᆞ가서 항아 선녀 도얏는가
옥경[10]에 올라가서 항아[11] 선녀 되었는가
서방정토 ᄎᆞ자가서 부처 제ᄌᆞ 되얏는가
서방정토[12] 찾아가서 부처 제자 되었는가
한번가고 아니오니 범연키가 일어한가
한 번 가고 아니 오니 범연[13]하기가 이러한가
금실우귀 질질 ᄶᆡ예 이리 될 줄 어이 알이
금슬우귀[14] 즐길 때에 이리 될 줄 어찌 알리
천하 읍는 영웅들도 통곡하고 한을 하ᄂᆡ
천하 없는 영웅들도 통곡하고 한탄을 하네
오륜을 의논건될 부부유별 장ᄒᆞ도다
오륜을 의논하건댄 부부유별 장하도다

---

7 천대天臺. 죽은 뒤에 넋이 돌아간다는 곳.

8 요지는 선녀인 서왕모西王母가 거주했던 곳으로, 목천자穆天子가 요지의 연회에서 서왕모에게 축수를 올렸던 데서 온 말.

9 서왕모西王母. 중국 신화에 나오는 신녀의 이름.

10 백옥경白玉京의 준말로 옥황상제가 있는 곳을 이르는데, 여기에서는 달을 가리킴.

11 항아姮娥. 달 속에 있다는 선녀仙女의 이름.

12 서방정토西方淨土. 아미타불이 살고 있는 정토.

13 범연泛然. 특별한 관심이 없어 데면데면함.

14 금슬우귀琴瑟于歸. 부부 간의 화락和樂함을 나타내는 말.

옛말의 일으기를 효ᄌᆞ 효부 극진ᄒᆞ다
옛말에 이르기를 효자 효부 극진하다
ᄉᆡᆼ전의 화락키ᄂᆞᆫ 한 악첩만 못 ᄒᆞᄃᆞᆫ니
생전에 화락하기는 한 악첩[15]만 못 하더니
어화 세상 ᄉᆞ람들아 호라비 되지 말쇼.
어와 세상 사람들아 홀아비 되지 마소.

15 악첩惡妾. 성품이나 행실이 바르지 못하고 사나운 첩.

23. 농부가農夫歌

① 작품명 : 농부가農夫歌

② 작자명 : 미상

③ 출전 : 이용기李用基 편, 《악부樂府》(고려대학교 중앙도서관 소장)

④ 해제

이 작품은 작자를 알 수 없는 연대 미상의 가사로, 세상에 버려져 강호에 들어가서 자연에서 살아가는 모습을 노래한 작품이다. 제목은 〈농부가〉라 하였으나, 내용으로 보아 강호자연에서의 삶을 찬미하고 있는 강호가사라고 하겠다. 화자는 벼슬을 그만두고 세상의 부귀영화를 미련 없이 버린 뒤에, 도연명 등과 같은 은자들의 생활을 동경하며 그와 같이 살겠다는 자세를 드러내고 있다. 조그마한 초가집을 지어두고 안빈낙도安貧樂道를 누리면서, 세속의 시름을 잊고 자연을 벗 삼아 살아가는 즐거움을 표출하고 있다. 이 작품 외에도 다양한 이본의 〈농부가〉가 있으며, 대체로 농부의 삶보다는 강호자연에 은거하는 화자의 모습을 그리고 있는 것이 다수이다. 이러한 측면에서 농부의 삶을 그리고 있는 민요와는 그 성격이 다르게 나타난다.

⑤ 원문과 현대역

차신이 무용허여 셩상이 바리시니
이 몸이 쓸 데 없어 임금이 버리시니
부귀를 하직허고 빈쳔를 낙를 삼아
부귀를 하직하고 빈천을 즐거움 삼아

일간모옥를 산슈 간에 지어 두고
일간모옥[1]을 산수 사이에 지어 두고
십년 일관를 쓰거나 못 쓰거나
십년 벼슬자리를 쓰거나 못 쓰거나
숨슌 구식을 먹그나 못먹그나
삼십일 동안 아홉끼[2]를 먹으나 못 먹으나
분별이 업스니 실름인들 잇즐소냐
분별이 없으니 시름인들 있을까
일신이 한가허니 만슨가 무심허다
한 몸이 한가하니 만사가 무심하다
청송정 하에 혼즈 안져 바라보니
청송정 아래에 혼자 앉아 바라보니
하리건곤에 셕양이 거의로다
호리건곤[3]에 석양이 거의로다
갈발를 놉피 걸고 원근 산쳔를 바라보니
갈대로 만든 발을 높이 걸고 산천을 바라보니
지계도 조커니와 풍경이 더욱 죠타
지게문[4]도 좋거니와 풍경이 더욱 좋다
낙하은 여고목졔비허고 츄슈은 공장천일식이라
낙하는 여고목제비하고 추수는 공장천일색[5]이라

1 일간모옥一間茅屋. 한 칸의 초가집.
2 삼순구식三旬九食. 삼십 일 동안에 아홉 끼만 밥을 먹음.
3 '호리건곤壺裏乾坤'의 착오인 듯. 호리건곤壺裏乾坤은 별천지를 말함.
4 마루와 방 사이의 문이나 부엌의 바깥문.
5 낙하여고목제비落霞與孤鶩齊飛 추수공장천일색秋水共長天一色. 떨어지는 놀은 외로운 따오기와 같이 날고, 가을의 맑은 물은 하늘과 한 빛이라는 뜻으로, 당나라 왕발王勃의 〈등왕각서滕王閣序〉의 한 구절.

남북촌 두세 집은 낙하묘연 ᄌᆞᆷ겻셰라
남촌과 북촌 두세 집이 낙하모연[6]에 잠겼구나
긔산 영슈 이 안닌가 별유천지 여긔로다
기산과 영수[7] 이 아닌가 별천지가 여기로다
연명 오류 심으신 ᄃᆡ 청사셰지 느러졋다
도연명이 버드나무 다섯 그루 심은 데 청사세지[8] 늘어졌다
무심헌 ᄇᆡᆨ구드른 운취 속에 잠겨 잇고
무심한 갈매기들은 운치 속에 잠겨 있고
어이헌 갈가마귀는 셰ᄇᆡᆨ사에 버렷셰라
어떠한 갈까마귀는 가는 모래사장에 벌여 있네
삼산은 어듸메여 무릉이 여긔로다
삼산은 어디인가 무릉도원이 여기로다
청의 홍을 겨워 일 업시 논닐면셔
푸른 옷 흥에 겨워 일 없이 노닐면서
아침에 ᄏᆡ인 취를 졈심에 다 머근니
아침에 캔 취나물을 점심에 다 먹으니
일 업시 논닐면셔 셕죠를 바라보니
일 없이 노닐면서 저녁노을 바라보니
포의를 빗기 입고 갈건를 적겨 쓰고
포의[9]를 비스듬히 입고 갈건[10]을 젖혀 쓰고
어망을 두러메고 죠ᄃᆡ로 ᄂᆡ려가니
어망을 둘러메고 낚시터로 내려가니

---

6 낙하모연落霞暮煙. 나직이 낀 놀과 해질 무렵의 연기.
7 기산영수箕山潁水. 중국 하남성 산과 물.
8 청사세지靑絲細枝. 푸르고 실 같이 가는 가지.
9 포의布衣. 베로 만든 옷. 벼슬이 없는 선비를 비유적으로 이르는 말.
10 갈건葛巾. 칡으로 짠 두건.

일ᄃᆡ장강은 장쳔지일이요
길게 늘어선 장강은 하늘에 닿았고
만영산슈은 홍도도 무셩이라
만영산수[11]는 붉은 복사꽃이 무성하구나
셰ᄇᆡᆨ사 후리그물 여흘 여흘 더져두니
가는 눈금 후릿그물[12] 여흘여흘[13] 던져두니
은닌옥쳑은 고고층층 ᄆᆡ쳣셰라
은린옥척[14] 겹겹이 맺혔구나
잔 고기 굴근 고기 다 짜ᄂᆡ여 셰류에 께여 들고
잔 고기 굵은 고기 다 떼내어 가는 버들가지에 꿰어 들고
낙죠 홍요변으로 젹막키 도라가니
석양 붉은 여뀌꽃 가로 적막하게 돌아가니
산가촌젹을 어부사로 화답허니
산가초적[15]을 어부사로 화답하니
셰쵸ᄆᆡᆼ학은 발라도 못 ᄒᆞ야
서호매학[16]은 바라지도 못 하여
증졈의 영이귀라 이예셔 더헐소냐
증점의 영이귀[17]라 이보다 더할까

---

11 만영산수滿盈山水. 가득 들어찬 산과 물.

12 강물이나 바다에 둘러치고 여러 사람이 벼리의 두 끝을 끌어당기어 물고기를 잡는 큰 그물.

13 강이나 개울의 물살이 빠르게 좔좔 흐르는 모양.

14 은린옥척銀鱗玉尺. 비늘이 은빛처럼 번쩍번쩍하고 모양이 좋은 큰 물고기.

15 산가초적山家樵笛. 산에서 나무꾼이 부는 피리.

16 서호매학西湖梅鶴. 송나라 임포林逋가 서호西湖에서 매화를 아내로 여기고 학을 자식으로 여기면서 살아갔다고 함.

17 영이귀詠而歸. 시를 읊조리며 돌아오는 것.

와쥰에 거른 탁쥬 박잔에 가득 부어

와준[18]에 거른 탁주 박잔에 가득 부어

청풍에 반취허여 북창 하에 누엇스니

맑은 바람에 반쯤 취하여 북창 아래 누었으니

무회시 젹 ᄇᆡᆨ셩인가 갈쳔시 젹 사람[19]인가

무회씨 때 백성[20]인가 갈천씨 때 사람인가

쥬시 여상은 위슈에 고기 낙고

주나라 때 강태공은 위수에 고기 낚고

한시 졔갈량은 남양에 ᄇᆞᆺ흘 가니

한나라 때 제갈공명은 남양에 밭을 가니

이 안니 긔 셰 ᄣᆡ며 ᄂᆡ 안니 긔 ᄣᆡ든가

이 아니 그 시대 때이며 내 아니 그 때든가

인간 풍우 즁 어즈러운 긔별를 아든지 모로든지

인간 비바람 중 어지러운 소식을 아는지 모르는지

누엇스면 ᄌᆞᆷ이요 ᄭᆡ우면 이러 안져

누었으면 잠이요 깨우면 일어나 앉아

황정경 숀에 쥐고 ᄌᆞ지곡 노ᄅᆡ허니

황정경[21] 손에 쥐고 자지곡[22] 노래하니

ᄉᆞᆷ호는 어듸메뇨 오호는 다셧시라

삼호[23]는 어디인가 오호는 다섯이라

---

18 와준瓦樽. 진흙으로 빚어 만든 그릇.

19 중국 상고上古 시대의 갈천씨葛天氏 때 백성처럼 선량善良하다는 뜻임.

20 중국 상고上古 시대의 무회씨無懷氏 때 백성들은 배불리 먹고 즐겁게 살았다고 함.

21 황정경黃庭經. 도교의 경전.

22 자지곡紫芝曲. 진秦나라 말기에 상산商山의 동원공東園公, 기리계綺里季, 하황공夏黃公, 녹리선생甪里先生이 난리를 피하여 남전산藍田山에 들어가 은거하면서 한고조漢高祖의 초빙을 거절하고 자지紫芝를 캐 먹으면서 부른 노래.

23 삼호三壺. 중국 전설에 나오는 봉래산, 방장산, 영주산을 말함.

황비에 버님네야 이 ᄂᆡ 시름 웃지 마라
황비[24]의 벗님네야 이내 시름 비웃지 마라
ᄂᆡ 살림 담박허니 어늬 벗시 날 ᄎᆞ지리
내 살림 담박하니 어느 벗이 날 찾으리
듁장 망혜 단표ᄌᆞ로
죽장망혜[25] 단표자[26]로
청산 뉴시간으로 님의로 왕ᄂᆡ허여
청산유수간[27]으로 임으로 왕래하여
잇스면 쥭이요 읍스면 못 먹을망정
있으면 죽이오 없으면 못 먹을망정
아마도 짝 읍시 이 산 풍경과 함게 늑ᄌᆞ 허노라
아마도 짝 없이 이 산 풍경과 함께 늙자 하노라

24 황비黃扉. 예전에 벼슬하는 사람들이 문을 누렇게 칠했다는 데에서, 벼슬하는 사람들을 가리킴.

25 죽장망혜竹杖 망혜芒鞋. 대지팡이와 짚신.

26 단표자簞瓢子. 밥을 담는 대그릇과 국을 담는 표주박.

27 청산유수간靑山流水間. '푸른 산과 흐르는 냇물 사이에서'라는 뜻임.

24. 농부사農夫詞

① 작품명 : 농부사農夫詞

② 작자명 : 김기홍(金起泓, 1635～1701)

김기홍은 조선 중기 숙종 때의 선비이다. 본관은 미상이고, 자는 원잠元潛, 호는 관곡寬谷·송은松隱이다. 관북의 소읍 관곡에서 가난하게 살았다. 그는 민정중閔鼎重과 이단하李端夏에게 경서를 배우고 남구만南九萬과 교류했으며 관북현사關北賢士라고 불렸다. 의릉참봉義陵參奉에 천거되었을 뿐, 평생을 청빈한 생활로 관곡에서 음풍농월吟風弄月로 소일消日하였다. 유저遺著로는 《관곡집寬谷集》 2책과 《관곡실기》·《관곡야승》이 있는데, 《관곡실기》에는 그의 시조 〈관곡팔경寬谷八景〉 8수와 가사 〈농부사〉·〈채미가採薇歌〉 2편이 전해지고 있다.

③ 출전 : 《관곡선생실기寬谷先生實記》

④ 해제

이 작품은 17세기 후반에 지어진 가사이다. 작품 전체의 길이는 모두 47행이고 국한문혼용체로 되어 있다. 내용은 학문하여 입신양명을 하더라도 농사는 백성의 본업이기 때문에 힘써 해야 함을 강조한 후, 농사짓는 과정과 농사의 중요성, 안빈낙도의 삶을 노래했다. 건곤이 열린 후에 백곡의 종자가 없어 금수의 피를 마시고 나무 열매를 먹고 살더니, 신농씨가 밭 갈기를 가르친 이래 대순大舜·후직后稷·이윤伊尹·제갈량諸葛亮 등 모두 농사를 지었음을 덧붙여 주경야독晝耕夜讀하고 충효를 본을 삼아 구족九族이 화목하여 격양가를 부르며 늙겠다는 은일가사이다.

⑤ 원문과 현대역

乾坤이 열닌 후에 萬物을 다 삼기되

건곤이 열린 후에 만물을 다 생겨나게 하되

百穀이 種子업서 몃 ᄒᆡᄅᆞᆯ 몯 시믄고

온갖 곡식이 종자 없어 몇 해를 못 심었나

盤古王 나시며셔 燧人氏여 니ᄅᆞ도록

반고왕[1] 나시면서 수인씨[2]에 이르도록

禽獸의 피 마시고 나모 여ᄅᆞᆷ 머글 제사

금수의 피 마시고 나무 열매 먹을 적에

일홈이 飮食인ᄃᆞᆯ 므슴 마ᄉᆞᆯ 알라시리

이름이 음식인들 무슨 맛을 알았으니

神農氏 님금 되여 받 갈기ᄅᆞᆯ ᄀᆞᄅᆞ치니

신농씨[3] 임금 되어 밭 갈기를 가르치니

飮食의 됴흔 마슬 이제야 처엄 아라

음식의 좋은 맛을 이제야 처음 알아

時時로 졔ᄉᆞ ᄒᆞᆫᄃᆞᆯ 恩惠ᄅᆞᆯ 다 가플가

때때로 제사 한들 은혜를 다 갚을까

天下의 살ᄋᆞᆷ들흘 四民에 ᄂᆞᆫ화시니

천하의 사람들을 사민[4]에 나누시니

學問을 ᄒᆞᆯ쟉시면 立身揚名 ᄒᆞ려니와

학문을 하게되면 입신양명 하려니와

---

1 옛날 중국 전설상의 천자의 호.

2 태고시대에 화식火食을 발명했다는 사람.

3 백성에게 처음 쟁기질을 가르쳐 농업을 일으켰다는 중국 전설상의 임금. 염제炎帝, 또는 열산씨烈山氏라고도 함.

4 사농공상士農工商. 곧 모든 백성.

農事ᄂᆞᆫ 本業이라 仰事俯育ᄒᆞ리로다

농사는 본업이라 앙사부육[5] 하리로다

人命이 지듕ᄒᆞ고 하ᄂᆞᆯ히 삼겨시니

인명이 지중하고 하늘이 만들었으니

天民이 되여 나셔 本業을 아니 ᄒᆞ랴

천민이 되어 나서 본업을 아니하랴

ᄠᅳᆯ헤 봄이 들고 和風이 훈덥거든

뜰에 봄이 들고 화풍이 훈훈하거든

耒耜ᄅᆞᆯ 손소 들고 黍稷을 ᄀᆞᆯᄒᆡ 심거

쟁기를 손수 들고 서직[6]을 갈아 심어

和氣여 숨을 타셔 雨露에 ᄌᆞᆯ아거든

화기에 숨을 틔워서 비이슬에 자랐거든

일 닐러 호ᄆᆡ 메고 南畝에 돌아가셔

일찍 일어나 호미 메고 남쪽밭에 돌아가서

잡플을 다 ᄀᆞᆯᄒᆡ여 渤然히 흥셩커든

잡풀을 다 갈아서 기운차게 흥성하거든

秩成을 기ᄃᆞ려서 ᄡᅮ며 이며 지여다가

질성[7]을 기다려서 쑤며 이며 지여다가

거두어 빠하 두고 斗斛으로 짐쟉ᄒᆞ야

거두어 쌓아 두고 두곡[8]으로 짐작하여

水碓에 담아 두고 晝夜ᄅᆞᆯ 흘니 셔혀

수대[9]에 담아 두고 주야로 흘러 씻어

---

5 우러러 부모를 섬기고, 아래로 처자식을 기름.
6 기장과 피.
7 농작물을 거두는 때.
8 곡식의 분량의 재는 단위인 말과 휘를 아울러 이르는 말.
9 물방아.

시내여 조히 시서 浮浮히 실레 ᄢᅧ셔
시내에 깨끗이 씻어 둥둥 실에 꿰서
清酒ᄅᆞᆯ ᄆᆞᆰ긔 빗고 粢盛을 ᄀᆞ촌 후에
청주를 맑게 빚고 자성[10]을 갖춘 후에
先祖ᄭᅴ 祭祀ᄒᆞ며 婦子ᄅᆞᆯ 거ᄂᆞ리고
선조께 제사하며 부자를 거느리고
ᄇᆡ브로 머그리라
배불리 먹으리라
내 몸에 辱이 업고 ᄂᆞᆷ의 밥을 아니 빌면
내 몸에 욕이 없고 남의 밥을 아니 빌면
人間의 나왓다가 훌훌이 도라간ᄃᆞᆯ
인간에 나왔다가 홀홀히 돌아간들
俯仰 天地間의 므슴 恨이 ᄯᅩ 이시리
부앙[11] 천지간의 무슨 한이 또 있으리
녜브터 聖賢ᄂᆡ도 農業을 몬져 ᄒᆞ니
예부터 성현네도 농업을 먼저 하니
大舜은 聖人으로 歷山의 가 바틀 갈고
대순은 성인으로 역산에 가 밭을 갈고
后稷은 농사ㅣ 되어 耕種을 힘ᄡᅳ시니
후직은 농사 되어 경종[12]을 힘쓰시니
莘野 伊尹이와 南陽 諸葛亮이
신야 이윤[13]이와 남양 제갈량이

---

10 나라의 대제大祭에 쓰는 서직黍稷 또는 제반祭飯.
11 아래를 굽어보고 위를 우러러 봄.
12 논밭을 갈고 씨를 뿌림.
13 상商나라의 어진 재상으로 일찍이 신야莘野에서 농사를 지었음.

한가히 녀ᄅᆞᆷ지여 農桑을 일삼으니
한가히 녀름[14]지어 농상[15]을 일삼으니
世上의 重ᄒᆞᆫ 일이 이 밧ᄭᅴ 또 이실가
세상의 중한 일이 이 밖에 또 있을까
金銀이 貴ᄒᆞ야도 飢渴을 몯 살르고
금은이 귀하여도 기갈[16]을 못 살리고
玉帛이 보ᄇᆡ라도 凶年에 ᄡᅳᆯ ᄃᆡ 업다
옥백이 보배라도 흉년에 쓸데없다
恒産이 업ᄉᆞᆫ 휘면 善心일ᄃᆞᆯ 엇디 나리
항산이 없는 후에 선심인들 어찌 나리
稼穡의 艱難을 글 마다 닐러시되
가색[17]의 간난[18]을 글마다 이르시니
周公의 七月詩ᄂᆞᆫ 그 듕의 ᄀᆞᆫ졀ᄒᆞ니
주공의 칠월시[19]는 그 중에 간절하니
으프며 노래 블러 뉘 아니 감동ᄒᆞ리
읊으며 노래 불러 뉘 아니 감동하리
어와 아ᄒᆡ들하 ᄌᆞ셰히 드러ᄉᆞ라
어와 아이들아 자세히 들어보라
聖人도 뎌러ᄒᆞ니 긔 아니 어려오냐
성인도 저러하니 그 아니 어려우냐

---

14 농사의 옛말.
15 농사와 누에치기.
16 배고픔과 목마름.
17 벼, 보리, 밀 따위의 주식이 되는 곡물.
18 괴롭고 고생스러움.
19 《시경詩經》 〈빈풍편豳風編〉에 나오는 내용으로 주공이 백성들의 생업에 대한 어려움을 알게 하기 위해 지었다고 함.

愚夫도 다 알거든 긔 아니 쉬올소냐
우부[20]도 다 알거든 그 아니 쉬울텐가
아ᄎᆞᆷ의 바틀 갈고 밤이어든 그를 닑어
아침에 밭을 갈고 밤이거든 글을 읽어
忠孝ᄅᆞᆯ 本을 삼고 九族이 和睦거든
충효를 본을 삼고 구족[21]이 화목하거든
月朔의 會飮ᄒᆞ며 樂歲로 누리다가
월삭[22]의 회음[23]하며 낙세[24]로 누리다가
功名을 몯 일올디라도 擊壤歌로 늘글이라
공명을 못 이룰지라도 격양가[25]로 늙으리라

---

20 어리석은 남자.
21 부족父族 넷, 모족母族 셋, 처족妻族 둘을 이름.
22 초하룻날.
23 여럿이 모여 술을 마심.
24 낙세樂歲. 풍년이 들어 즐거운 한 해.
25 격양가擊壤歌. 풍년이 들어 태평한 세월을 즐기는 노래.

25. 누항사陋巷詞

① 작품명 : 누항사陋巷詞

② 작자명 : 박인로(朴仁老, 1561～1642)

박인로는 조선 중기의 문인으로 호는 노계蘆溪이다. 31세 때 임진왜란이 일어나자 의병 활동에 가담하였고, 수군으로 종군하여 많은 공을 세웠다. 39세 때 무과에 합격하고, 조라포 수군만호가 되었다.

③ 출전 : 《노계집蘆溪集》

④ 해제

〈누항사〉는 51세(1611) 때 작품으로, 궁핍한 생활사를 실감나게 읊은 79행으로 된 가사다. 누항陋巷이란 《논어》에 나오는 말로 가난한 삶 가운데도 학문을 닦으며 도를 추구하는 즐거움을 즐기는 공간을 말할 때 사용한다. 이 작품은 지은이가 임진왜란이 끝난 뒤 고향에 돌아와 생활하던 중에 친구 이덕형이 찾아와 누항생활의 어려움을 묻자 이에 답한 작품이다. 이 작품은 누추한 곳에 초막을 지어 가난한 생활을 할 때, 굶주림과 추위가 닥치고 수모가 심하지만 가난을 원망하지 않겠다는 빈이무원貧而無怨을 읊은 것이다. 자연을 벗 삼아 충성과 효도, 형제 간의 화목, 친구 간의 신의를 바라면서 안빈낙도의 심경을 노래하였다.

⑤ 원문과 현대역

어리고 迂闊홀산 이 ᄂᆡ 우ᄒᆡ 더니 업다

어리석고 어둡기[1]는 나보다 더는 없다

吉凶禍福을 하날긔 부쳐 두고
길흉화복을 하늘에 맡겨두고
陋巷 깁픈 곳의 草幕을 지어 두고
누추한 깊은 곳에 초가를 지어두고
風朝雨夕은 딥히 셥히 되야
아침 바람 저녁 비[2]에 썩은 짚이 땔감 되어
셔홉 밥 닷 홉 粥에 煙氣도 하도 할샤
세 홉 밥 다섯 홉 죽에 연기도 많고 많다
설데인 熟冷에 뷘 ᄇᆡ 쇡일 쓘이로다
덜 데운 숭늉으로 빈 배를 속일 뿐이로다
生涯 이러ᄒᆞ다 丈夫 뜻을 옴길런가
생애 이렇다고 장부 뜻을 옮길런가
安貧一念을 젹을망정 품고 이셔
안빈 일념[3]을 적을망정 품고 있어
隨宜로 살려 ᄒᆞ니 날로조차 齟齬ᄒᆞ다
옳게[4] 살려하니 날이 갈수록 뜻대로 되지 않구나[5]
ᄀᆞᄋᆞᆯ히 不足거든 봄이라 有餘ᄒᆞ며
가을이 부족한데 봄이라 여유 있겠으며
주머니 뷔엿거든 瓶으라 담겨시라
주머니 비었는데 병[6]이라 담겨 있으랴

---

1 세상물정에 어두움.
2 바람 부는 아침과 비오는 저녁.
3 구차한 생활에도 마음을 편안히 가지겠다는 한 가지 생각.
4 수의隨宜. 정의를 따라.
5 날이 갈수록 어긋나다. 저어는 위아래 이가 서로 맞지 않는 것.
6 술병.

貧困ᄒᆞᆫ 人生이 天地間의 나ᄲᅮᆫ이라

가난한 인생이 천지간에 나뿐이라

飢寒이 切身ᄒᆞ다 一丹心을 이질ᄂᆞᆫ가

기한이 절실한들 일편단심 잊을까

奮義忘身하야 죽어야 말녀 너겨

의로 몸을 잃고[7] 죽도록 말겠다고 여겨

于槖于囊의 줌줌이 모와 녀코

자루와 주머니[8]에 줌줌이 모아 넣고

兵戈 五載예 敢死心을 가져 이셔

전란[9] 오년에 죽겠다는 마음을 가지고 있어

履尸涉血ᄒᆞ야 몃 百戰을 지ᄂᆡ연고

주검을 밟고 피를 건너[10] 백전고투 치뤘던가

一身이 餘暇잇사 一家를 도라보랴

한 몸 겨를 없어 집안을 돌보겠는가

一奴長鬚ᄂᆞᆫ 奴主分을 이졋거든

늙은 노복[11]은 노주분[12]을 잊었거든

告余春及을 어ᄂᆡ 사이 생각ᄒᆞ리

봄소식을 알려줄 사람[13]을 어느 새에 생각하리

耕當問奴인ᄃᆞᆯ 눌더려 물롤ᄂᆞᆫ고

밭가는 일을 마땅히 종에게 물어야한들 누구에게 묻겠는가

---

7 의에 분발하여 자기 몸을 잊음.
8 자루와 주머니.
9 병정과 창. 즉 전쟁.
10 주검을 밟고 피를 건너감. 전쟁의 참혹함.
11 긴 수염 기른 노동할 수 없는 노복. 자기 자신.
12 주인과 하인의 분수.
13 나에게 봄이 왔다고 일러줌. 도연명의 〈귀거래사〉.

躬耕稼穡이 ᄂᆡ 分인 줄 알리로다

몸소 농사함[14]이 내 분수인 줄 알겠도다

莘野耕叟와 壟上耕翁을 賤타 ᄒᆞ리 업건마ᄂᆞᆫ

신야경수[15]와 농상경옹[16]을 천하다 할 수 없건만

아므려 갈고젼ᄃᆞᆯ 어ᄂᆡ 쇼로 갈르손고

아무리 갈려한들 어느 소로 갈겠는가

旱旣太甚ᄒᆞ야 時節이 다 느즌 제

가뭄이 몹시 심해 농사철이 늦은 때에

西疇 놉흔 논애 잠ᄭᅡᆫ 긴 녈비예

서쪽 두둑[17] 높은 논에 잠깐 지나가는 비에

道上無源水을 반만ᄭᅡᆫ ᄃᆡ혀 두고

길 위에 흐른 물을 반쯤 대어 두고

쇼 ᄒᆞᆫ적 듀마ᄒᆞ고 엄섬이 ᄒᆞᄂᆞᆫ 말삼

소 한 번 주마하고 엉성하게[18] 하는 말씀

親切호라 너긴 집의 달 업슨 黃昏의

친절하다 여긴 집에 달도 없는 저녁에

허위허위 다라가셔

허위허위[19] 달려가서

구디 다ᄃᆞᆫ 門 밧긔 어득히 혼자 셔셔

굳게 닫은 문 밖에 우두커니[20] 혼자 서서

---

14 몸소 밭을 갈고 씨를 뿌리어 곡식을 거둠. 농사일.
15 들에서 밭가는 은나라 이윤과 진나라 진승. 늙은 농부.
16 밭두둑 위에서 밭가는 늙은이. 진나라의 진승을 말함.
17 서쪽 두둑.
18 엉성하게. 탐탁하지 않게.
19 몹시 힘들어 하는 모양.
20 막막하게. 얼없이.

큰 기츰 아함이을 良久토록 ᄒᆞ온 後에

큰 기침을 꽤 오래도록[21] 한 후에

어와 긔 뉘신고 廉恥 업산 ᄂᆡ옵노라

어와 거기 누구신가 염치없는 저올시다

初更도 거읜ᄃᆡ 긔 엇지 와 겨신고

초경도 거의 지났는데 그 어찌 와 계신가

年年에 이러ᄒᆞ기 苟且ᄒᆞᆫ 줄 알건마ᄂᆞᆫ

해마다 이러하기 구차한 줄 알지마는

쇼 업ᄉᆞᆫ 窮家애 혜염 만하 왓삽노라

소 없는 집이라 걱정[22] 많아 왔소이다

공ᄒᆞ니나 갑시나 주엄즉도 ᄒᆞ다마ᄂᆞᆫ

공짜로나 값을 치나 주었으면 좋겠지만

다만 어제밤의 거넨 집 져 사람이

다만 어젯밤에 건너집 저 사람이

목불근 수기稚을 玉脂泣게 ᄭᅮ어ᄂᆡ고

목이 붉은 수꿩[23]을 기름[24]에 구워내고

간 이근 三亥酒을 醉토록 勸ᄒᆞ거든

갓 익은 좋은 술[25]을 취하도록 권하거든

이러한 은혜을 어이 아니 갑흘넌고

그런 은혜를 어찌 아니 갚겠는가

來日로 주마ᄒᆞ고 큰 言約 ᄒᆞ야거든

내일 주마하고 굳게 약속하였으니

---

21 한참동안.

22 혜염. 근심, 걱정, 시름.

23 수꿩, 장끼.

24 구슬 같은 기름이 부글부글 끓게.

25 정월 셋째 해일亥日에 빚은 좋은 술.

失約이 未便ᄒᆞ니 사셜이 어려왜라
실약[26]이 미안하니 말하기 어려워라
實爲 그러ᄒᆞ면 혈마 어이ᄒᆞᆯ고
정말로 그렇다면 설마 어찌하겠는가
헌 먼덕 수기 스고 측업슨 집신에
헌 모자 숙여 쓰고 축 없는 짚신 신고
설피설피 물너오니
맥없이 물러나니
風采 저근 形容애 ᄀᆡ 즈칠 ᄲᅮᆫ이로다
풍채 적은 내 모습에 개가 짖을 뿐이로다
蝸室에 드러간ᄃᆞᆯ 잠이 와사 누어시랴
달팽이집[27]에 들어간들 잠이 와서 눕겠는가
北窓을 비겨 안자 ᄉᆡᄇᆡᄅᆞᆯ 기다리니
북창에 기대앉아 새벽을 기다리니
無情ᄒᆞᆫ 戴勝은 이ᄂᆡ 恨을 도우ᄂᆞ다
무정한 오디새[28]는 나의 한을 돋는구나
終朝惆悵ᄒᆞ야면 들흘 바라보니
아침까지 슬퍼하며[29] 먼 들을 바라보니
즐기ᄂᆞᆫ 農歌도 興 업서 들리ᄂᆞ다
즐거운 농가도 흥 없이 들려온다
世情 모ᄅᆞᆫ 한숨은 그칠 줄을 모ᄅᆞᄂᆞ다
세상물정 모르는 한숨은 그칠 줄을 모르는구나

---

26 약속을 어김.
27 와실蝸室. 달팽이집. 자기 집을 겸손히 일컫는 말.
28 대승戴勝. 농사일을 독촉한다는 오디새. 뻐꾹새와 다름.
29 종조추창終朝惆悵. 아침이 마칠 때까지 슬퍼하고 비통함.

아ᄭᆞ온 져 소뷔ᄂᆞᆫ 볏보님도 됴홀세고
아까운 저 쟁기는[30] 볏보임[31]도 좋아서
가시 엉긘 묵은 밧도 容易케 갈련마ᄂᆞᆫ
가시 엉킨 묵은 밭도 쉽게 갈 수 있으련만
虛堂半壁에 슬듸업시 걸려고야
빈집 벽 가운데[32] 쓸데없이 걸렸구나
春耕도 거의로다 후리쳐 더뎌 두쟈
봄갈이도 거의 다 가니 팽개쳐 버리자[33]
江湖 ᄒᆞᆫ ᄭᅮᆷ을 ᄭᅮ언 지도 오ᄅᆡ려니
강호에 살겠다는 꿈을 꾼 지 오래더니
口腹이 爲累ᄒᆞ야 어지버 이져ᄶᅥ다
먹고 사는 게 누가 되어[34] 슬프게도 잊었다
瞻彼淇燠 ᄒᆞᆫᄃᆡ 綠竹도 하도 할샤
저 냇가를 바라보니[35] 푸른 대나무도 많구나
有斐君子들아 낙ᄃᆡᄒᆞ나 빌려ᄉᆞ라
품위 있는 선비[36]들아 낚싯대 하나 빌려다오
蘆花 깁픈 곳애 明月淸風 벗이 되야
갈대꽃 깊은 곳에 명월청풍 벗이 되어
님ᄌᆡ 업ᄉᆞᆫ 風月江山애 절로절로 늘그리라
임자 없는 자연에서 절로절로 늙으리라

30 쟁기의 사투리. 소비.
31 볏과 보님 쟁기의 부품 이름. 흙이 한쪽으로 넘어가게 함.
32 허당반벽虛堂半壁. 빈 벽 한 가운데에.
33 팽개치어 던져.
34 먹고 사는 것이 누가되어, 입에 풀칠하기 폐가 됨.
35 첨피기욱瞻彼淇燠. 저 기수의 물가를 바라봄. (시경의 한 구절)
36 유비군자有斐君子. 화려하고 훌륭한 군자.

無心ᄒᆞᆫ 白鷗야 오라 ᄒᆞ며 말라 ᄒᆞ랴

무심한 갈매기야 오라 하며 말라 하랴

다토리 업슬ᄉᆞᆫ 다문 인가 너기로다

다툴 이 없기는 다만 이뿐인가[37] 여기노라

無狀ᄒᆞᆫ 이 몸애 무슨 志趣 이스리마ᄂᆞᆫ

보잘것없는[38] 이 몸에 무슨 소원[39] 있으리오마는

두세 이랑 밧논을 다 무겨 더뎌 두고

두세 이랑 논밭을 다 묵혀 던져 두고

이시면 粥이오 업시면 굴물망정

있으면 죽이요 없으면 굶을망정

남의 집 남의 거슨 전혀 부러 말렷노라

남의 집 남의 것은 부러워하지 않겠노라

ᄂᆡ 貧賤 슬히 너겨 손을 헤다 물러가며

내 빈천 슬피 여겨 손 젓는다[40] 물러가며

남의 富貴 불리 너겨 손을 치다 나아 오랴

남의 부귀 부러워서 손짓한다 나아 오겠는가

人間 어ᄂᆡ 일이 命 밧긔 삼겨시리

인간의 어느 일이 운명 밖에 생겼을까

貧而無怨을 어렵다 ᄒᆞ건마ᄂᆞᆫ

빈이무원[41]이 어렵다고 하건만은

ᄂᆡ 生涯 이러호ᄃᆡ 설온 ᄯᅳᆺ은 업노왜라

내 생활이 이러하니 서러운 뜻은 없노라

---

37 다만 이것뿐인가.

38 무상無狀. 보잘것없는 것. 쓸데없는 것.

39 지취志趣. 고상한 뜻과 취향.

40 손을 헤치어 몰아낸다고.

41 가난 속에 누구를 원망하지 않고 마음 편히 사는 것.

簞食瓢飮을 이도 足히 너기로라

도시락밥 표주박물[42] 이것도 만족하게 여기노라

平生 혼 뜻이 溫飽애는 업노애라

평생 한 뜻으로 따뜻하고 배부름[43]은 없노라

太平天下애 忠孝를 일을 삼아

태평한 세상에 충효를 일로 삼아

和兄弟 信朋友 외다ᄒᆞ리 뉘 이시리

형제화목 붕우신을 그르다[44] 할 이 있을까

그 밧긔 남은 일이야 삼긴 ᄃᆡ로 살렷노라

그 밖의 남은 일이야 타고난 대로[45] 살겠노라

---

42 단사표음簞食瓢飮. 《논어》 〈옹야〉편에 일단사일표음의 약칭, 도시락밥과 표주박물, 소박한 생활을 비유.

43 온포溫飽. 따뜻하게 입고 배불리 먹는 것.

44 그르다고 할.

45 타고난 대로.

26. 단산별곡丹山別曲

① 작품명 : 단산별곡丹山別曲

② 작자명 : 신광수(申光洙, 1712~1775)

신광수는 서울 출생으로, 향리 한산韓山에 기거하다가 늦은 나이에 벼슬길에 나아가 주로 외직에서 활동했다. 과문科文에 뛰어났고, 하층민의 고난 등 당시 사회상을 사실적으로 노래했다. 〈관산융마關山戎馬〉·〈관서악부關西樂府〉로 널리 이름을 얻었다.

③ 출전 : 필사본, 두루마리

④ 해제

〈단산별곡〉은 작자가 영월부사로 재직 중이던 1773년 또는 1774년에 단양팔경을 답방하고 지은 것으로 보이는 국한문혼용체 유람기행가사다. '단산'은 단양丹陽의 별칭이며, 작품의 화자가 단양군수로 나타난다. 단양팔경 유람 동기, 단양부사 부임 여정, 단양팔경 각처 유람, 유람 후 소회 등을 진술했다. 단양 산수의 풍광과 정취를 다양한 수사와 표현기교를 통해 노래했다. 작품 전개방식과 수사 면에서 정철의 〈관동별곡〉에 적지 않은 영향을 받은 것으로 보인다. 충청 지역 유람기행가사를 대표하는 작품 가운데 하나로 손꼽히며, 충주댐 건설로 인해 훼손된 단양팔경 과거 모습과 유람길을 확인할 수 있다는 점에서도 주목되는 작품이다.

⑤ 원문과 현대역

人生至樂 혀여 보니 山水밧긔 쏘 잇는가

인생의 지극한 낙 생각해 보니 산수밖에 또 있는가

烟霞 痼疾이오 泉石 膏肓이라

풍광 사랑 고질병이요 산수 사랑 불치병이도다

淸福이 잇돗던지 聖恩이 至極ᄒᆞ샤

좋은 복 있었던지 성은이 지극하시어

領運使 湖南 ᄇᆡ의 海山 風景 다ᄒᆞᆫ 後에

영운사 호남 제수에 해산 풍경 다 본 후에

碧水 丹山의 墨綬를 빌니시니

맑은 산수 단양에 묵수[1]를 빌렸으니

景槪도 죠커니와 水土도 淸凉ᄒᆞ다

경치도 좋거니와 산천도 청량하다

瘴海烟波 드온 病을 이 아니 ᄡᅵ셔볼가

후텁지근한 바다 안개에 들었던 병을 이 아니 씻어볼까

少年 行樂時의 ᄭᅮᆷ 갓치 보아더니

젊은 시절 노닐던 때엔 꿈 같이 보았더니

五馬로 다시 오니 옛길이 依稀ᄒᆞ다

군수[2]로 다시 오니 옛길이 비슷하다

長淮村 도라드니 彩雲峰이 반기는 듯

장회촌 돌아드니 채운봉이 반기는 듯

---

1 글자 그대로의 뜻은 '검은색 인끈'으로서, 일정 직급을 의미함.

2 태수가 타는 마차는 다섯 마리의 말이 끌었으므로, 오마五馬. 태수가 타는 마차 또는 태수를 뜻함.

구름 속 ᄲᅳ린 비는 그 아니 神女련가
구름 속에서 내리는 비 그 아니 신녀인가[3]
石谿 빗긴 곳의 肩輿를 가라 메니
시냇가 돌 비스듬한 곳에서 어깨가마를 갈아 메니
巫峽 猿聲은 兩岸의 들니는 듯
무산신녀 사는 협곡 원숭이 울음소리 양쪽 언덕에서 들리는 듯
鳥道 三千은 劍閣을 지나는 듯
험한 산길[4] 삼천 리는 검문관[5]을 지나는 듯
松亭벌 너머 드러 官府를 바라보니
송정벌 넘어 들어 관부를 바라보니
羽化橋 무지개는 銀河水을 ᄢᅦ첫는 듯
우화교 무지개는 은하수를 뚫고 지나가는 듯
二樂樓 風樓亭은 神仙의 居處로다
이요루 풍루정은 신선의 거처로다
三淸 福德地 이곳이 아니런가
신선 사는 세 궁전 복과 덕 내린 땅이 이곳이 아니겠는가
吏隱堂 ᄆᆰ은 ᄯᅳᆯ히 나리나니 鳥雀이라
이은당 맑은 뜰에 내리는 것 새들이도다
簿牒이 閑暇ᄒᆞ고 楓菊이 爛漫ᄒᆞᆯ 졔
관아 일[6]이 한가하고 단풍 국화 만개한 때

3 아침에 구름이 되었다가 저녁에 비가 된다는 무산신녀巫山神女를 말함. 초나라 회왕懷王이 무산에 들렀다가 무산신녀와 아름다운 사랑을 맺는 꿈을 꾸었다는 운우지정雲雨之情 고사의 유래와 결부됨.

4 조도鳥道. 나는 새도 넘기 어려울 만큼 험한 산속의 좁은 길.

5 검문관劍門關. 중국 장안에서 촉蜀 땅으로 가는 길에 있는 검산의 요충지. 험한 지리의 대명사.

6 부첩簿牒. 관아의 장부와 문서. 관아의 일을 의미함.

仙遊洞 집흔 막대 下仙巖의 슈엿시니
선유동 짚은 지팡이 하선암에서 쉬었는데
層層히 노힌 盤石 座榻이 졀노 되고
층층이 놓인 반석 앉는 의자가 절로 되고
구븨구븨 ᄆᆞᆰ은 물은 슐잔을 ᄯᅴ윗셔라
굽이굽이 맑은 물은 술잔을 띄웠구나
空中의 ᄯᅳ러진 돌 뉘라셔 괴왓ᄂᆞᆫ고
공중에서 떨어진 돌 도대체 누가 괴었는가
瑤池 蟠桃ᄅᆞᆯ 玉盤의 다만ᄂᆞᆫ 듯
신선의 못 선경 복숭아를 옥쟁반에 담아놓은 듯
石鼎의 밥을 닉혀 둘너 안져 먹은 후에
돌솥에 밥을 익혀 둘러 앉아 먹은 후에
中仙巖 드러가니 水石이 擾亂ᄒᆞ다
중선암 들어가니 물과 돌이 요란하다
雙龍瀑 ᄲᅮᆷᄂᆞᆫ 소래 白日에 雷霆이라
쌍룡폭포 뿜는 소리 대낮에 우레를 치도다
絕壁 層臺ᄂᆞᆫ 鬼斧로 ᄶᅡ가 노코
절벽 층층 누대는 귀신 솜씨로 깎아 놓고
秋水 寒潭은 鏡面을 닷가시니
가을 물 차가운 연못은 거울을 닦아놓은 듯하니
雲影 天光이 上下의 어릐엿다
구름 그림자 하늘 빛이 위 아래로 어리었다
靈源을 ᄎᆞ즈리라 上仙巖 올나가니
영험한 근원 찾으리라 상선암 올라가니
臥龍巖 누은 瀑布 鱗甲을 ᄯᅥᆯ쳣ᄂᆞᆫ 듯
와룡암 누운 폭포 비늘갑옷을 떨구어 날리는 듯

擎天壁 노픈 돌은 뉘 손으로 밧쳣는가
경천벽 높은 돌은 누구 손으로 받치고 있는가
守一庵 더 새여셔 雲巖村 다ᄃᆞ르니
수일암 더 지나가서 운암촌 다다르니
禹舍人 노던 바회 九疊雲屏 여러셔라
우탁[7] 놀던 바위 아홉 첩 구름 병풍을 열었구나
女媧氏 保天石을 괴이 짯가 괴앗는가
여와씨 하늘을 돌로 메우 듯[8] 기이하게 깎아 괴었는가
阿彌陀佛 千年 工夫 百層塔을 무엇는가
아미타불 천년 공부 백 층 탑을 쌓아 올렸는가
石面의 그린 바독 四皓를 거의 볼 듯
돌 표면에 그린 바둑 상산사호[9]를 거의 볼 듯
시내물 새이 두고 四仙臺도 絕勝ᄒᆞ다
시냇물 사이에 두고 사선대도 절경이로다
외나무 다리 건너 水雲亭 올나가니
외나무 다리 건너 수운정 올라가니
奇巖 古木의 曲欄이 瀟洒ᄒᆞᆫ대
기이한 바위 오래된 나무에 굽은 난간 맑고 깨끗한데
碧玉 갓튼 ᄎᆞᆫ 물결이 巴字形 둘너 잇셔
푸른 옥같은 차가운 물결이 파자 형으로 둘러 있어

---

7 고려말 사인舍人. 벼슬을 지낸 우탁禹倬.

8 보천석保天石. 중국 천지창조 신화에 나오는 여신 여와女媧(여왜)가 오색 돌을 빚어서 하늘의 갈라진 곳을 메우고 큰 거북의 다리를 잘라 하늘을 떠받치고 갈잎의 재로 물을 빨아들이게 하였다고 하는 고사.

9 사호四皓. 중국 진나라 말기에 상산商山에 숨어 살던 네 은자(동원공東園公·기리계綺里季·하황공夏黃公·각리선생角里先生).

竹嶺山 달 쁜 후의 萬片金 뛰노ᄂᆞᆫ 듯
죽령산 달 뜬 후에 만 조각 금이 뛰노는 듯
濁酒 半醉ᄒᆞ고 七絃琴 집헛시니
탁주로 반쯤 취하고 칠현금을 타노라니
世間 榮辱이 太空의 浮雲이라
인생세간 영화와 욕됨이 허공중의 뜬구름이라
上津의 돗츨 다라 島潭의 沿洞ᄒᆞ니
윗 나루에서 돛을 달아 도담삼봉에 물길 따라가니
六鰲背 三神山이 어느 ᄒᆡ여 ᄯᅧ 왓던고
여섯 자라 등에 있는 삼신산이 어느 해에 떠 왔던가
靑天 半落ᄒᆞ니 鷺州의 二山이오
하늘의 해 반쯤 기우니 노주에 있는 두 산이요
中流 不頹ᄒᆞ니 東海의 砥柱로다
거센 물살 가운데서도 무너지지 않으니 동해의 지주산[10]이도다
凌瀛臺 발근 달의 玉笛을 ᄡᅵ엿시니
능영대 밝은 달에 옥피리 소리 어리노니
猴山 笙鶴이 半空의 나리ᄂᆞᆫ 듯
후산 생학이 공중에서 내려오는 듯
醉眼 잠간 드러 石門을 바라보니
취한 눈 잠깐 들어 석문[11]을 바라보니
놀납다 져 峰巒은 어이ᄒᆞ여 ᄯᅮᆯ녓ᄂᆞᆫ고
놀랍다 저 산봉우리는 어찌하여 뚫렸는가

10 중류지주中流砥柱 고사의 원용. 중국 황하는 탁하고 거센 물살로 유명한데, 하남성 황하 중류에 있는 바위산인 지주산砥柱山은 거센 물살에도 끄떡 없다고 함.

11 석문동천石門洞天 전설의 원용. 옛날 하늘나라에서 물을 길러 내려왔다가 비녀를 잃어버린 마고할미가 단양의 석문 동굴 안에 살면서 농사도 짓고 아름다운 경치를 즐기며 오랫동안 살다가 죽어서 바위가 되었다는 전설.

龍門山 ᄯᆞ린 도ᄎᆡ 水門을 내엿ᄂᆞᆫ가
용문산 달린 돛에 수문을 내었는가
巨靈의 큰 손바닥 山窓을 밀쳣ᄂᆞᆫ가
거구 신령 큰 손바닥 산으로 창을 밀쳐냈는가
萬古의 洞開ᄒᆞ여 다들 줄 몰낫도다
오랜 옛날 동굴 열어 닫을 줄 몰랐도다
仙人畓 열 두 바미 瑤草를 싱것던가
신선 전답 열 두 배미 신선초를 심었던가
仙人은 어듸 가고 들엉만 나마시니
신선은 어디 가고 논두렁만 남았으니
우리 百姓 勸耕ᄒᆞ여 壽域의 올니고져
우리 백성 경작 권하여 천수 누리는 땅에 올리고 싶구나
滿江 風浪치ᄂᆞᆫ 곳의 隱舟巖 奇妙ᄒᆞᆯ샤
온 강 가득 풍랑 이는 곳에 은주암 기묘하도다
一葉漁艇 드러가면 處士 蹤迹 긔 뉘 알니
조각배 저어 들어가면 처사 종적 그 누가 알리
八判洞 기픈 곳을 武陵이라 ᄒᆞ건마ᄂᆞᆫ
팔판동 깊은 곳을 무릉도원이라 하건마는
人居ᄂᆞᆫ 몃 낫친지 白雲만 ᄌᆞᆷ겻셔라
인가는 몇 낱인지 흰 구름만 잠겼어라
下津의 배를 나려 丹巖書院 瞻拜ᄒᆞ니
아랫나루에서 배를 내려 단암서원에 참배하니
至今의 ᄭᅵ친 德化 山水間의 흘너 잇다
오늘날에 끼친 덕과 교화 산수 간에 흐르고 있도다
石柱灘 밧비 건너 降仙臺 올나셔니
석주탄 서둘러 건너 강선대 올라서니

兩腋 淸風이 飄然이 輕擧ᄒᆞᆯ 듯
두 어깨를 맑은 바람이 가벼이 들어 날게 할 듯
可憐ᄒᆞᆯ샤 杜香魂은 무쳔ᄂᆞ니 여긔로다
가련하도다 두향혼[12]은 묻혔노니 여기도다
勝地의 留名은 兒女子도 願이런가
명승지에 이름 남김은 아녀자도 원이었던가
夕陽의 順流ᄒᆞ여 龜潭으로 나려가니
석양에 물길 따라 구담으로 내려가니
蒼壁은 揷天ᄒᆞ고 綠水ᄂᆞᆫ 滿地ᄒᆞᆫ대
푸른 벼랑은 하늘로 치솟고 초록 물빛은 땅에 가득한데
前後 峰巒이 面面이 마ᄌᆞ나니
앞 뒤 산봉우리 장면장면 맞아 지나가니
살살이 펴인 붓치 疊疊이 도ᄂᆞᆫ 屛風
살마다 펴진 부채 겹겹이 도는 병풍
諸佛이 拱立ᄒᆞᆫ 듯 衆山이 나니ᄂᆞᆫ 듯
여러 부처 합장하고 선 듯 뭇 산이 날아다니는 듯
이리저리 뵈ᄂᆞᆫ 거동 恍惚도 ᄒᆞᆫ져이고
이리저리 보이는 거둥 황홀하기도 하도다
돌노 ᄉᆡᆼ긴 져 거북은 名區를 직히ᄂᆞᆫ가
돌로 생긴 저 거북은 명승을 지키는가
五老峰 眞面目은 芙蓉이 소사ᄂᆞᆫ 듯
오로봉 진면목은 연꽃이 솟아난 듯

12 두향 전설의 원용. 단양의 관기였던 두향은 당시 단양군수로 부임한 퇴계 이황과 지고지순한 사랑을 나누었는데, 훗날 퇴계가 세상을 떠났다는 소식을 듣고 자결하여 강선대 아래에 묻혔다는 전설이 전해 옴.

壺天臺 올나 안자 全體를 嶺略ᄒᆞ고

호천대 올라 앉아 전체를 대강 짐작하고

蒼霞亭 잔을 드러 風烟을 戱弄타가

창하정에서 잔을 들어 허공 안개 즐기다가

忽然니 도라보니 이 몸이 登仙ᄒᆞᆯ 둧

홀연히 돌아보니 이 몸이 신선 되어 오를 듯

逸興을 가득 시러 ᄒᆞᆫ 구븨 흘니 도니

빼어난 흥취 가득 실어 한 굽이 흘러 도니

마죠 오ᄂᆞᆫ 玉筍峰이 쏘 다시 神奇이ᄒᆞ다

마주 오는 옥순봉이 또 다시 신기하다

天柱ᄂᆞᆫ 突兀ᄒᆞ여 北極을 괴왓ᄂᆞᆫ 둧

하늘기둥이 우뚝 솟아 북극을 괴고 있는 듯

碧玉 琅玕이 낫낫치 버러시니

푸른 옥 청백 옥이 낱낱이 벌어져 있으니

이 쏫떨기 열매 열면 鳳凰이 먹으리라

이 꽃떨기 열매 열리면 봉황이 먹으리라

丹邱洞門 삭인 글ᄌᆞ 先賢의 筆跡이라

단구동문[13]이라 새긴 글자 선현의 필적이라

仙府을 重히 녀여 境界를 경ᄒᆞ신가

신선 고을을 중히 여겨 경계를 정하셨는가

靈區의 逍遙ᄒᆞ니 古今의 뉘시런고

영험한 땅에 소요한 이 옛과 지금 누구셨던가

---

13 단양팔경의 하나. 단구丹邱는 단양의 옛 이름, 동문洞門은 신선으로 통하는 문. 천 길 옥순봉 바위에 네 글자가 새겨져 있는데, 퇴계 이황의 필적이라고 전해 옴. 이 구역은 본래 청풍군에 속해 있었는데, 퇴계가 단양군수로 재직할 때 단양군과의 경계에 이 네 글자를 새김으로써 단양군에 속하게 되었다는 일화가 전해 옴.

九曲灘 노ᄅᆡᄒᆞ여 朱夫子를 思慕ᄒᆞ며
구곡탄 노래하여 주희 선생을 사모하며
東山의 携妓ᄒᆞ니 謝安石의 風流런가
동산에 기녀와 노니 사안석의 풍류[14]인가
赤壁의 泛舟ᄒᆞ니 蘇子瞻의 樂이로다
적벽강에 배 띄우니 소동파의 낙[15]이로다
봄 노름 가을 興과 雪景을 죠ᄎᆞᄒᆞ고
봄 놀이 가을 흥취와 설경을 아울러 완상하고
梅軒의 놉피 누어 名勝을 손곱다가
매헌에 높이 누워 명승을 손꼽다가
閃遽이 ᄌᆞᆷ을 드니 丹邱生을 ᄭᅮᆷ의 만나
깜박 잠을 드니 단구선생[16]을 꿈에 만나
엇개를 ᄒᆞᆷ긔 겨러 즐거이 노니다가
어깨를 함께 견주며 즐거이 노닐다가
五庚 ᄎᆞᆫ 셔리에 胡蝶이 도라오니
오경 찬 서리에 호랑나비[17] 되었다 돌아오니
滿窓 松月의 鶴唳聲 ᄲᅮᆫ이러라
봉창 가득히 소나무 달에 학 울음소리 뿐이도다

---

14 동산휴기東山携妓 고사의 원용. 중국 진나라 때 사안謝安이 풍류를 좋아하여 동산에 기녀를 데리고 은거하면서 나라에서 불러도 나가지 않았다는 고사. 기녀와의 풍류를 의미함. 안석安石은 사안의 자字.

15 중국 송나라 시인 소식蘇軾의 〈적벽부赤壁賦〉에 등장하는 풍류. 자첨子瞻은 소식의 자字.

16 중국 당나라 시인 이백의 〈장진주將進酒〉에 등장하는 도사 원단구元丹丘. 생生은 선생의 뜻.

17 호접지몽胡蝶之夢 고사의 원용. 장자莊子가 꿈에 호랑나비가 되어 훨훨 날아다니다가 깨서는, 자기가 꿈에 호랑나비가 되었던 것인지, 호랑나비가 꿈에 장자가 되었던 것인지 모르겠다고 한 고사. 인생의 덧없음을 비유적으로 표현하는 말.

27. 덕평별곡德坪別曲

① 작품명 : 덕평별곡德坪別曲

② 작자명 : 기장연(奇長衍, ?~?)

③ 출전 : 입력대본, 기장연의 가사(이상보, 《시문학》 64, 1976.11)

④ 해제

이 작품은 덕평德坪이라는 지역의 봄 풍광과 인심 등에 대해 읊은 가사이다. 봄을 맞아 술 한 병 들고 설취산雪鷲山에 오르니 보이는 경치들이 모두 신선들이 노닐었던 곳인 듯 아름답다. 향기로운 꽃과 풀은 물론이요, 우뚝 솟은 봉우리에 봄기운마저 화창하여 백학白鶴이 춤을 추니 보는 이 또한 절로 어깨춤이 난다. 풍광만 좋은 것이 아니다. 전답田畓 또한 비옥하여 온갖 것이 풍년이요, 시내는 가뭄에도 마를 줄 모르며 그곳에 사는 사람들도 한가로이 자연에 젖어 있다. 이렇게 사는 것이 바로 신선의 삶 아니겠는가? 작자도 그 속에 초가삼간 작은 집을 짓고 덧없는 인생사를 노래하며 만년을 보내고 싶은 심정을 소박하게 읊었다.

⑤ 원문과 현대역

乾坪이 不言하니 歷代興亡 뉘알리요
하늘과 땅이 불신하니 역대흥망 누가 알리요
天下가 泰平하면 國泰民安 하오리라
천하가 태평하면 국태민안 하오리라
雪淡風景 봄을차자 玉壺의 술을담고
엷은 눈 풍경 봄을 찾아 옥병에 술을 담고

雪鷲山을 올나서서 西面風景 살펴보니

설취산에 올라서서 서쪽풍경 살펴보니

巨壁이 놉피소사 百尺을 고엿난대

거벽[1]이 높이 솟아 백척을 고였는데

刀創劍戟 羅列하야 淑氣가 玲瓏하고

도창[2] 검극[3] 나열하여 봄기운 영롱하고

龍勢가 雄壯하니 連花臺上 올라온 듯

용세가 웅장하니 연화대 위로 올라온 듯

物外峯 도라보니 仙人遊處 分明쿠나

물외봉 돌아보니 신선이 노는 곳 분명하구나

奇花瑤草 爛熳한듸 松風蘿月 雲霧中에

기화요초[4] 만발한데 송풍나월[5] 구름과 안개 속에

白鶴이 춤을추니 勝地江山 여기로다

백학이 춤을 추니 승지[6]강산 여기로다

蓬來方丈 져기두고 못본제가 몃해런고

봉래방장[7] 거기 두고 못 본지가 몇 해던고

崑崙落脉 大谷里는 屯德坪을 包圍하야

곤륜낙맥[8] 대곡리는 둔덕평을 둘러싸아

田畓이 肥沃하니 百勢이 農登이라

논밭이 비옥하니 백가지 기세가 농등[9]이라

---

1 큰 벼랑.

2 칼에 다친 흉터 여기서는 도창刀槍의 오자인 듯.

3 칼과 창.

4 기이한 꽃과 아름다운 풀.

5 여라女蘿의 덩굴에 걸려 보이는 달.

6 경치가 좋은 곳.

7 신선이 산다는 삼신산의 하나. 우리나라에서는 지리산을 이름.

8 곤륜은 서장에 있는 산. 곤륜낙맥은 곤륜산에서 이어진 산의 줄기.

神農氏 遺業밧아 장기ᄯᅡ부 드러매고

신농씨 유업받아 쟁기보습 들어매고

務農富祿 하게되면 家給人足 넉넉하리

무농부록 하게 되면 가급인족[10] 넉넉하리

千歲峯 古莊山은 古態를 자랑하야

천세봉 고장산은 고태를 자랑하여

層巖絕壁 半空中에 左右로 城郭놋고

층암절벽 반공 중에 좌우로 성곽놓고

雙梁漲溢 合谷水난 大旱不渴 흘러가니

쌍양창일[11] 합곡수는 큰 가뭄에 마르지 않아 흘러가니

景致도 조려니와 行舟形이 宛然하다

경치도 좋으려니와 행주형[12]이 완연하다

梅南峯 닷줄되여 南北針을 갈나잇고

매남봉 닻줄 되어 남북침을 갈라 잇고

杏花村 樵産들은 西疇에 밧을갈아

행화촌 초동[13]들은 서주[14]에 밭을 갈아

大德川 나루타고 帶月荷鋤 돌아들재

대덕촌 나루타고 대월하서[15] 돌아들 때

香爐峯 저문구름 錦繡屛을 둘러는 듯

향로봉 저녁구름 금수병[16]을 둘렀는 듯

---

9 곡식이 잘됨. 오곡이 많이 잘 여묾.

10 집집마다 넉넉하고 사람마다 풍족함.

11 물이 불어 벌창하여 넘침.

12 배를 모는 모양.

13 땔나무 하는 아이.

14 서쪽 밭두둑.

15 달을 두르고 호미를 맴. 달밤에 밭에서 돌아오는 풍경을 서정적으로 표현한 말.

16 수를 놓은 비단 병풍.

採藥하는 老人들은 향기차자 나려오고
약을 캐는 노인들은 향기 찾아 내려오고
無心한 白鷗들은 明涉蘆花 차저들재
무심한 백구들은 명섭[17]노화[18] 찾아들 때
閑暇한 漁翁들은 斜風細雨 不須歸라
한가한 어옹들은 빗긴 바람과 가는 비에 돌아갈 필요가 없구나
滄浪歌 불으면서 낙시대만 드뤄있내
창랑가 부르면서 낚싯대만 들어있네
東便에 草嶺山은 蒼苔로 斑衣입고
동편에 초령산은 푸른 이끼로 옷을 입고
七寶舟粧 곱게하야 峨洋曲 바람속에
칠보주장 곱게 하여 아양곡 바람 속에
너울너울 춤을추니 康衢烟月 여기로다
너울너울 춤을 추니 태평세월 여기로다
佳山麗水 平平地에 三四五間 집을지여
고운 산수 평지에 삼사오칸 집을 지어
光風霽月 벗을삼아 大夢詩를 을퍼보니
광풍제월 벗을 삼아 대몽시를 읊어보니
아마도 晩年行樂이 이아닌가 하노라
아마도 만년행락[19]이 이 아닌가 하노라

17 명사는 깨끗한 모래.
18 갈대.
19 늘그막의 즐거움.

28. 도덕가道德歌

① 작품명 : 도덕가道德歌

② 작자명 : 이황(李滉, 1501∼1570)

이황의 본관은 진보眞寶, 자는 경호景浩, 호는 퇴계退溪 · 퇴도退陶 · 도수陶叟이다. 선조에게 정이程頤의 〈사잠四箴〉, 《논어집주》와 《주역》, 장재張載의 〈서명西銘〉 등의 온오蘊奧를 진강하였고, 노환 때문에 여러 차례 사직을 청원하면서 왕에 대한 마지막 봉사로서 필생의 심혈을 기울여 《성학십도聖學十圖》를 저술하여 어린 국왕 선조에게 바쳤다. 〈퇴계선생도덕가退溪先生道德歌〉라 하여 퇴계 이황이 지은 것으로 되어 있으나 그대로 믿기는 어렵다.

③ 출전 : 《퇴계선생도덕가》(한국학중앙연구원 장서각 소장)

④ 해제

이 작품은 여러 종의 이본이 전하고 있으며, 이름도 〈도덕가道德歌〉· 〈인택가仁宅歌〉 · 〈안택가安宅歌〉 등 다양하다. 상당수의 이본에서 퇴계 이황이 지은 것으로 기록하고 있으나 그대로 믿기는 어렵다. 내용은, 집은 많지만 그중 공자의 집이 최고라고 하면서 공자의 집이 어떻게 구성되어 있는지를 보여주는 것이 핵심이다. 이를 통해 유학사상의 근본이 어떤 것인지를 설파하고 그것을 위해 노력해야 함을 강조한 작품이다.

⑤ 원문과 현대역

어와 벗님ᄂᆡ야 집 구경 가잣셔라
어와 벗님네야 집 구경 가자꾸나
집이야 만컨ᄆᆞᄂᆞᆫ ᄎᆞ자갈 집 다른니라
집이야 많건마는 찾아갈 집 다르니라
黃鶴樓황학루 鳳凰臺봉황대ᄂᆞᆫ 騷客소객의 구경處처요
황학루[1] 봉황대[2]는 시인의 구경처요
落星臺낙성대 岳陽樓악양루ᄂᆞᆫ 俗士속사의 行樂處행락처라
낙성대[3] 악양루[4]는 선비들의 행락처라
宇宙間우주간의 비겨셔셔 上上古을 ᄉᆡᆼ각ᄒᆞ니
우주에 기대서서 먼 옛날을 생각하니
아마도 죠흔 집은 孔夫子공부자의 집니로다
아마도 좋은 집은 공자님의 집이로다
汶山문산이 主山주산 되고 農山농산이 白虎백호로다
문산[5]이 주산 되고 농산[6]이 백호로다
汶水문수가 靑龍水청룡수오 泗水사수가 橫帶水횡대수라
문수[7]가 청룡수요 사수[8]가 횡대수라

---

1 중국 호북성湖北省 무창성武昌城 안 황곡산黃鵠山에 있는 높은 누각.
2 중국 강소성江蘇省 강녕현江寧縣 남쪽에 있는 언덕.
3 중국 강소성江蘇省 남경南京 동북쪽에 있는 언덕.
4 중국 호남성湖南省 악양현岳陽縣의 동정호洞庭湖 동쪽 기슭에 있는 누각.
5 중국 산동성山東省에 있는 산.
6 중국 산동성山東省에 있는 산. 공자가 제자들을 데리고 유람한 곳임.
7 춘추전국시대 때 제나라와 노나라를 가로질러 두 나라의 국경선 역할을 했던 강의 이름.
8 중국 산동성山東省 사수현泗水縣에서 시작하여 공자의 출생지인 곡부현曲阜縣을 지나는 강.

文明문명ᄒᆞᆫ 天地間천지간의 素王소왕의 萬世基만세기라

문명한 천지간에 만세 성인 날 터로다

周公주공의 道德도덕으로 됴흔 터을 닥가 노셔

주공[9]의 도덕으로 좋은 터를 닦아 놓고

藩籬번리을 剖判부판ᄒᆞ야 大家대가을 닐워시니

울타리를 둘로 갈라 큰 집을 이뤘으니

五行오행으로 柱礎주초ᄒᆞ고 仁義禮智인의예지 東西柱동서주라

오행[10]으로 주추[11] 삼고 인의예지 기둥이라

三綱領삼강령 大樑대량 언고 八條目팔조목 도리 언져

삼강령[12] 들보 얹고 팔조목[13] 도리 얹어

六十四卦육십사괘 ᄲᆞᆸ아ᄂᆡ야 ᄎᆞᄎᆞ로 三實삼실 바다노코

육십사괘[14] 뽑아내어 차차로 삼실 받아놓고

三百八十四爻數삼백팔십사효수로 箇箇개개니 椽木연목 거어노코

삼백팔십사효수[15]로 서까래 걸어놓고

五十土오십토 ᄋᆞᆯᄆᆡ언고 太極圖태극도 기와ᄒᆞ니

오십토[16] 알맞게 얹고 태극도 기와하니

---

9 중국 주나라 문왕文王의 아들이자 무왕武王의 동생. 무왕이 죽자 조카인 성왕成王을 도와 주나라의 기초를 다졌음.

10 우주 만물을 이루는 다섯 가지 원소. 금金·수水·목木·화火·토土.

11 기둥 밑에 괴는 돌 따위의 물건.

12 《대학大學》의 세 강령. 곧 명덕明德을 밝히는 명명덕明明德, 백성을 새롭게 하는 신민新民, 지선至善에 이르게 하는 지어지선止於至善을 가리킴.

13 《대학大學》에서 밝힌 수기치인修己治人의 여덟 조목. 격물格物·치지致知·성의誠意·정심正心·수신修身·제가齊家·치국治國·평천하平天下.

14 《주역周易》에서 팔괘八卦를 여덟 번 겹쳐 얻은 64가지의 괘. 인간과 자연의 존재 양상과 변화체계를 상징함.

15 효爻는 괘卦를 구성하는 요소로서 각 괘는 6효로 구성되어 있음. 64×6=384.

16 오행 중 토土는 생수生數 5와 성수成數 10으로 이루어져 있으므로 오십토라 함.

日月星辰일월성신 窓戶창호 되고 河馬落龜하마낙구 丹靑단청니라

해 달 별 창문 되고 하도낙서[17] 단청이라

어와 조흘시고 니런 집 또 닛는가

어와 좋을시고 이런 집 또 있는가

一六水일육수가 北門북문이요 二七火이칠화가 南門남문이요

일육수가 북문[18]이요 이칠화가 남문이요[19]

四九金사구금이 西門서문이요 三八木삼팔목이 東門이라

사구금이 서문이요[20] 삼팔목이 동문이라[21]

仁門인문을 여러 노코 仁道인도을 놉피 닥가

인문을 여러 놓고 인도를 높이 닦아

禮樂文物예악문물 가초와 노코 오는 손임 接待접대ᄒᆞ니

예악문물 갖춰 놓고 오는 손님 접대하니

宮墻궁장이 놉흔 곳의 누구누구 뫼화던고

담장이 높은 곳에 누구누구 모였던가

風乎舞雩풍호무우 詠而歸영이귀는 堂上당상의 안ᄌᆞ 잇고

무우에서 바람쐬고 노래하며 돌아오니[22] 당상에 앉아 있고

---

17 황하黃河에서 나온 용마龍馬와 낙수洛水에서 나온 신구神龜. 복희伏羲는 황하에서 나온 용마의 등에서 얻은 그림인 하도河圖로 《주역周易》의 팔괘八卦를 만들었다고 하며, 하우夏禹는 낙수에서 나온 신구의 등에서 얻은 글인 낙서洛書로 《홍범구주洪範九疇》의 대법大法을 만들었다고 함.

18 오행 중 수는 생수生數 1과 성수成數 6으로 이루어져 있으므로 일육수라 하며, 방위는 북쪽임.

19 오행 중 화는 생수生數 2와 성수成數 7로 이루어져 있으므로 이칠화라 하며, 방위는 남쪽임.

20 오행 중 금은 생수生數 4와 성수成數 9로 이루어져 있으므로 사구금이라 하며, 방위는 서쪽임.

21 오행 중 목은 생수生數 3과 성수成數 8로 이루어져 있으므로 삼팔목이라 하며, 방위는 동쪽임.

22 풍호무우영이귀風乎舞雩詠而歸. 무우에서 바람을 쐬고 시를 읊으며 돌아옴. 여기서는 각자의 포부를 말해보라는 공자의 질문에 앞과 같이 답했다는 증점曾點을

冉牛염우 子路자로 閔子騫민자건은 문 안의 계우 드니
염우 자로 민자건은 문 안에 겨우 드니
三千弟子삼천제자 七十門人칠십문인을 歷歷역력히 닐을쇼냐
삼천제자 칠십문인 또렷이 이를쏘냐
아마도 우리等등이 ᄎᆞᄌᆞ가 보ᄌᆞ셔라
아마도 우리들이 찾아가 보자꾸나
深深長夜심심장야 가지 말고 明明白日명명백일 가ᄌᆞ셔라
깊은 밤에 가지 말고 밝은 낮에 가자꾸나
正道정도가 坦坦탄탄ᄒᆞ니 가기야 됴컨마ᄂᆞᆫ
바른 길이 탄탄하니 가기야 좋건마는
武夷山무이산니 막혀시니 너머 가기 어려와라
무이산[23]이 막혔으니 넘어 가기 어려워라
가다가 져무거던 晦菴회암의 드러 ᄌᆞ고
가다가 저물거든 회암[24]에 들어 자고
明道명도씌 질을 물어 伊川이천의 ᄇᆡ을 씌워
명도[25]께 길을 물어 이천[26]에 배를 띄워
濂溪염계로 ᄂᆞ려가니 光風霽月광풍제월 ᄇᆞᆰ은 곳의
염계[27]로 내려가니 광풍제월 밝은 곳에
空中樓閣공중누각 구경ᄒᆞ고 宗聖公宅종성공택 구경ᄒᆞ고
공중누각 구경하고 증자의 집[28] 구경하고

가리킴. 《논어論語》〈선진편先進編〉
23 중국 복건성福建省과 강서성江西省 경계에 있는 산. 주자朱子가 은거한 곳임.
24 주자朱子의 호.
25 중국 송나라 유학자 정호程顥의 호.
26 중국 송나라 유학자 정이程頤의 호.
27 중국 송나라 유학자 주돈이周敦頤의 호.
28 종성공택宗聖公宅. 증자曾子의 집.

亞聖公宅아성공택 구경하고 逑聖公宅술성공택 復聖公宅복성공택 구경흔 후

맹자의 집[29] 구경하고 자사의 집[30] 안자의 집[31] 구경한 후

杏壇행단을 바라보니 百樹春風백수춘풍 즈아진 곳듸

행단[32]을 바라보니 바람이 멎은 곳에

흐마 흐마 볼 듯흐되 宮墻궁장니 千仞천인이라

행여나 볼 듯하되 담장이 천 길이라

仰之彌高앙지미고 어리 할니 瞻之在前첨지재전 아득흐다

우러르면 더욱 높고 바라보면 아득하다

忽爲在後홀위재후 모로거든 不遠千里불원천리 와겻드가

뒤에 있어 모르거든 천 리를 왔었다가

이 집 구경 못 흐오면 前功可惜전공가석 되오리라

이 집 구경 못 하면 앞에 한 일 헛일이라

어와 世上세상 後生후생더라 이 집 구경 흐랴거던

어와 세상 후생들아 이 집 구경 하려거든

즈즈 勤力근력 흘지어다

자자 부지런히 힘을 써라

29 아성공택亞聖公宅. 맹자孟子의 집.

30 술성공택逑聖公宅. 자사子思의 집.

31 복성공택復聖公宅. 안자顏子의 집.

32 공자孔子가 사수泗洙에서 그 제자들을 가르치던 곳.

29. 도산별곡陶山別曲

① 작품명 : 도산별곡陶山別曲

② 작자명 : 조성신(趙星臣, 1765~1835)

조선 후기의 시인으로, 자는 종진宗鎭, 호는 염와恬窩, 본관은 한양, 아버지는 조상순趙尙純이며, 경북 영양에서 출생하였다. 만곡晩谷 조술도趙述道의 문하에서 수업하고, 1792년(정조 16) 안동 도산별과에 응시했다가 낙방하였다. 1804년(순조 4) 30세의 나이에 실명하고 학업을 이을 수 없게 되어 영양에서 평생을 은거하였다. 어릴 때부터 총명하여 명문을 잘 외우고 글씨를 잘 썼던 그는 실명의 아픔을 문학작품 창작으로 극복했다. 문집으로 《염와유고恬窩遺稿》가 전하며, 가사작품으로 〈도산별곡陶山別曲〉(일명 도산가)과 〈개암정가皆巖亭歌〉(일명 개암가) 및 지금은 전하지 않는 〈연암곡蓮庵曲〉이 있다.

③ 출전 : 《노계선생문집蘆溪先生文集》

④ 해제

이 작품은 일명 〈도산가陶山歌〉라고도 한다. 《노계선생문집》에 시조작품 끝에 첨록添錄되어 있었던 이유로 노계盧溪 박인로朴仁老의 작품으로 알려져 있다가, 1955년 이동영李東英에 의해 원작자가 조성신인 것으로 밝혀졌다. 1792년(정조 16)에 도산서원에서 별시를 봤을 때의 광경과 도산서원의 경치, 그리고 퇴계退溪 이황李滉의 덕을 그리워하는 내용의 노래이다.

⑤ 원문과 현대역

太白山 나린 龍이 靈芝山이 놉하셔라
태백산[1] 내린 용이 영지산[2]에 높으셔라
黃池로 소슨 물이 洛川이 말가셔라
황지[3]로 솟은 물이 낙천[4]이 맑으셔라
退溪水 도라드러 溫溪村 올라서니
퇴계수 돌아들어 온계촌[5] 올라서니
老松亭 녯집터의 大賢이 나시거다
노송정[6] 옛 집터에 대현이 나시었다
一區 陶山이요 그 겻해 名勝地라
한 구역의 도산이요 그 곁에 명승지라
於乎ㅂ다 우리 先生 니 곳의 藏修하와
오홉다 우리 선생 이곳에 장수[7]하여
當年의 杖屨所요 後世의 俎豆所라
당년의 장루소[8]요 후세의 조두소[9]라
年末 後學이 隣邑의 生葬하야
연말 후학이 이웃 고을에 생장하여

---

1 강원도 태백시와 경북 봉화군 석포면에 걸쳐있는 산.
2 경상북도 안동시 도산면에 있는 산.
3 강원도 태백시 황지동에 있는 연못으로 낙동강의 발원지.
4 낙동강 상류. 낙동강의 원류가 청량산 아래로 흘러 반변천과 만나는 합수合水의 곳인 옛 개목나루(안동호 보조댐)까지를 '낙천洛川'이라고 했음.
5 퇴계 이황의 출생지로 현재 경상북도 안동시 도산면 법정리.
6 경상북도 안동시 도산면에 있는 퇴계 이황의 생가.
7 개인적으로 책을 읽고 학문에 힘씀. 은거하여 수양하는 것을 말함.
8 지팡이 자국이 있는 곳이라는 뜻으로 자취가 남은 곳을 말함.
9 조두는 제기를 뜻하므로 제사 지내는 곳을 말함.

門庭은 못 밋텨도 江山은 咫尺이라

문과 뜰엔 못 미쳐도 강산은 지척이라

遺書를 誦讀하고 高風을 想像하야

남기신 글을 송독하고 높은 풍격을 상상하여

百里 煙霞를 指點하미 오래더니

백리의 안개 연기를 가리킴이 오래더니

壬子年 春三月의 聖上의 恩典으로

임자년[10] 춘삼월의 성상의 은택으로

禮官의 命을 바다 廟下[11]의 致祭하고

예관의 명을 받아 묘 아래에서 제사지내고

多士를 함게 모와 別科를 보이시니

많은 선비를 함께 모아 별과[12]를 보게 하시니

어와 聖恩이야 가지록 罔極하다

어와 성은이야 갈수록 망극하다

嶠南 七十州의 뉘 아니 興起하랴

교남[13]의 칠십 고을에 누가 아니 떨쳐 일어나랴

書僮을 압세우고 章甫의 뒤를 따라

서동[14]을 앞세우고 장보[15]의 뒤를 따라

享禮를 參禮하고 試券을 맛친 後의

향례를 참례[16]하고 시권[17]을 마친 후에

---

10 정조 12년인 1792년을 말함. 이 해에 조성신은 도산시陶山試를 치뤘음.

11 묘하廟下. 안동 도산서원의 상덕사尙德祠 앞을 말함.

12 조선시대 과거에서 본과 이외에 따로 설치한 과로 정기시가 아닌 부정기시不定期試를 말함. 여기서는 조성신이 보았던 도산시를 말함.

13 교남嶠南. 조령鳥嶺 남쪽의 경상도를 의미하는데, 즉 영남의 별칭.

14 글을 배우며 심부름 하는 아이.

15 유생儒生의 다른 이름.

16 예식에 참여함.

隴雲精 도라드러 巖栖軒 드러가니

농운정사[18] 돌아들어 암서헌[19] 들어가니

門前의 살平床은 丈席이 依依하고

문 앞의 살평상[20]은 장석[21]이 그대로고

櫃中 靑藜杖은 手澤이 班班이라

궤 안의 청려장[22]은 손때가 뚜렷하다

風采를 뵈압난 듯 謦咳를 듯잡난 듯

풍채를 뵈옵는 듯 경해[23]를 들은 듯

心神이 肅然하야 鄙吝이 절로 업다

심신이 숙연하여 비린[24]이 절로 없다

玩樂齊 時習齊와 觀瀾軒 止宿寮와

완락재 시습재과 관란헌 지숙료[25]와

節反社 淨友塘을 次次로 둘너본 後

절반사 정우당[26]을 차차로 둘러본 후

---

17 과거응시자들이 제출한 답안지 혹은 채점지를 말하는데 여기서는 과거시험을 뜻함.

18 도산서원에 도산서당 건너편에 있는 건물 이름. 처음에 퇴계가 공부하는 유생을 위해 지은 8칸 건물로 시습재時習齋·지숙료止宿寮·관난헌觀瀾軒이라고 각각 이름 짓고 함하여 농운정사라고 함.

19 도산서당의 마루이름. 도산서당의 온돌방은 완락재玩樂齋.

20 바닥에 좁은 나무오리나 대오리의 살을 일정하게 사이를 두고 박아 만든 평상.

21 《예기禮記》에 스승과 제자의 자리는 한 길 정도의 거리를 둔다 하여, 스승을 가리킴. 여기서는 스승이 앉은 자리를 말함.

22 명아주대로 만든 지팡이.

23 기침 소리.

24 눈에 거슬릴 정도로 인색함.

25 도산서원에 있는 건물 이름. 완락재는 도산서당 온돌방 이름이고 시습재, 관란헌, 지숙료는 농운정사에 있는 방 이름.

26 도산서원에 있는 화단과 연못 이름. 퇴계는 마당 동쪽에 연못을 파서 정우당이라 하고, 개울 건너에는 샘을 파서 몽천蒙泉이라 한 뒤 샘 위에 단을 쌓아 화목 등을 심어두고 절우사라고 이름을 붙임.

夢泉水 떠 마시고 幽貞門 도라나셔

몽천수 떠 마시고 유정문 돌아나서[27]

谷口巖 더댄 길로 光影臺 올나 안쟈

곡구암 가던 길로 광영대 올라 앉아[28]

遠近 山川을 一眼의 구버보니

멀고 가까운 산천을 한눈에 굽어보니

東翠屛 西翠屛은 峯巒도 奇異하고

동취병 서취병[29]은 봉우리도 기이하고

濯纓潭 盤陀石은 水石도 明麗하다

탁영담 반타석[30]은 물과 바위도 깨끗하고 아름답다

金沙 玉鑠은 處處의 자자 잇고

금모래 옥자갈은 곳곳에 벌여 있고

碧桃 紅花난 面面이 버럿스니

푸른 도화 붉은 꽃은 면면이 벌였으니

龍門 八節은 보든 못하엿시나

용문[31] 팔절은 보진 못하였으나

武夷九曲인들 예셔야 더할숀가

무이구곡[32]인들 예서야 더할손가

---

27 몽천은 퇴계가 개울 건너에 판 샘 이름이고, 유정문은 도산서당 구역에 들어가는 싸리문의 이름.

28 곡구암은 도산서원에 들어가는 어귀에 있는 바위 이름. 천연대는 곡구암 동쪽에 있는 바위 이름. 지금은 댐 건설로 흙으로 매워져서 곡구암은 표지석만 남아 있음.

29 동취병은 동쪽의 푸른 병풍, 서취병은 서쪽의 푸른 병풍이라는 뜻으로 도산서원을 둘러싼 산들을 가리킴.

30 탁영대는 천연대 앞을 흐르는 강에 있는 깊은 소沼 이름이고 반타석은 탁영담에 있는 바위 이름.

31 황하 상류에 있는 여덟 굽이의 물세가 험한 계곡 이름. 여기를 잉어가 오르면 용문이 된다는 전설이 있어 입신출세하는 것을 등용문登龍門이라고 함.

32 중국 복건성 숭안현 무이산에 있는 아홉 굽이 계곡. 송의 유학자 주희朱熹가 여기

西臺를 다 본 後의 東臺의 올나 안져
서대를 다 본 후에 동대에 올라 앉아
四方을 살펴보니 일흠 됴타 天淵臺야
사방을 설펴보니 이름 좋다 천연대야
雲間의 뎌 소려기 너난 엇지 나랏스며
구름 사이의 저 솔개야 너는 어찌 날았으며
江中의 뎌 고기야 너난 엇지 뛰노나뇨
강중의 저 고기야 너는 어찌 뛰노느뇨
우리 聖王 수고하샤 作人하신 餘化련다
우리 성상 수고하시어 위인 만드신 남은 여화[33]로다
形容 잘한 活潑潑地 費隱章이 여긔련다
형용 잘한 지극히 활발한 비은장[34]이 여기련가
滄江의 달이 뜨니 夜色이 더욱 됴타
푸른 강에 달이 뜨니 밤빛이 더욱 좋다
沙工의 櫓를 젓고 童子난 술을 부어
사공은 노를 젓고 동자는 술을 부어
上流의 매인 배를 下流의 띄워 놋코
상류에 매인 배를 하류에 띄워 놓고
初更의 먹은 술이 三更의 大醉하니
초저녁에 먹은 술이 한밤중에 대취하니
酒興은 陶陶고 風流는 蕭蕭로다
주흥은 도도하고[35] 풍류는 고요하다

에 무이정사武夷精舍를 짓고 제자를 가르치며 〈무이구곡가武夷九曲歌〉를 지었음.

33 넉넉한 덕화德化.

34 《중용》의 열두 번째 편명. 이편에서 "군자의 도는 비하고 은하다(군자지도비이은君子之道費而隱)"고 하였고, 주자가 이를 '비는 용의 광대함이요, 은은 지극히 작고 세밀함'이라고 풀이하였음.

그제야 곳쵸 안져 瑤琴을 비겨 안고
그제야 고쳐 앉아 요금을 비껴 안고
冷冷한 녯 曲調를 주줄이 골라 내야
냉랭한 옛 곡조를 줄줄이 골라 내어
淸凉산 六六歌를 漁父詞로 和答하니
청량산 육육가[36]를 어부가[37]로 화답하니
이리 됴흔 無限景을 桃花 白鷗 네 알쇼냐
이리 좋은 무한경을 도화 백구 네 알소냐
秋風 舞雩 언제련고 秋月 寒水 비최엿다
추풍 무우[38] 언제인고 추월 한수 비치었다
十八絶 七言詩 二十八節 五言詩를
십팔절 칠언시 이십팔절 오언시를
章章히 뽀바내야 字字이 외운 後의
장장마다 뽑아내어 글자마다 외운 후에
江山을 下直하고 扁舟를 도로 뎌허
강산을 하직하고 조각배를 도로 저어
白鷗를 다시 불너 丁寧이 言約호대
백구를 다시 불러 단단히 약속하되

---

35 매우 화평하고 즐거움.

36 퇴계가 지은 단가로 "청량산 육육봉을 아는 이 나와 백구, 백구야 헌사하랴 못 믿을손 낙화로다, 낙화야 떠지지 마라 어주자魚舟子알가 하노라"라는 내용임.

37 현행 12가사歌詞의 한 곡명으로 작자 및 연대 미상인데 전래하던 것을 농암聾岩 이현보李賢輔가 장가長歌로 수정하고, 이를 퇴계가 다시 수정하였음.

38 기우제를 기내는 곳. 《논어》에서 공자 제자 증점曾點이 "늦봄에 봄옷이 만들어지면 관을 쓴 벗 대여섯 명과 아이들 예닐곱 명을 데리고 기수에 가서 목욕을 하고 기우제 드리는 무우에서 바람을 쏘인 뒤에 노래하며 돌아오겠다(모춘자 춘복기성 관자오륙인 동자륙칠인 욕호기 풍호무우 영이귀 暮春者 春服旣成 冠者五六人 童子六七人 浴乎沂 風乎舞雩 詠而歸)."라고 자신의 뜻을 밝히자, 공자가 감탄하며 허여한 내용이 있음.

九秋 丹楓節의 또 한번 노자더니
구추 단풍절에 또 한 번 놀자하더니
年光은 더지 업고 造物이 새남발나
세월은 덧이 없고 조물주는 샘이 많아
偶然히 어든 病이 居然이 十年이라
우연히 얻은 병이 어느덧 십년이라
空山에 홀노 누워 往事를 생각하니
빈산에 홀로 누워 지난 일을 생각하니
靑春의 못다 노라 白首애 餘恨일쇠
청춘에 못다 놀아 흰머리에 남은 한이라
이 뜨드로 노래 지어 時時로 諷詠하니
이 뜻으로 노래 지어 때때로 노래하니
百年 曠感을 一篇中의 붓치노라.
백년의 길고 아득함을 이 한편 중에 부치노라

30. 도통가道統歌

① 작품명 : 도통가道統歌

② 작자명 : 권섭(權燮, 1671～1759)

권섭은 조선 후기 문인으로, 자는 조원調元, 호는 옥소玉所·백취옹百趣翁·무명옹無名翁·천남거사泉南居士 등이다. 본관은 안동으로, 권상명權尙明의 아들로 서울에서 출생했다. 14세 때 아버지를 여의고 백부인 권상하權尙夏의 아래에서 자라고 수학하였다. 1689년 기사환국 때는 19세의 나이로 소두疏頭[1]가 되어 소를 올리는 등 정치에 관심을 갖기도 하였다. 그러나 송시열宋時烈 등이 사사賜死 또는 유배되자 그는 충북 일대 및 경북 문경 등지에서 살면서 평생을 전국의 명승지를 찾는 탐승探勝 여행을 통해 문학작품으로 승화시켰다. 그는 한시 3,000여 수, 시조 75수, 가사 2편을 남겼다. 한시나 시가 작품 외에도 〈유행록遊行錄〉·〈기몽설記夢說〉 등이 있다. 저서로는 간행본 《옥소집玉所集》(13권 7책)과 필사본 《옥소고玉所稿》가 있다.

③ 출전 : 필사본 《옥소고玉所稿》

④ 해제

이 작품은 권섭이 1748년 78세의 노년에 쓴 총 56구의 도학가사이다. 도학의 맥락을 짚어서 밝힌 작품으로, 천지가 개벽된 것에서부터 시작해 공자의 도가 우리나라의 이이李珥를 거쳐 송시열宋時烈에 이르기까지의 계승된 상황과 소회를 읊었다. 조선시대 도학의 발전양상을 노래하면서 이이·송시열 그리고 큰아버지인 권상하의 학풍을 드높이고자

---

1 연명連名하여 올린 상소문에서 맨 먼저 이름을 적은 사람.

한 작품이다.

⑤ 원문과 현대역

兩儀와 一太極이 相乘相隨 ᄒᆞ여시니
양의[2]와 일태극[3]이 상승상수[4] 하였으니
뉘라셔 이 造化를 일흠하여 버렸는고
누가 이 조화를 이름지어 버렸는고
乾坤이 에 ᄂᆞᆫ화 子丑의 開闢ᄒᆞ니
건곤이 나누어져 자축이 개벽하니[5]
聖人이 首出ᄒᆞ여 萬姓의 君師ㅣ로다
성인이 출생하여 모든 백성의 주재자가 되도다
三皇의 混沌世界 太古의 熙皡ㅣ러니
삼황[6]의 혼돈세계[7] 태고의 희호[8]가 되니
四五帝 나신 後의 人文이 魏然ᄒᆞ여
사오제 나신 후에 인문이 우뚝하여
舟車衣食으로 萬品이 ᄀᆞ자시니
주거의식[9]으로 온갖 물품이 갖추어 지니

---

2 음陰과 양陽. 또는 하늘과 땅.
3 성리학에서 존재와 가치의 근원이 되는 궁극적인 실체.
4 상승相乘은 곱셈을 말하고 상수相隨는 서로 따른다는 뜻. 두 수를 곱한 것처럼 서로 의지하여 떨어지지 않음을 말함.
5 건곤乾坤은 하늘과 땅을 말함. 천지가 처음으로 생김을 말함.
6 중국 고대 전설상의 세 임금. 대체로 수인씨燧人氏·복희씨伏犧氏·신농씨神農氏를 가리킴.
7 천지가 개벽할 때에 사물의 구별이 뚜렷하지 아니한 세계.
8 임금과 신하와 백성이 화락하게 잘 지내는 것.
9 생활필수품 일체를 말함.

浩浩如天ᄒᆞ샤 입으로 形容ᄒᆞᆯ가

하늘처럼 넓디넓어 입으로 형용할까

唐虞 揖遜이 어이ᄒᆞ여 그만ᄒᆞ고

당우[10]의 온화하고 겸손함 어이하여 그만하고

夏禹氏 殷王成湯 傳子傳孫 ᄒᆞ돗던고

하우씨 은왕성탕[11]이 자손대대로 전했던가?

슬프다 伯夷叔齊 天命을 모르던가

슬프다 백이숙제[12]는 천명을 모르던가

文武周公 디난 일이 몃 ᄒᆡ나 되엿ᄂᆞ니

문무주공[13]의 지난 일이 몇 해나 되었는가

尼丘山 져 氣運이 大聖을 낼 쟉시면

이구산[14] 저 기운이 큰 성인을 낼 것이면

天心이 엇더ᄒᆞ여 素王이 되시거니

천심이 어떠하여 소왕[15]이 되었으니

天下의 撤還ᄒᆞᆫ돌 大道를 펴실넌가

천화를 철환[16]한들 큰 도를 펴시겠는가

---

10 중국의 도당씨陶唐氏와 유우씨有虞氏로 요순시대를 함께 이르는 말로 태평시대를 뜻함.

11 하우씨夏禹氏는 중국 하夏나라의 우禹임금을 이르는 말이고 은왕성탕殷王成湯은 은殷나라 탕왕湯王을 말하는 것으로 모두 중국 고대 태평성대를 이르는 성군임.

12 은나라 고죽군의 두 아들 은자의 대명사. 성군인 주 무왕이 은 주왕紂王을 멸하자 신하가 천자를 토벌한다고 반대하며 주나라의 곡식을 먹기를 거부하고 수양산에서 굶어 죽은 일이 있음.

13 주나라의 문왕과 무왕. 그리고 무왕의 아들 성왕을 도와 주의 태평성대를 계승했던 주공을 말함.

14 중국 산동성山東省 곡부현曲阜縣 동남에 있는 산으로 공자가 탄생한 곳임.

15 왕자는 아니나 왕자의 덕을 갖춘 사람으로 여기서는 孔子를 말함.

16 수레를 타고 돌아다님.

絕筆은 어이ᄒᆞ고 空言을 들이온고

마지막 말씀은 어이하고 빈 말을 들었는고

弟子 三千中의 七十子ᄂᆞᆫ 엇던턴고

제자 삼천 명 중에 칠십 제자들은 어떻던가

嵬嵬ᄒᆞ신 四亞聖이 統緖를 니으시니

높고 높으신 네 아성[17]이 계통을 이으시니

齊梁이 落落ᄒᆞ니 孟子인들 엇지ᄒᆞ리

제와 양[18]이 떨어져 있으니 맹자인들 어찌하리

周濂溪 二程子ㅣ 紫陽의 傳ᄒᆞ시니

주렴계[19]와 두 정자[20]가 자양[21]에 전하시니

禮樂文物이 ᄀᆞᄌᆞᆷ도 ᄀᆞᄌᆞᆯ시고

예악문물[22]이 갖추기도 갖추어졌구나

一心의 天德王道 다름이 이실손가

일심의 천덕왕도[23]가 다름이 있겠는가

彝倫 經義를 等閑이 議論ᄒᆞᆯ가

이륜과 경의[24]를 등한하게 의론할까

蒼莽ᄒᆞᆫ 이 世上이 叔季世 되어시니

넓고 아득한 이 세상이 말세가 되었으니

---

17 네 사람의 아성. 아성은 성인 다음가는 큰 현인을 말함. 여기서는 안자顔子·증자曾子·자사子思·맹자孟子를 말함.

18 제와 양은 중국 남북조南北朝 시대 남조의 대표적인 두 나라로 맹자가 전국시대 때 두 나라를 다니며 유학을 설파하였던 일을 뜻함.

19 송宋대의 학자이자 성리학의 시조인 주돈이周惇頤를 말함. 염계는 그의 호.

20 북송 때의 성리학자인 정명도程明道와 정이천程伊川 형제를 말함.

21 송나라 때 주자가 세운 서원이 있던 곳.

22 예악과 문물. 성리학에서는 예악의 예는 사회의 질서를 바로 잡고, 악은 인심을 화락하게 한다고 해서 중요하게 여겼음.

23 공자는 천도天道를 주장했고, 맹자는 왕도王道를 주장한 것을 말함.

24 이륜은 사람으로 떳떳이 지켜야 할 도리인 人倫을 말하고 경의는 경전의 뜻을 말함.

五百年 命世才를 또 어듸 가 어더 올고
오백년의 큰 현인을 또 어디 가서 얻어올꼬
落落 墜緖를 뉘라서 니어낼고
낙락히 쇠퇴한 사업 누가 이어내겠나
高麗末 我國初의 數三公이 니러나니
고려 말 우리나라 초에 서너 현인 일어나니
朱子와 孔子道를 사름마다 알거고
주자와 공자의 도를 사람마다 알겠구나
堂堂한 禮儀邦이 城中의 또 잇는가
당당한 예절과 의리의 나라 성중에 또 있는가
和山의 再拜ᄒᆞ니 九敎八條ㅣ 어제로닷
화산에 재배하니 구교팔조[25]가 어제로다
神功 聖德이야 ᄇᆞ라나 볼 거이고
신공과 성덕이야 바라나 볼 것이고
濟濟한 五君子는 즌병이 잇고 업고
엄숙한 오군자는 잔병이 있고 없고
慘憺한 百六運이 善人은 무슨 厄고
참담한 백륙운[26]이 선인에게 무슨 재앙인가
西南의 兩大賢이 一代예 니어시니
서남의 두 큰 현인[27]이 일대에 일어나시니
하늘이 이 斯文를 아니돕다 못ᄒᆞᆯ노다
하늘이 이 사문[28]을 아니 돕는다 못할 것이다

---

25 기자가 구교와 팔조로 백성을 교화한 것을 말함.
26 재액을 당할 운수.
27 서쪽에 퇴계 이이가 있고, 남쪽에는 이황이 살았다는 사실로 서남의 대현이라고 한 것임.
28 선비. 유학자.

所以發 燭照物在 一言이 볽고 볽아
소이발[29] 사물을 비추는 한 마디가 밝고 밝아
新奇한 이 큰 功이 師友間의 發揮ᄒᆞ니
신기한 이 큰 공이 사우간에 발휘하니
太極極面 날生字를 뉘라서 是非ᄒᆞ리
태극극면 날 생자를 누가 시비하리
聖學輯要 一部書는 一生의 精力이라
성학집요[30] 한 책자는 일생의 정력이라
名目도 奇特하고 次序도 됴흘시고
명목도 기특하고 차서도 좋을시고
그 긋희 늙은 先生 私淑ᄒᆞ여 나닷 말가
그 끝에 늙은 선생[31]이 사숙[32]하여 나왔단 말인가
一百卷 지은 글이 篇篇이 朱子ㅣ로다
일백권 지은 글이 편편마다 주자로다
罔極ᄒᆞᆫ 大禍根이 門屛이 니러날샤
망극한 큰 화근[33]에 문병[34]이 일어나니
天地間 一直者를 後學의 맛지거다
천지간 일직자[35]를 후학에 맡기었구나

---

29 소이발所以發은 이이의 기발이승일도설氣發理乘一途說을 뜻함.
30 이이의 저서로 1575년(선조 8) 제왕의 학문 내용을 정리해 바친 책.
31 송시열宋時烈을 말함. 송시열이 이이의 학통을 이은 것을 뜻함.
32 직접 가르침을 받지는 않았으나 마음속으로 그 사람을 본받아서 도나 학문을 닦음.
33 숙종 때(1689년) 왕세자 책봉문제로 송시열이 제주도로 유배를 가고 사약을 받게 된 일을 말함.
34 대문이나 중문 안에 가로 막은 담으로 여기서는 송시열 일문을 말함.
35 주자의 정신을 이어받은 송시열이 제자 권상하에게 전수한 "직자결"의 가르침에서 온 말임.

華陽 萬東廟를 쁫 바다 지으시니

화양 만동묘[36]를 뜻 받아 지으시니

萬古 綱常이 떠러질 적 이실손가

만고의 강상[37]이 떨어질 일 있겠는가

遺風이 漸漸 멀고 時俗이 次次 지니

유풍이 점점 멀어지고 시속이 차차 저무니

一脈 吾道는 어듸가 부쳐실고

한 맥의 우리 도는 어디다 붙여 놓을까

床頭의 나아 안쟈 홀 일이 젼혀 업서

책상머리에 앉아서 할 일이 전혀 없어

詩書 庸學書와 孔孟의 七篇書의

시경 서경 중용 대학과 공자 맹자 각 칠 편에

心經 近思錄과 羲文의 大易書와

심경 근사록과 희문[38]의 큰 주역과

麟經의 大一統과 綱目의 尊攘義를

인경의 대일통[39]과 강목의 존양[40]의 뜻을

反復하여 뒤져기고 鼓扇ᄒᆞ여 닑은 말이

반복하여 뒤적이고 부채질하며 읽은 말이

---

36 송시열이 권상하에게 유언하여 세워진 사당으로 1717년에 명나라 신종神宗을 위한 사당. 충북 청천면 화양동에 있음.

37 사람이 행해야 할 도덕으로 삼강과 오상.

38 주역의 8괘를 만든 복희씨와 후대에 주역의 괘사와 팔괘도 등을 만들어 주역을 다듬은 주 문왕을 말함.

39 인경은 공자가 쓴 역사서 《춘추春秋》의 별칭이며 대일통은 일통一統을 중히 여긴다는 의미로 《춘추春秋》에서 나온 말.

40 강목은 주희가 편찬한 《자치통감강목資治通鑑綱目》의 별칭이며 존양은 왕실을 높이고 오랑캐를 물리친다는 존왕양이尊王攘夷를 말함.

煙雲이 漠漠ᄒᆞ고 日月이 蒼蒼ᄒᆞ니

구름 연기 막막하고 일월이 창창하니

戱歔 歎息ᄒᆞ고 一節을 빅여셔셔

허허 탄식[41]하고 대지팡이 하나에 기대서서

千萬疊 綠水青山 短長歌를 ᄒᆞ노라

천만 겹 녹수청산에 단장가를 부르노라

---

41 몹시 탄식함. 허허歔歔가 바른 표기.

31. 만분가萬憤歌

① 작품명 : 만분가萬憤歌

② 작자명 : 조위(曺偉, 1454～1503)

조위는 조선 전기의 문신으로, 자는 태허太虛, 호는 매계梅溪이다. 성종 때 호조참판을 역임하고, 1498년(연산군 4)에 일어난 무오사화戊午士禍에 연루되어 의주義州로 유배되었으며, 얼마 후 전라도 순천順天으로 옮겨졌다가 그곳에서 병사하였다.

③ 출전 : 안정복, 《잡동산이雜同散異》

④ 해제

이 작품은 유배가사의 효시로 일컬어지고 있으며, 작자가 무오사화에 연루되어 전라도 순천으로 유배를 갔다가 그곳에서 지은 작품이다. 김종직의 처남이자 문인이었던 조위는 무오사화로 인해 유배지인 순천에서 끝내 풀려나지 못하고 생을 마쳤다. 〈만분가〉는 이 사건으로 인해 유배에 처해졌던 작자의 경험과 생각이 반영되어 있는 작품이라 하겠다. 이 작품은 안정복의 저서인 《잡동산이》에 수록되어 있는데, 그곳에는 다음과 같은 기록이 전하고 있다. 조위는 이 작품을 부를 때 "늘 얼굴을 찡그리며 입으로는 퉁소 소리를 내고, 두 발로는 장고를 끼고서 손으로는 거문고를 연주했는데, 악곡과 절주가 서로 호응하여 어그러짐이 없이 음악이 되었다"고 하였다. 조위가 늘 얼굴을 찡그리고 이 작품을 불렀다면, 아마도 〈만분가〉의 내용을 통해서 유배에 처해진 자신의 처지를 토로하고자 했던 것으로 이해된다.

⑤ 원문과 현대역

天上 白玉京 十二樓 어듸매오
천상의 백옥경에 십이루가 어디인가
五色雲 깁픈 곳의 紫淸殿이 ᄀᆞ려시니
오색구름 깊은 곳에 자청전이 가렸으니
天門 九萬里를 ᄭᅮᆷ이라도 갈동 말동
하늘 구만리를 꿈에서라도 갈지 말지
ᄎᆞ라리 싀여지여 億萬 번 變化ᄒᆞ여
차리리 죽어서 억만 번 변화하여
南山 늦은 봄의 杜鵑의 넉시 되어
남산 늦은 봄에 두견새의 넋이 되어
梨花 가디 우희 밤낫즐 못 울거든
배꽃 가지 위에 밤낮으로 울지 못하거든
三淸 洞裏의 졈은 한널 구름되여
삼청동 계곡 안에 저문 하늘 구름 되어
ᄇᆞ람의 흘리ᄂᆞ라 紫微宮의 ᄂᆞ라올라
바람에 흩날리어 자미궁[1]에 날아올라
玉皇 香案 前의 咫尺의 나아 안자
옥황상제 책상 앞의 지척에 나아가 앉아
胸中의 싸힌 말숨 쓸커시 ᄉᆞ로리라
가슴속에 쌓인 말씀 실컷 올리리라
어와 이 내 몸이 天地間의 느저 나니
어와 이내 몸이 천지간에 늦게 나니

1 큰곰자리를 중심으로 170개의 별로 이루어진 별자리.

黃河水 ᄆᆞᆰ다만ᄂᆞᆫ 楚客의 後身인가 傷心도 ᄀᆞ이 업고

황하수 맑다마는 굴원[2]의 환생인가 상심도 끝이 없고

賈太傅의 넉시런가 한숨은 무스 일고

가의[3]의 넋이런가 한숨은 무슨 일인가

荊江은 故鄕이라 十年을 流落ᄒᆞ니

형강은 고향이라 십년을 떠돌면서

白鷗와 버디 되여 흠ᄭᅴ 놀자 ᄒᆞ엿더니

갈매기와 벗이 되어 함께 놀자 하였더니

어루ᄂᆞᆫ 듯 괴ᄂᆞᆫ 듯 ᄂᆞᆷ의 업슨 님을 만나

어르는 듯 사랑하는 듯 남의 없는 임을 만나

金華省 白玉堂의 ᄭᅮᆷ이 조차 향긔롭다

금화성과 백옥당의 꿈조차 향기롭다

五色실 니음 졀너 님의 옷슬 못 ᄒᆞ야도

오색실의 길이가 짧아 님의 옷을 못 지어도

바다 ᄀᆞ튼 님의 恩을 秋毫나 갑프리라

바다 같은 님의 은혜를 터럭만큼이나 갚으리라

白玉 ᄀᆞ튼 이 내 ᄆᆞ음 님 위ᄒᆞ여 직희더니

백옥 같은 이내 마음 임 위하여 지키더니

長安 어제밤의 무서리 섯거 치니

서울 어젯밤에 무서리 섞여 치니

日暮 修竹의 翠袖도 冷薄ᄒᆞᆯ샤

해질 무렵 긴 대나무에 푸른 소매가 얇고도 차구나

幽蘭을 것거 쥐고 님 겨신 ᄃᆡ ᄇᆞ라보니

난초를 꺾어 쥐고 임 계신 데 바라보니

---

2 초객楚客. 초왕의 총애를 받다가 모함을 받아 멱라수에 빠져 죽은 굴원屈原을 일컬음.
3 가태부賈太傅. 한나라 때 조정에서 쫓겨나 장사왕에 봉해졌던 가의賈誼를 일컬음.

弱水 ᄀᆞ리진 ᄃᆡ 구름 길이 머흐러라
약수 가려진 곳 구름 길이 험하구나
다 서근 ᄃᆞᆰ긔 얼굴 첫 맛도 채 몰나셔
다 썩은 닭의 얼굴 첫 맛도 채 몰라서
憔悴ᄒᆞᆫ 이 얼굴이 님 그려 이러컨쟈
초췌한 이 얼굴이 임 그려 이러한가
千層浪 ᄒᆞᆫ가온대 百尺竿의 올나더니
천 길 파도 한가운데 백척간에 올랐더니
無端ᄒᆞᆫ 羊角風이 宦海 中의 나리나니
뜻밖의 회오리바람이 벼슬 중에 내리나니
億萬丈 소희 ᄲᅡ져 하ᄂᆞᆯ ᄯᅡ흘 모ᄅᆞᆯ노다
억만 길의 못에 빠져 하늘과 땅을 모르겠네
魯나라 흐린 술희 邯鄲이 므슴 罪며
노나라의 흐린 술에 한단이 무슨 죄며[4]
秦人이 醉ᄒᆞᆫ 盞의 越人이 우음 탓고
진나라 사람 취한 잔이 월나라 사람의 웃음 탓인가[5]
城門 모딘 블의 玉石이 ᄒᆞᆷᄭᅴ ᄐᆞ니
성문의 모진 불로 옥석이 함께 타니
ᄯᅳᆯ 압희 심은 蘭이 半이나 이우레라
뜰 앞에 심은 난이 반이나 시들었네
梧桐 졈은 비의 외기럭이 우러녤 제
오동나무 저물 무렵 비에 외기러기 울며 갈 때

4 노의 묽은 술을 조의 술인 것처럼 초나라에 바치자, 술이 싱겁다 하여 초가 조의 수도인 한단을 포위했다는 고사.

5 진나라와 월나라는 멀리 떨어져 있어 서로 아무런 관련이 없다는 의미.

關山 萬里 길이 눈의 암암 ᄇᆞᆯ피ᄂᆞᆫ 듯
관산 만리 길이 눈에 암암 밟히는 듯
靑蓮詩 고쳐 읇고 팔도 한을 ᄉᆞᆺ쳐 보니
이백의 시[6] 다시 읊고 팔도 한을 스쳐 생각하니
華山의 우ᄂᆞᆫ 새야 離別도 괴로왜라
화산에 우는 새야 이별도 괴로워라
望夫山 前의 夕陽이 거의로다
망부산 앞에 석양이 지는구나
기도로고 ᄇᆞ라다가 眼力의 盡톳던가
기다리고 바라다가 시력이 다했는가
落花 말이 업고 碧窓이 어두으니
떨어진 꽃 말이 없고 푸른 창문 어두워지니
입 노른 삿기 새들 어이도 그리건쟈
입 노란 새끼 새들 어미도 그리워 하는가
八月 秋風이 쒸집을 거두으니
팔월의 가을바람이 띳집을 거둬 내니
뷘 긴의 ᄊᆞ인 알히 水火ᄅᆞᆯ 못면토다
빈 둥지에 쌓인 알이 물과 불을 못 면하네
生離 死別을 ᄒᆞᆫ 몸의 혼자 맛다
살아서 떨어지고 죽어서 헤어진 한 몸이 혼자 맡아
三千丈 白髮이 一夜의 기도 길샤
삼천 길 백발이 하룻밤에 길기도 길구나
風波의 헌 ᄇᆡ ᄐᆞ고 ᄒᆞᆷᄭᅴ 노던 저 뉴덜아
풍파에 헌 배 타고 한께 놀던 저 무리들아

---

6 청련시靑蓮詩. 이백의 시. 청련靑蓮은 중국 당나라 때 시인인 이백李白의 호號.

江天 지ᄂᆞᆫ ᄒᆡ의 舟楫이나 無恙ᄒᆞᆫ가
강천 지는 해에 배와 노는 무탈한가
밀거니 혀거니 灩澦堆ᄅᆞᆯ 겨요 디나
밀거니 당기거니 염여퇴[7]를 겨우 지나
萬里 鵬程을 멀리곰 견주더니
만리를 나는 붕새의 여정과 멀찍이 견주더니
ᄇᆞ람의 다 브치여 黑龍江의 ᄲᅥ러진 ᄃᆞᆺ
바람에 다 떠밀려 흑룡강에 떨어진 듯
天地 ᄀᆞ이 없고 魚雁 無情ᄒᆞ니
천지 끝이 없고 물고기와 기러기조차 무정하니
玉 ᄀᆞᄐᆞᆫ 面目을 그리다가 말년지고
옥 같은 얼굴을 그리다가 말 것인가
梅花나 보내고져 驛路ᄅᆞᆯ ᄇᆞ라보니
매화나 보내고자 역로[8]를 바라보니
玉櫟 明月을 녀 보던 ᄂᆞᆺ 비친 ᄃᆞᆺ
옥들보에 밝은 달은 옛날에 보던 얼굴인 듯
陽春을 언제 볼고 눈비ᄅᆞᆯ 혼자 마자
봄볕을 언제 볼까 눈비를 혼자 맞아
碧海 너븐 ᄀᆞ의 넉시 조차 흣터 지니
푸른 바다 넓은 가에 넋조차 흩어지니
내의 긴 소매ᄅᆞᆯ 눌 위ᄒᆞ여 적시ᄂᆞᆫ고
나의 긴 소매를 누굴 위하여 적시는가

7 배를 타고 무사히 건너기가 불가능할 정도로 험하다는 양자강 구당협瞿塘峽의 여울물 이름.

8 역마驛馬를 갈아타고 숙박을 하는 곳으로 통하는 길.

太上 칠위분이 玉眞君子 命이시니
가장 뛰어난 일곱 분이 옥진군자 명이시니
天上 南樓의 笙笛을 울니시며
천상의 남쪽 누각에서 생황과 피리를 울리시며
地下 北風의 死命을 벗기실가
지하 북풍에 죽을 운명 벗기실까
죽기도 命이요 살기도 하ᄂᆞ리니
죽기도 운명이오 살기도 하늘의 뜻이니
陳蔡之厄을 聖人도 못 면ᄒᆞ며
진과 채 사이에서의 고난[9]을 성인도 못 면하며
縲絏非罪ᄅᆞᆯ 君子인들 어이ᄒᆞ리
죄가 없이 포승에 묶인 것을 군자인들 어찌하리
五月 飛霜이 눈물로 어릐ᄂᆞᆫ 듯
오월의 서릿발이 눈물로 어리는 듯
三年 大旱도 寃氣로 니뢰도다
삼년 큰 가뭄도 원한으로 이뤄지도다
楚囚南冠이 古今의 ᄒᆞᆫ둘이며
초나라에서 남관을 쓰고 갇힌 것이 고금에 한둘이며
白髮黃裳의 셔룬 일도 하고 만타
백발 황상에 서러운 일도 많고 많다
乾坤이 病이 드러 混沌이 죽은 後의
하늘 땅이 병들어 혼돈이 죽은 후에
하ᄂᆞᆯ이 沈吟ᄒᆞᆯ 듯 貫索星이 비취ᄂᆞᆫ 듯
하늘이 침음[10]할 듯 관색성[11]이 비추는 듯

9 진채지액陳蔡之厄. 공자孔子가 진나라와 채나라 사이에서 겪은 고난.
10 속으로 깊이 생각함.

孤情依國의 寃憤만 싸혓시니

홀로 나라를 위하는 마음에 원통함만 쌓였으니

ᄎᆞ라리 轄馬 ᄀᆞ치 눈 ᄀᆞᆷ고 지내고져

차라리 애꾸 말 같이 눈 감고 지내고저

蒼蒼 漠漠ᄒᆞ야 못미들ᄉᆞᆫ 造化일다

아득하고 막막하여 못 믿을 것 조물주로다

이러나 저러나 하ᄂᆞᆯ을 원망ᄒᆞᆯ가

이러나 저러나 하늘을 원망할까

盜跖도 셩히 놀고 伯夷도 餓死 ᄒᆞ니

도척도 잘 놀고 백이도 굶어 죽으니

東陵이 놉픈 작가 首陽이 ᄂᆞᄌᆞᆫ 작가

동릉이 높은 것인가 수양산이 낮은 것인가

南華 三十篇의 議論도 하도 할샤

남화경[12] 삼십 편에 의론도 많기도 많다

南柯의 디난 ᄭᅮᆷ을 ᄉᆡᆼ각거든 슬므어라

남가일몽 지난 꿈을 생각커든 싫고 미워라

故國 松楸를 ᄭᅮᆷ의 가 ᄆᆞᆫ져 보고

고향 소나무 가래나무를 꿈에 가서 만져 보고

先人 丘墓를 ᄭᆡᆫ 後後의 ᄉᆡᆼ각ᄒᆞ니

조상의 묘를 깬 후에 생각하니

九回 肝腸이 굽의굽의 그쳐셰라

구곡간장이 굽이굽이 끊어졌네

瘴海 陰雲의 白晝의 ᄒᆞᆺ터디니

더운 바다 습한 구름 대낮에 흩어지니

---

11 별자리 가운데 하나로, 사람의 운명이 이것이 비추면 감옥에 갇힌다고 함.

12 중국 당나라 현종이 《장자莊子》를 높이 평가하여 내린 이름.

湖南 어늬 고디 鬼蜮의 淵藪런디
호남 어느 곳이 귀신들의 소굴인지
魑魅魍魎이 쓸커디 저즌 ᄀᆞ의
온갖 도깨비가 실컷 물들인 끝에
白玉은 므스 일로 青蠅의 깃시 되고
백옥은 무슨 일로 쉬파리의 집이 되고
北風의 혼자 셔셔 ᄀᆞ업시 우는 뜻을
북풍에 혼자 서서 끝없이 우는 뜻을
하ᄂᆞᆯᄀᆞ튼 우리 님이 젼혀 아니 ᄉᆞᆯ피시니
하늘같은 우리 임이 전혀 아니 살피시니
木蘭 秋菊에 香氣로온 타시런가
목련과 가을 국화의 향기로운 탓이런가
婕妤 昭君이 薄明한 몸이런가
반첩여와 왕소군처럼 박명한 몸이런가
君恩이 믈이 되여 흘러가도 자최 업고
임금 은혜가 물이 되어 흘러가도 자취 없고
玉顔이 ᄭᅩᆺ이로되 눈믈 ᄀᆞ려 못 볼로다
임금 얼굴이 꽃이로되 눈물 가려 못 보겠네
이 몸이 녹아져도 玉皇上帝 處分이요
이 몸이 녹아져도 옥황상제 처분이요
이 몸이 ᄉᆡ여져도 玉皇上帝 處分이라
이 몸이 없어져도 옥황상제 처분이라
노가디고 ᄉᆡ어지여 魂魄조차 흣터지고
녹아지고 없어져서 혼백조차 흩어지고
空山 髑髏 ᄀᆞ치 님자 업시 구니디가
빈산에 해골 같이 임자 없이 구르다가

崑崙山 第一峯의 萬丈松이 되여 이셔
곤륜산 제일봉의 만길 소나무 되어 있어
ᄇᆞ람 비 ᄲᅳ린 소ᄅᆡ 님의 귀예 들니기나
바람 비 뿌린 소리 님의 귀에 들리거나
輪廻 萬劫ᄒᆞ여 金剛山 鶴이 되어
윤회 만겁하여 금강산 학이 되어
一萬 二千峯의 ᄆᆞ음ᄌᆞᆺ 소사올나
일만 이천 봉에 마음껏 솟아올라
ᄀᆞ을 ᄃᆞᆯ ᄇᆞᆯ근 밤의 두어 소ᄅᆡ 슬피 우러
가을 달 밝은 밤에 두어 소리 슬피 울어
님의 귀의 들리기도 玉皇上帝 處分일다
님의 귀에 들리기도 옥황상제 처분이라
ᄒᆞᆫ이 ᄲᅮᆯ희 되고 눈물로 가디 삼아
한이 뿌리 되고 눈물로 가지 삼아
님의 집 창 밧긔 외나모 梅花 되어
남의 집 창 밖에 외나무 매화 되어
雪中의 혼자 픠여 枕邊의 이위ᄂᆞᆫ 듯
눈 속에 혼자 피어 머리맡에 시드는 듯
月中 疎影이 님의 옷의 빗취어든
달빛 속에 성긴 그림자가 임의 옷에 비추거든
어엿븐 이 얼굴을 네로다 반기실가
가여운 이 얼굴을 너로구나 반기실까
東風이 有情ᄒᆞ여 暗香을 블어 올려
동풍이 유정하여 그윽한 향을 불어 올려
高潔ᄒᆞᆫ 이 내 ᄉᆡᆼ계 竹林의나 부치고져
고결한 이내 생애 대나무 숲에나 붙이고저

빈 낙대 빗기 들고 뷘 ᄇᆡ를 혼자 ᄯᅴ워
빈 낚싯대 비껴 들고 빈 배를 혼자 띄워
白溝 건네 저어 乾德宮의 가고 지고
백구 건너 저어 건덕궁에 가고 지고
그려도 ᄒᆞᆫ ᄆᆞ음은 魏闕의 달녀 이셔
그래도 한 마음은 위궐[13]에 달려 있어
ᄂᆡ 무든 누역 속의 님 향ᄒᆞᆫ ᄭᅮᆷ을 ᄭᆡ여
안개 묻은 도롱이 속에 임 향한 꿈을 깨어
一片 長安을 日下의 ᄇᆞ라보고
한 조각 장안을 해 아래에서 바라보고
외오 굿겨 올히 굿겨 이 몸의 타실넌가
그르게 여기든 옳게 여기든 이 몸의 탓이런가
이 몸이 젼혀 몰라 天道 漠漠ᄒᆞ니 물을 길이 젼혀 업다
이 몸이 전혀 몰라 하늘 길 막막하니 물을 길이 전혀 없다
伏羲氏 六十四卦 天地萬物 상긴 ᄯᅳᆺ을
복희씨 육십사괘 천지만물 생긴 뜻을
周公을 ᄭᅮᆷ의 뵈와 ᄌᆞ시이 뭇ᄌᆞᆸ고져
주공을 꿈에 뵙고 자세히 묻고 싶네
하ᄂᆞᆯ이 놉고 놉하 말 업시 놉흔 ᄯᅳᆺ을
하늘이 높고 높아 말 없이 높은 뜻을
구름 우희 ᄂᆞᄂᆞᆫ 새야 네 아니 아돗더냐
구름 위에 나는 새야 네 아니 알겠느냐
어와 이 내 가ᄉᆞᆷ 산이 되고 돌이 되여 어듸어듸 사혀시며
어와 이내 가슴 산이 되고 돌이 되어 어디어디 쌓였으며

---

13 대궐의 문.

비 되고 믈이 되여 어듸어듸 우러 녤고
비 되고 물이 되어 어디어디 울며 갈까
아모나 이 내 ᄶᅳᆺ 알 니 곳 이시면
아무나 이내 뜻 알 이 곧 있으면
百歲交遊 萬世相感 ᄒᆞ리라
평생토록 사귀며 영원히 교감하리라

32. 명월음明月吟

① 작품명 : 명월음明月吟

② 작자명 : 최현(崔晛, 1563～1640)

최현의 본관은 전주全州, 자는 계승季昇, 호는 인재認齋, 시호는 정간定簡이다. 경상도 선산부 해평현 송산(현 경북 구미시 해평면 해평동)에서 태어나 어릴 때부터 자질이 뛰어나고 문장에 비범한 능력이 있었다고 전해진다.

두곡 고응척(1531～1605), 학봉 김성일(1538～1593), 한강 정구(1554～1637)에게서 다양한 학문을 수학하고 학맥을 이었다. 선조 21년(1588)에 사마시에 합격했으며, 임진왜란이 일어나자 의병을 일으켜 공을 세웠다. 이때 우국지정을 주조로 하는 〈명월음〉·〈용사음〉 등 두 편의 전쟁가사를 남겼다. 저서로 《인재집》과 선산 지방의 읍지인 《일선지一善誌》를 남겼고, 가사작품 외에도 《금생이문록琴生異聞錄》이라는 몽유록계 작품도 남겼다.

③ 출전 : 《인재속집認齋續集》 권8, 《인재가사고認齋歌辭考》 영남가사문학연구 1(홍재휴, 《논문집》 8, 대구교대, 1973)

④ 해제

이 작품은 임진왜란 당시 최현이 지은 가사로, 그의 다른 가사 〈용사음〉과 함께 《인재속집認齋續集》 권8에 실려 전한다. 임진왜란으로 몽진蒙塵 길에 오른 임금을 명월에 비겨, 우국연주憂國戀主의 애틋한 정을 노래하고 있다. 맑은 하늘에서 밝게 빛나며 만물을 비추던 달이었으나 지금은 구름에 가리어져 천지가 어두워졌음을 통탄하지만, 일편단심으로 다시금 밝은 명월 볼 날을 기다리겠노라는 내용이다. 박인로의

〈선상탄〉·〈태평사〉와 함께 임진왜란을 소재로 한 전쟁가사이다.

⑤ 원문과 현대역

ᄃᆞᆯ아 ᄇᆞᆰ근ᄃᆞᆯ아 靑天의 ᄯᅧᆺᄂᆞᆫᄃᆞᆯ아
달아 밝은 달아 푸른 하늘에 떠 있는 달아
얼굴은 언제 나며 ᄇᆞᆰ기ᄂᆞᆫ 뉘삼기뇨
얼굴은 언제 나며 밝기는 누가 만들었나
四山의 ᄒᆡ숨고 긴밤이 沈沈ᄒᆞᆫ제
서산에 해 숨고 긴 밤이 어두컴컴 할 때
靑簾을 여러노코 寶鏡을 닷가내니
푸른 발을 열어 놓고 보배 거울을 닦아내니
一片 光輝예 八方이 다 ᄇᆞᆰ거다
한 조각 달빛으로 온 세상이 다 밝구나
ᄒᆞᄅᆞ밤 ᄎᆞᆫᄇᆞ람의 눈의온가 서리온가
하룻밤 찬바람에 눈이 왔나 서리 왔나
어이ᄒᆞᆫ 乾坤이 白玉京이 도엿ᄂᆞᆫ고
어이하여 온 세상이 백옥경[1]이 되었는고
東窓 채ᄇᆞᆰ거늘 水精발을 거러노코
동창이 채 밝거늘 수정 발을 걸어 놓고
瑤琴을 빗기안아 鳳凰曲을 타집흐니
요금[2]을 비껴 안고 봉황곡을 타 짚으니
聲聲이 淸遠ᄒᆞ여 太空의 드러가니
소리소리 맑고 은은하여 먼 하늘[3]까지 들어가니

---

1 도가道家에서 말하는 옥황상제가 있는 곳.
2 옥으로 꾸민 거문고. 또는 아름다운 소리를 내는 거문고.

婆娑 桂樹下의 玉兎도 도라본다

달 속의 계수나무 아래 옥토끼도 돌아본다

搖璃 琥珀酒를 ᄀᆞ독부어 權챠ᄒᆞ니

유리에 호박주를 가득 부어 권하자 하니

有情ᄒᆞᆫ 姮娥도 전맛티 ᄇᆞ시얏다

유정한 항아도 잔 밑에서 빛이 난다

淸光을 머그므니 肺腑의 흘너드러

맑은 빛[4]을 머금으니 마음속에 흘러들어

浩浩ᄒᆞᆫ 胸中이 아니바친 굿기업다

넓고 넓은[5] 가슴 속이 아니 비친 구멍 없다

옷가ᄉᆞᆷ 헤쳐내여 廣寒殿을 도라안자

옷가슴 헤쳐 내어 광한전[6]에 돌아앉아

ᄆᆞᄋᆞᆷ의 먹은 ᄯᅳᆺ을 다ᄉᆞ로려 ᄒᆞ엿더니

마음에 먹은 뜻을 다 아뢰려 하였더니

숨구즌 浮雲 어드러셔 ᄀᆞ리안고

심술궂은 뜬구름이 어디서 와 가리었나

天地 晦盲ᄒᆞ야 百物을 다못보니

천지가 캄캄하여[7] 온갖 것을 볼 수 없으니

上下 四方애 갈길흘 모를노다

위아래 사방에 갈 길을 모르노라

遙岑 半角애 녯빗치 빈취ᄂᆞᆫᄃᆞᆺ

멀리 우뚝 선 산봉우리에 옛빛이 비치는 듯

---

3 태공太空. 까맣게 높고 먼 하늘.

4 청광淸光. 깨끗하고 밝은 빛.

5 회맹晦盲. 끝없이 넓고 큰 모양.

6 달 속에 있다는 상상 속 궁전.

7 캄캄하여 보이지 아니함.

雲間의 나왓더니 ᄣᅦ구름 밋처나니
구름 사이 나왔더니 떼구름이 밑에 나니
熹微ᄒᆞᆫ ᄒᆞᆫ비치 漸漸 아ᄃᆞᆨ ᄒᆞ여온다
희미한 한 빛이 점점 아득하여 온다
重門을 다다노코 庭畔의 ᄯᅩ로셔셔
중문을 닫아 놓고 뜰 구석에 따로 서서
梅花 ᄒᆞᆫ가지 桂影인가 도라보니
매화 한 가지 계수나무 그림자인가 돌아보니
처량ᄒᆞᆫ 暗香이 날조쳐 시름ᄒᆞᆫ다
처량한 매향이 나처럼 시름한다
疎廉을 지워노코 洞房애 혼자안자
성긴 발[8]을 치워 놓고 침실[9]에 혼자 앉아
金鵲鏡 ᄭᆡᆯ텨나여 壁上애 걸어두니
금작경[10] 닦아내어 벽 위에 걸어 두니
제몸만 ᄇᆞᆯ키고 ᄂᆞᆷ비칠줄 모ᄅᆞᄂᆞ다
제 몸만 밝히고 남 비출 줄 모르구나
團團 紈扇으로 긴ᄇᆞ람 브처내여
둥그런 흰 비단 부채로 긴 바람 부쳐내어
이 구름 다 것고쟈 淇園 綠竹으로
이 구름 다 걷고자 기원[11] 녹죽으로
一天丈 뷔ᄅᆞᆯ ᄆᆡ야 져구름 다ᄡᅳᆯ고쟈
천 길의 비를 매어 저 구름 다 쓸고자

---

8 '소렴疎簾'이 바른 표기. 성기게 엮은 발.

9 동방洞房. 깊숙한 침실이나 규방閨房.

10 황금까치를 조각한 거울.

11 지금의 하남성河南省 기현淇縣의 옛 지명. 대나무의 명산지였음.

長空은 萬里오 이몸은 塵土니

하늘은 만리요 이 몸은 먼지니

서의ᄒᆞᆫ 이내뜻이 혜ᄂᆞ니 虛事로다

서의12한 이내 뜻이 생각하니 허사로다

ᄀᆞ득 시름 한ᄃᆡ 긴밤이 어도록고

가뜩이나 시름 많은데 긴 밤이 어떻겠는가

輾轉 反則ᄒᆞ여 다시름 ᄉᆡᆼ각ᄒᆞ니

뒤척이며 잠 못 들어 다시금 생각하니

盈虛 消長이 天地도 無窮ᄒᆞ다

차면 기울고 사라지면 성하니 천지도 무궁하다

風雲이 變化ᄒᆞᆫᄃᆞᆯ 本色이 어ᄃᆡ기료

풍운이 변화한들 본 모습이 어디 가리오

우리도 丹心을 직희여 明月볼날 기ᄃᆞ리노라.

우리도 단심을 지켜 명월 볼 날 기다리노라

12 서의誓意. 맹세하는 마음.

33. 매창월가梅牕月歌

① 작품명 : 매창월가梅牕月歌

② 작자명 : 이인형(李仁亨, 1436~1504)

이인형은 조선 전기 문신으로, 자는 공부公夫, 호는 매헌梅軒이다. 점필재佔畢齋 김종직金宗直의 문하이며, 갑자사화 때 부관참시를 당했다. 저서로 《매헌선생실기》·《매헌집》이 전한다.

③ 출전 : 목판본 《매헌선생실기梅軒先生實記》(1869)

④ 해제

이 작품은 작자가 만년에 벼슬에서 물러나 지은 가사로 창작 시기는 1475년(성종 6)경이다. 용두정龍頭亭을 짓고 은일군자의 생활을 하면서 지은 작품이다. 내용은 매梅·창牕(窓)·월月을 벗하여 있으면 일배주一杯酒요, 없으면 청담을 나누며 한거하는 풍정을 노래한 것이다. 정극인의 〈상춘곡〉이 창작된 직후에 지은 것으로 보기도 하다.

⑤ 원문과 현대역

梅窓에 ᄃᆞᆯ리ᄯᅳ니 梅窓의 景이로다
매창에 달이 뜨니 매창의 경치로다
梅는 엇더ᄒᆞᆫ梅고 林處士 西湖에
매는 어떠한 매인가 임처사[1]가 서호에

1 임 처사는 송나라 은둔처사인 임포林逋.

氷肌玉魂과 脈脈淸宵에 吟詠ᄒᆞ던 梅花로다

빙기 옥혼[2]과 맥맥 청소[3]에 읊조렸던 매화로다

窓은 엇더ᄒᆞᆫ窓고 陶靖節先生

창은 어떠한 창인가 도정절 선생[4]

灑酒葛巾ᄒᆞ고 無絃琴 집푸며

쇄주갈건[5]하고 무현금[6] 짚으며

瑟瑟 淸風에 비기엿던 窓이로다

슬슬 맑은 바람에 비꼈던 창이로다

달은 엇더ᄒᆞᆫ 달고 李謫僊 豪傑이

달은 어떠한 달인가 이적선[7] 호걸이

采石 江頭에 一釣船 ᄯᅴ워두고

채석강 머리에 낚시 배 띄워두고

夜被錦袍 倒著接履 玉盞에 수를부어

야피 금포[8] 도착접리[9]하고 옥잔에 술을 부어

靑天을 向ᄒᆞ야 問ᄒᆞ든 달리로다

푸른 하늘을 향하여 물었던 달이로다

梅도 이梅요 窓도 이窓이요 달도 이달리니

매도 이 매요 창도 이 창이요 달도 이 달이니

이시면 一盃酒요 업시면 淸談이니

있으면 일배주요 없으면 청담이니

---

2 얼음처럼 깨끗한 살결과 옥과 같은 정신.
3 서로 정을 품고 바라보기만 하는 맑은 밤하늘.
4 도정절陶靖節 선생은 진晋나라 도연명陶淵明. 곧 도잠陶潛의 별칭임.
5 갈건으로 술을 거름.
6 줄 없는 거문고.
7 이적선은 하늘에서 귀양 온 신선이라는 뜻으로 당나라 때 시인 이백李白을 가리킨 말.
8 밤에 비단옷을 입음.
9 두건을 거꾸로 씀. 접리의 한자 표기는 接䍦.

平生의 ᄒᆞᆫ詩를 을푸기죠와 ᄒᆞ노라.

평생의 한 시를 읊기 좋아 하노라.

34. 목동가牧童歌

① 작품명 : 목동가牧童歌

② 작자명 : 임유후(任有後, 1601~1673)

임유후는 조선 중기의 문신이다. 본관은 풍천豐川, 자는 효백孝伯이며, 호는 만휴당萬休堂 또는 휴와休窩, 시호는 정희貞僖이다. 부친 임수정林守正은 홍문관교리弘文館校理를 지냈는데, 부친의 요절夭折로 편모슬하에서 성장하였다. 그는 72세 때까지 벼슬을 하였으며 73세 때 병환으로 세상과 이별하였다. 문집으로 《만휴집萬休集》(11권 4책)과 《휴와잡찬休窩雜纂》(단권 1책)이 있으며 시조 1수가 전한다.

③ 출전 : 필사본 《동국가사東國歌辭》

④ 해제

〈목동가〉는 지은이가 61세 때인 조선 현종顯宗 2년(1661)에 강원도 울진蔚珍에서 신병으로 정양하고 있을 무렵에 지은 가사이다. 작품 전체의 길이는 모두 77행이고 국한문혼용체로 되어 있다. 내용은, 전반부는 목동에게 묻는 말이고, 후반부는 목동이 대답하는 말이다. 문답체로 짜여 있어 일명 〈목동문답가〉라고도 한다. 문가問歌에서는 지은이가 목동에게 인생의 궁달窮達에는 귀천이 상관없으므로 방명芳名을 떨치는 것이 어떠하겠는가 하고 권면하는 내용인데, 답가答歌는 이를 부정하는 태도로 답하고 있다. 필사본으로 전하는 이본이 5, 6종 있다.

⑤ 원문과 현대역

綠楊 芳草岸의 쇼 먹이는 아희들아
녹양방초 언덕에서 소 먹이는 아이들아
世間 榮辱을 아는다 모ᄅᆞᄂᆞᆫ다
인간 영욕을 아는가 모르는가
人生 百年이 플긋ᄒᆡ 이슬이라
인생 백 년이 풀끝에 이슬이라
三萬 六千日이 긔 아니 草草ᄒᆞ냐
삼만 육천 일을 다 살아도 초초[1]하냐
ᄒᆞ믈며 修短이 命이어니 死生을 定ᄒᆞᆯ소냐
하물며 수단[2]이 명이어니 사생을 정할쏘냐
逆旅ᄀᆞ튼 乾坤의 蜉蝣ᄀᆞ티 부텨 두고
역려같은 건곤에 하루살이[3]같이 나왔다가
功名을 못일오고 草木ᄀᆞ티 석거지면
공명을 못 이루고 초목같이 썩어지면
空山 白骨이 긔 아니 늣거오냐
빈 산 백골이 그 아니 느껍느냐[4]
繼天 立極은 古聖人의 事業이오
단천 입극은 고성인의 사업이오
流芳 百歲ᄂᆞᆫ 大丈夫의 ᄒᆞᆯ 일이라
유방 백세는 대장부의 할 일이라

---

1 보잘것없이 초라함.
2 길고 짧음.
3 부유蜉蝣. 하루살이목에 속한 곤충.
4 마음에 북받쳐 참거나 견뎌내기 어려우냐.

生涯는 有限ᄒᆞ고 死日이 無窮ᄒᆞ니
생애는 유한하고 사일이 무궁하니
有限ᄒᆞᆫ 生涯로셔 석지 아닐 芳名을
유한한 생애로서 썩지 않을 방명[5]을
傳之 永久ᄒᆞ여 與天地 無窮ᄒᆞ려
전지 영구하여 여천지 무궁하여
詩書 百家語을 字字히 외와 내여
시서 백가를 자자히 외워 내어
孔孟 顏曾을 일일마다 法 바다셔
공맹 안증을 일마다 법 받으며
稷契노 期約ᄒᆞ고 堯舜을 비저 내여
직설[6]를 기약하고 요순을 빚어 내어
八荒 四海를 壽域의 올녀 두고
온 세상을 수성에 올려 두고
鰥寡 孤獨이 德澤의 ᄡᅡ엿거나
환과 고독[7]이 덕택에 쌓였거나
孫吳 아희 보ᄃᆺ 衛霍인들 혜아리랴
손오 아이 보듯 위곽[8]인들 헤아리랴
千兵 萬馬ᄅᆞᆯ 指揮間의 너허 두고
천만 군병과 만마를 지휘 중에 넣어 두고

---

5 꽃다운 이름.

6 순舜임금의 신하 후직后稷과 설契.

7 ① 늙고 아내가 없는 사람을 환鰥이라고 하고 젊어서 남편을 잃은 사람을 과寡라고 함.
② 어리며 부모가 없는 사람을 고孤라고 하고 늙어서 자식이 없는 사람을 독獨이라고 함.

8 전한前漢 사람으로 위청衛青과 곽거병霍去病을 이름. 두 사람은 흉노를 무찔러 큰 공을 세움.

風雲늘 부러 내여 宇宙를 흔들니라
풍운을 불러 내어 우주를 흔들리라
天山의 활을 걸고 瀚海를 뚜여 건너
천산에 활을 걸고 한해를 뛰어 건너
長劍을 쌔혀 내여 靑天의 倚支ᄒᆞ야
장검을 뽑아 내어 청천의 의지하여
魑魅 魍魎을 다 모라 내친 後의
이매망량[9]을 다 몰아 내친 뒤에
말만ᄒᆞᆫ 將軍印을 허리 아래 빗기 ᄎᆞ고
말만한 장군 인장[10]을 허리 아래에 비껴 차고
凌烟閣의 像을 그리고 五鼎食을 누리거나
능연각에 형상을 그리고 오정식[11]을 누리거나
내 才操 淺狹ᄒᆞ여 將相이 못되여도
내 재조 천협[12]하여 장상이 못 되어도
翩翩 濁世예 佳士나 되오리라
편편 탁세[13]에 가사[14]나 되오리라
錦肝 繡腸의 五車書 너허 두고
금수 간장에 오거서 넣어 두고
風雲 月露을 붓긋흐로 戱弄ᄒᆞ면
풍운 월로를 붓 끝으로 희롱하면

---

9 리매망량. 온갖 도깨비와 귀신. 또는 어처구니없이 허무맹랑한 사람을 얕잡아 일컫는 말.

10 군을 통솔 지휘하는 무관의 인장.

11 다섯 개의 솥을 착 벌려 놓고 먹는다는 뜻. 귀한 사람의 밥 먹음을 가리킴. 또는 진수성찬.

12 얕고도 좁음.

13 가볍게 나부끼거나 훨훨 나는 것과 같이 도덕이 어지럽게 되어 더러운 세상. 속세.

14 훌륭한 선비.

獜鳳 龜龍이 노니ᄂᆞᆫ ᄃᆞᆺ 춤추ᄂᆞᆫ ᄃᆞᆺ
인황 구용이 노니는 듯 춤추는 듯
祥光을 비앗ᄂᆞᆫ ᄃᆞᆺ 五色 燦爛ᄒᆞ며
상광을 뱉어난 듯 오색이 찬란하며
變化 不測ᄒᆞ여 서로 가람 뒤트ᄂᆞᆫ ᄃᆞᆺ
변화 불측하여 서로 강이 뒤트는 듯
夜光 明月과 珊瑚 白璧이 疊疊히 ᄡᅡ혓ᄂᆞᆫ ᄃᆞᆺ
야광 명월과 산호 백벽이 첩첩히 쌓였는 듯
娥皇 女英은 錦瑟을 怨ᄒᆞᄂᆞᆫ ᄃᆞᆺ
아황 여영은 금슬을 원망하는 듯
弄玉과 王子晋은 白玉簫을 빗겻ᄂᆞᆫ ᄃᆞᆺ
농옥과 왕자진은 백옥소를 비껴 부는 듯
三十 六帝와 上界 郡仙들은
삼십 육제와 상계 군선들은
匂天 廣樂을 十二樓의 베여ᄂᆞᆫ ᄃᆞᆺ
내천[15] 광락을 십이루에 베어난 듯
金宮 玉闕의 聖人을 뫼ᄋᆞᆸ고셔
금궁 옥궐의 성인을 뫼옵고서
靑雲 紫陌의 榮辱도 그지 업다
청운 자맥[16]의 영욕도 그지없다
天門 九重의 文翰으로 누리다가
천문 구중의 문한으로 누리다가
石室 金匱ᄅᆞᆯ 萬世예 流傳ᄒᆞ면
석실 금궤를 만세에 유전하면

15 하늘.
16 도성都城의 길.

쇼 먹이는 뎌 아희아 그 아니 즐거오냐
소 먹이는 저 아이야 그 아니 즐거우냐
이 세 일 떨친 後면 흔 일이 젼혀 업다
이 세 일 떨친 뒤면 한 일이 전혀 없다
하늘이 사름 낼 제 눌을 아니 용캐 흐며
하늘이 사람 낼 제 누구를 아니 용서하며
나라히 사름 쓰기 貴賤을 아니 보니
나라에 사람 쓰기 귀천을 아니 보니
하늘 내신 내 몸을 닷가내면 士君子오
하늘 내신 내 몸을 닦아내면 사군자요
더뎌 두면 愚下로다 내 才操 가지고서
던져두면 우하로다 내 재주 가지고서
흔 몸만 용챠 흐면 懷寶 迷邦이라
한 몸만 용차하면 희보 미방이라
世上이 뉘 알소니 仔細히 드러스라
세상이 뉘 알소니 자세히 들었어라
손 곱혀 니르리라 傳說은 달고 들고
손꼽아 이르리라 전설은 달고 들고
伊尹은 솟흘 지고 呂尙은 낙시 들고
이윤[17]은 솥을 지고 여상[18]은 낚시 들고
寧戚과 百里奚는 쇼치기예 늙어시니
영척과 백리해[19]는 소치기에 늙었으니

17 은殷나라 탕왕湯王 때 정승.
18 주周나라 문왕文王의 스승으로 상부尙父란 존칭을 받은 태공망太公望 여상呂尙을 이름.
19 진秦나라 때의 현인賢人.

艱難코 賤ᄒᆞ기야 이 사름만 ᄒᆞ랴마는
가난하고 천하기야 이 사람만 하랴마는
高宗이 夢卜ᄒᆞ고 天乙을 달래오며
고종이 몽복하고 천을을 달래오며
後車 羆熊이 牧野의 鷹揚ᄒᆞ니
후차 비웅[20]이 목야에 응양[21]하니
白石歌 그치티고 五羖皮예 풀녀가니
백석가 그치고 오고피[22]에 팔려가니
人生 窮達이 貴賤이 아롱곳가
인생의 궁달이 귀천이 아랑곳한가
어와 뎌 아희아 이 말을 들엇ᄂᆞᆫ다
어와 저 아이야 이 말을 들었는가
風雲을 픔엇ᄂᆞᆫ다 棟樑村를 가졋ᄂᆞᆫ다
풍운을 품었는가 동량촌을 가졌는가
時命이 그르더냐 富貴을 써리ᄂᆞᆫ다
시명이 그러더냐 부귀를 꺼리는가
不識 不知ᄒᆞ야 庶事를 ᄇᆞ렷ᄂᆞᆫ다
무식하고 알지 못해 잡다한 일 버렸는가
立身 揚名을 外物노 더뎌 두고
입신 양명을 외물로 던져 두고
烟郊 草野의 오락가락 ᄒᆞᄂᆞᆫ다
연교 초야에 오락가락 하는구나

---

20 곰과 말곰을 아울러 이르는 말.
21 매가 하늘을 날아오름. 위엄과 힘을 떨침을 이르는 말.
22 숫양 가죽 다섯 개.

어와 긔 뉘신고 긔 엇던 ᄉᆞᄅᆞᆷ인고
어와 그 누구신고 그 어떤 사람인고
形容이 枯槁ᄒᆞ니 楚大夫 三閭신가
형용이 고고하니 초대부 삼려신가
殘魂이 零落ᄒᆞ니 柳學士 子厚신가
잔혼이 영락하니 유학사 자후신가
눈ᄡᅥᆸ을 찡긔시니 근심이 만흐신가
눈썹을 찡그리니 근심이 많으신가
발긋흘 뎌기시니 어ᄃᆡ을 ᄇᆞ라ᄂᆞᆫ고
발끝을 적시시니 어디를 바라는고
佳期를 ᄇᆞ라ᄂᆞᆫ가 別恨이 重ᄒᆞ신가
가기[23]를 바라는가 별한이 중하신가
日暮 修竹의 혼자 어득 혀 이셔셔
일모 수죽에 혼자 어둑히[24] 있어서
내 근심 더뎌 두고 무ᄉᆞᆷ 말ᄉᆞᆷ ᄒᆞ시ᄂᆞᆫ고
내 근심 던져두고 무슨 말씀 하시는고
榮枯[25]ᄂᆞᆫ 關數ᄒᆞ고 富貴ᄂᆞᆫ 在天이라
영고는 관수[26]하고 부귀는 재천[27]이라
求ᄒᆞᆫ들 겨ᄐᆡ 오며 더뎌 둔들 어ᄃᆡ 갈고
구한들 곁에 오며 던져 준들 어디 갈고
天生 萬物ᄒᆞ샤 살올 일이 다 이시니
천생 만물하사 살 일이 다 있으니

---

23 아름답고 좋은 계절.
24 가물가물할 정도로 몹시 멀고 희미함.
25 영화롭고 마름. 즉 '인생이 꽃피고 시든다.'는 뜻.
26 운수소관.
27 부귀는 하늘이 부여하는 것이라 사람의 힘으로는 어찌할 수 없음을 이르는 말.

우리ᄂᆞᆫ 蠢蠢ᄒᆞ여 大道을 못알아도
우리는 준준하여[28] 대도를 못 알아도
人生도 져러토다 쇼치기예 아농굿가
인생도 저렇도다 소치기에 알았던가
쇼아지 어이 조차 柳陰間의 절노 노혀
송아지 어이 쫓아 유음 간에 절로 놓여
쇼아지 어이 조차 시내믈 흘니마셔
송아지 어이 좇아 시냇물 흘러 마셔
프삼괴 쪠텨 먹고 시내믈 흘니마셔
푸성귀 뜯어 먹고 시냇물 흘러 마셔
누으락 니러나락 제 뜻으로 ᄃᆞᆫ니기와
누었다 일어났다 제 뜻으로 다니다가
귀뚜레 코 쎄이고 긴 곳비 굿게 ᄆᆡ여
귀뚜레 코 꿰이고 긴 고삐 굳게 매어
고은 각대 솔몬 콩을 ᄇᆡᄭᆞ장 찰지라도
곧은 낚대 삶은 콩을 배까지 찰지라도
블ᄀᆞ튼 녀름볏히 한보ᄅᆞᆯ 마조 메워
불같은 여름 볕에 한 보[29]를 마주 메워
고든 멍에 긴 국채로 一生에 役役ᄒᆞ니
곧은 멍에 긴 국채로 일생에 역역[30]하니
어나ㅣᄂᆞᆫ 閑暇ᄒᆞ며 어ᄂᆡᄂᆞᆫ 苦惱온고
어느 날은 한가하며 어느 날은 고뇌[31]한고

28 어리석고 둔하여.
29 논에 물을 대기 위하여 둑을 쌓고 냇물을 끌어들이는 곳.
30 힘들게 일함.
31 몸과 마음이 괴로움.

제 中의 볼작시면 一時에 빗나기야
제 중에 볼작시면 일시에 빛나기야
犧牲만 ᄒᆞᆯ손가 헌덕셕 벗질너
희생만 할 건가 헌 덕석[32] 벗겨내어
錦을 ᄀᆞ라 덥고 ᄉᆞᆺ굴네 글너 더져
금을 갈아 덥고 소쿠리에 굴러 던져
紅絲을 얼거 내여 禮官이 곳비 들고
홍실을 얽어 내어 예관이 고삐 들고
太廟의 드러가셔 庖丁의 큰 도ᄎᆡ예
태묘에 들어가서 포정의 큰 도채에
骨節이 제금나니 저ᄃᆞ려 무러보면
골절이 제금나니[33] 저더러 물어보면
어ᄂᆞ 쇠 되랴 ᄒᆞᆯ고
어느 소 되라 할꼬
우리ᄂᆞᆫ 일노 보와 내 分만 ᄃᆡᆨ히노라
우리는 일로 보아 내 분수만 지키노라
古以에 어딜기야 孔子만 ᄒᆞ랴마ᄂᆞᆫ
예부터 지금까지[34] 어질기야 공자만 하랴마는
匡人에 ᄡᆞ이시고 陳蔡에 厄을 보샤
광인에 쌓이시고 진채에 액[35]을 보사
五國 城中에 木鐸이 되오시니
오국 성중에 목탁이 되었으니

32 소등을 덮어주기 위해 망든 멍석.

33 따로나다.

34 고이古以. 자고이래自古以來.

35 진채지액陳蔡之厄, 공자가 진나라와 채나라 사이에서 당當한 봉변을 말함.

막대 박고 밧가더니 긔 아니 올톳던가
막대 박고 박았더니 그 아니 옳았던가
怨讐ᄅᆞᆯ 다 갑흐니 나라히 편케 되니
원수를 다 갚으니 나라가 편하게 되니
夫差의 鐲縷劒을 伍子胥ᄅᆞᆯ 주닷 말가
부차[36]의 촉루검을 오자서[37]를 준단 말인가
忠誠이 업닷던가 功烈이 젹돗던가
충성이 없었던가 공렬이 적었던가
上蔡東門 누론 개ᄅᆞᆯ 願ᄒᆞᆫ들 어이ᄒᆞᆯ고
상채동문[38] 누런 개를 원한들 어이할까
ᄂᆞᄂᆞᆫ 새 다 ᄡᅩᆫ 後에 화살이 아롱굿가
나는 새 다 쏜 후에 화살이 아롱대는가[39]
산양개 ᄉᆞᆯ믈노다 톡기을 다 잡아다
사냥개 삶으려다 토끼를 다 잡아다
淮陰候 무ᄉᆞᆷ 罪로 三族을 다 죽이며
회음후[40] 무슨 죄로 삼족을 다 죽이며
白起ᄂᆞᆫ 엇지ᄒᆞ야 武安候 못진니고
백기[41]는 어찌하여 무안후 못 지키고

---

36 중국 춘추시대 오왕吳王(B.C.495~473) 오패五覇의 한 사람.
37 중국 춘추시대 오왕 부차를 도와 월왕 구천을 항복시킨 장수.
38 진시황 때 최고의 권신 이사李斯가 환관 조고趙高의 무함을 당하여 허리를 베어 죽이는 형벌을 당할 때 형장에 나타난 아들을 보고 '나는 너와 함께 고향인 상채 지방의 동문에 나가 누른 개를 이끌고 토끼나 잡으며 살고 싶었는데 이제는 후회해도 소용없게 되었구나'라고 한데서 온 말.
39 또렷하지 아니하고 조금 흐릿하게 아른거림.
40 한나라 때 한신韓信.
41 진나라 때 소왕昭王을 섬기며 전공을 세움. 무안군武安君에 봉해짐.

文人은 녜로브터 살람ᄆᆞ다 薄命ᄒᆞ니
문인은 예로부터 사람마다 박명하니
萬丈 光焰이야 李杜을 욀가마ᄂᆞᆫ
만장 광염이야 이백과 두보[42]를 욀까마는
樓船 迫脅의 夜郎이 어ᄃᆡ런고
누선 박협의 야랑[43]이 어디던가
成都 草堂의 生計도 苦楚홀샤
성도 초당에 생계도 괴롭고 어려울사
바다ᄀᆞ튼 文章이 世上에 ᄯᅩ 잇던가
바다같은 문장이 세상에 또 있던가
春風 洞庭의 믈결조차 니러나니
춘풍 동정의 물결조차 일어나니
潮州 八千里에 故國도 멀셰이고
조주 팔천리에 고국도 멀리 있고
玉佩 瓊琚의 글이나 못ᄒᆞ던가
옥패[44] 경거[45]의 글이나 못 하던가
投荒 十二年의 罪罰이 못찻던가
투황 십이 년의 죄벌이 못 찼던가
越江 거럼길히 눈믈도 그지업다
월강 걸음 길에 눈물도 그지없다
眉山 草木은 물 위ᄒᆞ여 여위관ᄃᆡ
미산 초목은 물 위에 여위어 가는데

---

42 이두李杜. 이백과 두보의 병칭.

43 중국 귀주貴州의 서경西境에 있던 오랑캐. 한무제 이후 한나라의 세력 아래 있었으나 그 명령에 복종하지 않았기 때문에 왕통이 끊어졌음.

44 벼슬아치의 예복禮服 위에 좌우左右에 늘이어 차는 옥.

45 아름다운 옥玉이라는 뜻으로 훌륭한 선물을 이르는 말.

瀟湘 南畔의 무슴 일로 내쳐 이셔

소상[46] 남반의 무슨 일로 내처 있어

玉樓 高處를 못니저 ᄒᆞ돗던고

옥루 고처를 못 잊어 하였던가

芰荷로 옷슬 짓고 蘭草를 엿거 차셔

기하[47]로 옷을 짓고 난초를 엮어 차서

離騷 九歌의 文字야 윌가마는

이소 구가의 문자야 외울까마는

湘江의 혼자 ᄭᅵ여 澤畔의 내쳐시니

상강에 혼자 깨어 택반에 내쳤으니

黃昏이 드러온들 美人이 오돗던가

황혼이 들어온들 미인이 올 것인가

山中의 麝香 놀리 깁피도 잇건마ᄂᆞᆫ

산중에 사향[48] 놀이 깊이도 있건마는

春風이 헌ᄉᆞᄒᆞ야 香내를 부러내니

춘풍이 떠들썩하여 향기를 불어내니

山자희 ᄂᆞᆯ낸 살흘 免키도 어렵거든

산자락 날랜 살을 면키도 어렵거든

ᄃᆞᆫ 밋기 헌 낙시를 엇더타 ᄃᆞ토ᄂᆞᆫ고

단 미끼 헌 낚시를 어쩌다 다투는고

人生이 ᄭᅮᆷ이어니 인흠인들 關係ᄒᆞ랴

인생이 꿈이어니 이름인들 관계하랴

---

46 중국 호남성湖南省 동정호洞庭湖의 남쪽에 있는 소수瀟水와 상강湘江을 아울러 이르는 말. 그 부근에는 경치가 아름다운 소상 팔경이 있음.

47 연꽃잎 따서 만든 옷.

48 사향노루의 하복부에 있는 향낭을 쪼개어 말린 흑갈색黑褐色의 가루. 약재藥材나 향료香料 따위로 쓰임.

醉ᄒᆞ야 사랏다가 ᄭᅮᆷ 속의 죽어디면
취하여 살았다가 꿈속에 죽어지면
滔滔 萬古의 ᄭᅵ여나리 몃 낫치리
도도 만고의 깨어난 날이 며칠일까
箕山의 귀 씻기와 上流의 쇼 먹이기
기산의 귀 씻기와 상류의 소 먹이기
긔 엇더 ᄒᆞ닷 말고 내 노래 들어보소
그 어찌 하다 말고 내 노래 들어 보소
ᄒᆞᆫ 曲調 부ᄅᆞ리라 長安이 어ᄃᆡ매오
한 곡조 부르리라 장안이 어디인가
구름이 ᄶᅵ여셰라 山光이 어두오니
구름이 끼였어라 산광이 어두우니
夕陽이 거의로다 功名을 내 아더냐
석양이 거의로다 공명을 내 알더냐
富貴도 내 몰내라 되롱이 ᄎᆔ혀 매고
부귀도 내 몰라라 도롱이 취하여 매고
洞簫ᄅᆞᆯ 빗기 들고 쇠등의 것구로 안자
동소를 비껴 들고 소 등에 거꾸로 앉아
杏花村으로 가노라
행화촌으로 가노라

35. 무호가武豪歌

① 작품명 : 무호가武豪歌

② 작자명 : 강응환(姜膺煥, 1735～1795)

강응환의 본관은 진주晉州, 자는 명서命瑞, 호는 물기재勿欺齋이다. 강희맹姜希孟의 9세손으로, 전라도 무송茂松(지금의 고창高敞)에서 태어났다. 경과정시慶科庭試에 합격하여 부장部長 · 사헌부감찰司憲府監察 · 칠원현감漆原縣監 · 초계군수草溪郡守 · 대구영장大丘營將 · 고령진첨사高嶺鎭僉使 · 창성부사昌城府使 · 동래부사東萊府使 등을 지냈다. 창성부사가 되어서는 부근의 지도를 작성하여 불의의 변에 대비한 바도 있다.

④ 해제

이 작품은 지은이가 젊었을 적에 지은 것으로 씩씩한 무부武夫의 기상을 토로하며 척청숭명斥淸崇明의 대의를 이루지 못함을 한탄한 내용이다. 64행 128구로 이루어졌으며, 영정英正시대에 산출된 정격가사라고 볼 수 있다. 임진 · 병자 양란 후에 창작된 작품으로, 비분강개悲憤慷慨와 설분설치雪憤雪恥의 내용과 실생활을 배경으로 하여 그 시대상과 작품상의 특성을 표현하고 있다. 서술 면에서도 중국 고사나 사실들을 인용하였지만, 매우 실제적인 묘사 표현이 많아서 실사구시의 실학사상이 도입되려는 새로운 경향을 가졌던 시대적 산물이라고 생각된다.

⑤ 원문과 현대역

大丈夫 生天地間ᄒᆞ야 丈夫事를 ᄒᆞ랴 ᄒᆞ고

대장부 천지간에 태어나 장부일 하라 하고

人間萬事를 歷歷 셰어 보니

인간만사를 역력히 세어보니[1]

글닐찌 글쓰기ᄂᆞᆫ 腐儒의 ᄒᆞᆯ 일이요

글 읽고 글쓰기는 엉터리 선비의 할 일이요

밧갈기 논ᄆᆡ기ᄂᆞᆫ 農夫의 ᄒᆞᆯ 일이라

밭 갈고 논매기는 농부의 할 일이라

우리의 ᄒᆞ올 일은 聖賢師의 말을 ᄯᆞᆯ아

우리의 할 일은 성현의 말씀 따라

禮樂射御 書數中의 셋채를 ᄯᆞᆯ알이라

예악사어[2] 서수 중에 셋째[3]를 따를 일이라

俟而明地 닐온 말은 夏禹氏의 觀德이요

후이명지[4] 이른 말은 하우씨[5]의 관덕이요

反求諸己 발근 ᄠᅳᆺ즌 孔夫子의 正心이라

반구저기[6] 밝은 뜻은 공부자의 정심[7]이라

도든 扶桑 큰 도츼로 베혀 내여

해 돋는 부상[8]을 큰 도끼[9]로 베어내고

---

1 헤어보니, 생각하여 보니.

2 예절禮節·풍악風樂·궁사사예弓射射藝 활쏘기·승어乘御 말타기·서예書藝·산수算數를 말함. 즉 육예六藝로 대경六經과 같음.

3 육예 중六藝 中 셋째 번 것이니 궁사사예弓射射藝를 가리키는 말.

4 왕후王侯면서 밝음.

5 우하후씨禹夏后氏가 치수治水한 너그러운 공덕功德.

6 오히려, 모든 것을 자기에게 구한다는 말. 《중용中庸》과 《맹자孟子》에서 나온 말.

7 공자孔子의 참맘이라는 뜻. 정심正心은 정심성의正心誠意에서 온 말.

재죠 놓흔 內弓匠人 무어ᄂᆡ니 활이로다

재주[10] 용한 내궁장인[11] 만들어낸 것 활이로다

燕軍의 닷는 쇼를 잡ᄋᆞ다가 심을 ᄯᅦ여

연군[12]의 달아나는 소 잡아다 힘줄[13]을 떼어

細細히 ᄯᅢ여내여 工巧히 뒤를 놋코

가늘게 떼어내서 공교하게 다듬어[14] 놓고

東萊셔 나온 黑角 장박이로 박어내여

동래에서 나온 흑각[15] 장박이로 박아내어

紫芝鹿皮 좀을 감고 靑鼠皮 고ᄌᆡ 싸셔

자지녹피[16] 줌피를 감고 청서피[17]로 곧게 싸서[18]

常絲라 白常絲를 넌즈시 뷔여 엇고

상사라 흰 상사[19]를 넌지시 꼬아[20] 달고

三鄕ᄯᅡ 三折竹을 고로고 다시 골ᄂᆞ

삼향땅 삼절죽[21]을 고르고 다시 골라서

---

8 해 돋는 동쪽 바다 속에 있다는 신목神木 또는 나라.

9 도치, 즉 도끼.

10 재주가 용한.

11 내궁방內弓房, 궁중 상의원에 딸린 궁실제호소의 장인이 만들어낸 작作·조造·책築 등의 뜻.

12 연군燕軍의 달아나는 소.

13 소의 힘줄.

14 쇠심줄로는 궁신양단弓身兩端의 죽심竹心과 정正구비 접속처接續處의 후면復面을 붙인다는 말.

15 물소 뿔이 제일인데 동래東萊서 나는 쇠뿔로 대용代用된다. 흑각黑角받은 것.

16 자초紫芝는 자색紫色이니 자색여피紫色鹿皮라는 뜻.

17 좀통(활채의 한 중간, 곧 손을 잡아당기는 곳)을 감고. 줌, 줌피를 감고.

18 청서靑鼠(깊은 산속 나무 굴에 사는 설치류의 다람쥐모양의 동물)의 가죽으로 단단하게 싸서.

19 화살대 아래에 대통으로 싼 부분을 상사라 한다. 백상계白常絲는 흰 상사.

20 비비었고, 비비어 달고, 또는 꼬아달고.

21 삼절은 삼읍리로 상시. 삼절죽三折竹은 삼절죽三節竹과 통通함. 곧 세 마디짜리 대

山陽의 우ᄂᆞᆫ ᄭᅯᆼ을 두 날ᄀᆡ ᄠᅦ여 내여

산양[22]에 우는 꿩을 두 날개 떼어 내어

깃 됴흔 서너 낫슬 모모이 노은 후의

깃 좋은[23] 서너 개를 가지런히 놓은 후에

칠례ᄒᆞ온 들ᄆᆡ젼동 朱黃絲 ᄭᅳᆫ을 ᄃᆞᆯ아

칠해온 화살 통에[24] 주황실로 끈을 달아

막동이 불너ᄂᆡ여 헌거이 메온 후의

막동이[25] 불러내어 가볍게[26] 맨 후에

廣闊ᄒᆞ온 白沙場의 빗뫼화 도ᄅᆞᄀᆞ셔

광활한 백사장에 벗 모아 달려가서

좀팔의 팔지감고 각지ᄉᆞᆫ의 삼지 ᄶᅧ셔

좀통의[27] 팔에 감고[28] 세 손가락 꼭 껴서

十五步 쟐 논 길의 ᄂᆡᄃᆞ라며 ᄯᅱ노ᄂᆞᆫ 양

십오 걸음[29] 좋은 길을 내달리며 뛰는 모양

鴻門宴 큰 ᄌᆞᆫ티에 擁盾壯士 거동이요

홍문연[30] 큰 잔치에 옹순장사[31] 거동이요

나무를 말함.

22 산의 남쪽. 산음山陰의 대對.

23 깃(날개에 난 긴 털, 우모羽毛) 좋은 것 서너 개를.

24 둘러메는 전동箭筩, 곧 화살 넣는 통.

25 아이 이름.

26 가볍게. 가뜬하게.

27 좀통을 버티는 팔에다 팔찌(활 쏠 때 소매를 걷어 올려 매는 끈)를 감고.

28 각지角指.(활쏠 때 엄지 아랫마디에 끼는 기구) 틀 낀 손의 아래 세 손가락을 꼭 아울러 껴서.

29 십오보十五步 넓이로 잘 놓은 길에.

30 홍문鴻門(지금의 섬서성陝西省 임동현臨潼縣 동쪽)에서 열린 큰 잔치. 홍문鴻門에서 한고조漢高祖와 초패왕楚霸王이 연 잔치.

31 앞에 든 홍문鴻門에서 열린 잔치에서 한고조漢高祖가 초왕항우楚王項羽의 신하인 범증范增에게 玉물바가지를 보냈더니 증增이 칼을 빼어들고 짓찧어 부셔버렸다는

澠池會 져문 ᄂᆞᆯ에 完璧歸使 죠심이다

승지회[32] 저문 날에 완벽귀사[33] 조심이다

一聲發呼ᄒᆞ니 泰山이 崩頹요 兩眼이 瞋裂ᄒᆞ니

일성발호 태산이 무너지고 두 눈을 부릅뜨니

大海가 翻瀾이다 란

대해가 번란이다

前擧 後執은 古人의 教訓이요

전거[34]후집은 고인의 교훈이요

忠誠忠 法則則 弓師의 勉學이다

충성충 법칙칙 궁사의 면학이라

大龍을 깁더 타고 天衢로 ᄂᆡᄃᆞᆺᄂᆞᆫ ᄃᆞᆺ

대룡을 눌러 타고[35] 천구[36]로 내닫는 듯

南山을 엽 찌고 北海를 ᄯᅱ랴ᄂᆞᆫ 닷

남산을 옆에 끼고 북해를 따르는 듯

上弦의 月滿ᄒᆞ니 流星이 쌜나셔ᄅᆞ

상현[37]에 달이 차니 유성이 빨랐어라

上林의 놀낸 鴻雁 洞庭의 멀니 날고

상림[38]에 놀란 홍안 동정으로 멀리 날고

고사故事에서 나온 말로 방패를 든 장사壯士는 범증范增을 가리킴.

32 민지澠池(지금의 하남성河南省 하남부河南附) 회견會見이 끝나 저문 날에.

33 전국시대 조趙의 인상여藺相如가 벽璧(옥玉)을 받들고 진秦에 사신使臣으로 갔다가 무사히 그 벽璧을 가지고 정중鄭重히 돌아왔다는 고사故事에서 유래. 《사기史記》에 보면 〈완벽귀조完璧歸趙〉와 같이 인상여藺相如가 조왕趙王을 도와 진秦의 조왕昭王을 만나 크게 국멸國威를 떨치고 돌아왔다는 고사故事에서 유래.

34 앞으로 나아가면서 뒤를 조심하여 돌보는 것. 앞을 들고 뒤를 붙잡는다.

35 눌러 타고. 힘 있게 잡아타고.

36 천상세계天上世界로 통하는 길.

37 음력 팔구일경八九一頃의 달. 하현下弦에 대한 말.

38 나라 동산. 천자天子의 어화御苑.

有窮의 샹훈 金鳥 西山의 노피 썻ᄃᆞ

유궁에 죽인 금조[39] 서산에 높이 떴다

天生我才 必用이라 立身揚名 ᄒᆞ오리라

대생아재 필용이라 입신양명 하오리라

鄕試보아 鄕試ᄒᆞ고 京試보아 京試ᄒᆞ야

향시보아 향시[40]하고 경시보아 경시[41]하여

外呼名의 打點ᄒᆞ고 內呼名에 呼名ᄒᆞ야

외호명에 타점[42]하고 내호명[43]에 호명하여

二分科擧 二中ᄒᆞ고 三分科擧 三中ᄒᆞ야

이분과거 이중하고 삼분과거 삼중하여[44]

春塘臺 너로온 ᄯᅳᆯ의 壯元及第 ᄒᆞ단 말ᄀᆞ

춘당대[45] 넓은 뜰에 장원급제 하였단 말인가

內三廳의 點을 ᄇᆞ더 薦取才 ᄒᆞ온 후의

내삼청[46]에 점을 받아 재주 천거해 온 후에

初入仕 宣傳官의 出六ᄒᆞ야 訓練主簿

초입사 선전관[47]에 출륙[48]하여 훈련주부[49]

---

39 요堯나라 때 유궁국有窮國의 예羿가 쏘아 죽인 금오金鳥.

40 각도各道에서 도내유림道內儒林에게 시행하던 과거科擧. 중앙에서 경시관京試官이 내려옴.

41 서울에서 3월마다 보던 소과小科의 초시初試.

42 궁宮밖에서 호명呼名하면서 이름 위에 점을 찍는 것.

43 궁宮(시험장) 안에서 이름 부르는 것.

44 2분二分·3분三分은 무과과거武科科擧의 등급이요, 2중二中·3중三中은 두번 세번 맞혔다는 것.

45 창경궁昌慶宮에 있는 대臺. 옛날 과거科擧 보이던 곳.

46 금군禁軍의 숙직소宿直所. 초군청禁軍廳과 같음. 금군禁軍은 용호영龍虎營에 딸린 내금위內禁衛·경사복兼司僕·우림위羽林衛의 기사騎士임. '점點을 ᄇᆞ더'는 '임령任命을 받아'임.

47 첫 벼슬인 선전관宣傳官(조선시대 때 있었던 선전관청宣傳官廳. 형명刑名·계라啓螺·대위侍衛·전명傳命·부신符信·출납등出納 등의 일을 보던 관청官廳)의 한 벼슬.

縣監郡守 다 지닉고 營將堂上 더욱 돗타

현감순수 다 지내고 영장당상[50] 더욱 좋다

邊地 리력 츼온 후의 防禦使를 ᄒᆞᆫ 말가

번지 이력 취해온 후 방어사[51]를 했단 말인가

南兵使 北兵使를 次次로 遞任ᄒᆞ고

남병사[52] 북병사를 차차로 체임[53]하고

統禦使 統制使를 階梯로 지낸 후의

통어사 통제사[54]를 계제로 지낸 후에

超薦ᄒᆞ야 御營大將 物望으로 訓練大將

초천하여 어영대장[55] 물망으로 훈련대장[56]

天恩이 罔極ᄒᆞ야 兵曹判書 ᄒᆞᆫ 말ᄀᆞ

천은이 망극하여 병조판서 하였단 말인가

王命을 밧들어셔 노돌 習陣 올 적의

왕명을 받들어서 노돌 습진[57] 하올 적에

선전관宣傳官은 종구품從九品에서 2품二品까지임.

48 6품六品 벼슬에 승서陞敍됨.

49 훈련도감訓練都監에 딸린 주등主簿벼슬(종육품從六品벼슬).

50 진영鎭營·총융청總戎廳·수어청守禦廳·진무영鎭撫營 및 팔도八道의 감영監營과 병영兵營에 딸린 관청官廳의 장관將官. 즉 우두머리.

51 절도사節度使 다음가는 순직軍職으로 요지要地를 방어防禦하는 장관將官.

52 남병사南兵使는 경상도慶尙道에 주재駐在하였던 병마절도사兵馬節度使. 북병사北兵使는 북청北青에 주재駐在하였던 병마절도사兵馬節度使(정삼품正三品).

53 벼슬이 갈려 다른 벼슬을 맡음.

54 통어사統禦使는 경기京畿·충청忠淸·황해三道 삼도黃海나 또는 충청忠淸·전라全羅·경상삼도慶尙三道의 수군水軍을 통할하던 관직官職이요, 통제사統制使는 경상慶尙·충청忠淸·전라全羅의 삼도수군三道水軍을 통할하던 將官임.

55 어영청御營廳의 주장主將(종이품從二品). 어장御將이라고 약칭略稱함.

56 훈련도감訓練都監의 주장主將(종이품從二品). 훈장訓將.

57 노돌나루터에서 진陣치는 연습한 것. 노돌은 지금의 노량진鷺梁津.

青龍旗 白虎旗ᄂᆞᆫ 左右의 羅列ᄒᆞ고

청룡기 백호기[58] 좌우에 나열하고

朱雀旗 玄武旗ᄂᆞᆫ 前後의 벌어 잇다

주작기 현무기[59] 전후에 벌려 있다

五營을 統一ᄒᆞ야 三軍을 號令ᄒᆞᆯ 제

오영[60]을 통일하여 삼군[61]을 호령할 때

平生의 픔은 智略 ᄃᆞ투어 시험ᄒᆞ야

평생에 품은 지략 다투어 시험하여

八陣圖 六花陣은 눈 ᄋᆞᆸ피 벌혀 두고

팔진도 육화진[62] 눈 앞에 벌여두고

東西南北 十二方位 生門死門 ᄎᆞᄌᆞᆫ 후의

동서남북 십이방위 생문사문[63] 찾은 후에

孤虛旺相 消長理를 掌中의 셰여 두고

고허왕상 소장리[64]를 장중에 세워 두고

---

58 의장기儀仗旗의 일종으로 청룡을 기폭에 그려 군진의 동쪽에 세운 것을 청룡기라 하고, 진의 서쪽에 백호를 그려 세운 것을 백호기라 함. 좌청룡우백호左青龍右白虎.

59 역시 의장기의 일종으로 주작朱雀을 그려 군진軍陣의 전면(남쪽)에 세운 기를 주작기朱雀旗라 하고 현무玄武를 그려 진陣의 후면後面(북쪽)에 세운 기를 현무기玄武旗라고 함.

60 훈련도감訓練都監·금위영禁衛營·어영청御營廳·수어영守衛營·총융청總戎廳을 일컬음. 오영문五營門 또는 오군문五軍門.

61 상군上軍·중군中軍·하군下軍, 또는 주군主軍(중앙군中央軍)·좌군左軍·우군右軍, 일만이천오백인 一萬二千五百人을 일군一軍으로 한 대군大軍.

62 팔진도八陣圖는 제갈공명諸葛孔明이 만든 진형명陣形名인데 팔진병법八陣兵法에는 상고작上古作·풍후작風后作·손자작孫子作·어지작吳子作·공명작孔明作이있다. 공명孔明의 팔진형八陣形은 동당洞當·중황中黃·용등龍騰·봉상鳳翔·연횡連衡·악기握奇·호익虎翼·절어折衝 등이 있음.

63 술가에서 말하는 구궁九宮에 맞추어 길흉吉凶을 점占치는 여덟 문중門中의 생문生門과 사문死임. 여덟 문은 휴문休門·생문生門·상문傷門·두문杜門·경문景門·사문死門·경문驚門·계문開門 등.

64 고허孤虛함과 왕상旺相함의 이치. 소消함과 장長함의 이치. 곧 망흥쇠성亡興衰盛

分以合 合以分은 奇正의 相生이요
분이합 합이분은 기정의 상생[65]이요
奇亦勝 正亦勝은 將軍의 指揮로다.
기역승 정역승은 장군의 지휘로다
일언 닐 졀언 뜻즐 뉘라셔 짐작ᄒᆞ리
이런 일 저런 뜻을 뉘라서 짐작할까
南京을 ᄇᆞ라보니 눈물이 졀로 ᄂᆞᆫᄃᆞ
남경을 바라보니 눈물이 절로 난다
大明의 正統 님군 몃百年을 업단 말고
대명에 정통한 임금 몇백 년을 없단 말인가
寧陵의 모신 聖主 忠義를 못다 펴고
영릉[66]에 모신 성주 충의를 못다 펴고
華陽洞 늘근 大臣 壯志를 못일우니
화양동[67] 늙은 대신 장지[68]를 못 이루니
齊襄公 九世讐를 뉘라셔 갑풀쇼냐
제양공 구세수[69]를 누구라서 갚을 것인가

(흥망성쇠興亡衰)의 이치. 또한 옛 병법가兵法家가 말하는 방위일시등方位一時等을 점卜하는 법法. 십이지중수해十二支中戌亥를 고孤, 신사辰巳를 허虛라 함과 같음. 음양가陰陽家의 말 왕상旺相으로도 씀. 오행기五行氣의 소장消長을 왕旺·상相·사死·인因·휴休라하고 그 왕성旺盛함을 황상旺相이라 함. 이를 사시四時로 나누어 춘삼春三을 목상木旺, 하삼夏三을 화왕火旺이라 함.

65 기奇와 정正이 서로 나온다는 뜻. 기奇는 기병법奇兵法. 수數의 불의不意를 틈타서 공격攻擊하는 싸움이요, 정正은 정병법正兵法이니 기제奇策을 쓰지 않고 싸우는 것.

66 효종대왕孝宗大王의 능陵. 경기도여주군릉서면京畿道驪州郡陵西面 세종대왕릉世宗大王陵인 영릉英陵과 한곳에 있음.

67 우암尤庵 송시열宋時烈이 수학修學하던 곳. 충청북도청원군忠清北道清原郡에 있는데 명明의 신종황제神宗皇帝를 제사祭祀하는 만동묘萬洞廟가 있음.

68 장대한 뜻.

69 중국춘추시中國春秋時에 제齊나라 양공襄公이 기국紀國을 격멸擊滅하여 오대九代나 된 옛 원수怨讐를 갚았다는 것.

36. 미인별곡美人別曲

① 작품명 : 미인별곡美人別曲

② 작자명 : 양사언(楊士彦, 1517～1584)

양사언은 조선 중기의 문인·서예가이다. 본관은 청주淸州, 자는 응빙應聘, 호는 봉래蓬萊·완구完邱·창해滄海·해객海客이다. 형 사준士俊, 아우 사기士奇와 함께 문명을 떨쳐 중국의 미산삼소眉山三蘇에 견주어졌다.

③ 출전 : 《봉래집蓬萊集》

④ 해제

〈미인별곡〉은 양사언의 자필 첩책에 제목 없이 수록되어 있는 가사를 김동욱이 제목을 붙여 소개한 것이다. 양사언의 자필 첩책에는 양사언이 악부에 올린 허강의 〈서호별곡〉도 함께 수록되어 있다. 〈미인별곡〉은 한 미인에 대한 헌사獻辭로서, 그 아름다운 자태를 직유법을 동원하여 반복적으로 그려내고 있는 가사이다. 미인의 전체적인 외모와 가야금을 타면서 노래하는 모습, 춤추는 모습 등을 직유와 전고典故로 표현하였다. 〈사미인곡〉과 〈속미인곡〉에 등장하는 미인이 추상적이고 상징적인 의미를 가지는 데 비해, 이 작품의 미인은 더불어 즐거움을 함께 나누는 한 가기歌妓를 염두에 둔 것으로 구체적이고 현실적인 의미를 지닌다.

⑤ 원문과 현대역

그ᄃᆡ를 내모ᄅᆞ랴 巫山의 神女로다
그대를 내 모르랴 무산의 신녀로다
塵寰을 내이너겨 눌위ᄒᆡ여 ᄂᆞ려온다
속세를 내 것이라 여겨 누굴 위하여 내려왔나
양ᄌᆞᄂᆞᆫ 梨花一枝예 ᄃᆞᆳ비치절로 흘러드ᄂᆞᆫᄃᆞᆺ
얼굴 모습은 배꽃 한 가지에 달빛이 절로 흘러드는 듯
白沙長江의 海棠春栢이 흐터디여 픠연ᄂᆞᆫᄃᆞᆺ
백사 장강에 해당 춘백이 흩어져 피었는 듯
눈서븐 青溪鶴ᄐᆞᆫ 道士이 青鶴洞으로 ᄂᆞ라드ᄂᆞᆫᄃᆞᆺ
눈썹은 푸른 학을 탄 도사가 청학동으로 날아드는 듯
싁싁ᄒᆞᆫ 海東青이 碧海로 디나ᄂᆞᆫᄃᆞᆺ
씩씩한 해동청이 벽해로 지나가는 듯
머리ᄂᆞᆫ 潮陽太守 南遷ᄒᆞᆯ제 衡山구룸 헤ᄃᆞᆮᄂᆞᆫᄃᆞᆺ
머리는 조양태수 남천할 때 형산 구름 헤치며 내닫는 듯
朱唇 雪齒로 半맛깜 운ᄂᆞᆫ양ᄋᆞᆫ
붉은 입술 흰 이로 반만큼 웃는 모습은
仙宮三色桃花 ᄒᆞᄅᆞ밤 빗기운에 절로픠여 가ᄂᆞᆫᄃᆞᆺ
선궁 삼색 도화 꽃이 하룻밤 비 기운에 절로 피어 가는 듯
銀屛소개 안잔ᄂᆞᆫ양 月中姮娥 桂樹를 지현ᄂᆞᆫᄃᆞᆺ
은 병풍에 앉은 모양 월중 항아가 계수에 기대 있는 듯
漢家 趙飛燕이 避風臺속개 녀믜치고 안잔ᄂᆞᆫᄃᆞᆺ
한나라 조비연이 피풍대 속에 옷깃 여며 앉았는 듯
ᄭᅮᆷᄭᅵ여 宿痕을 계워 花冠이 端正ᄒᆞ니
꿈 깨어 숙흔을 못이겨 화관이 단정하니

明妓 胡塞예 漢宮이 어드메오
명기 오랑캐 땅에 한나라 궁궐 어디인가
一曲 淸商으로 가는길흘 니젼는듯
한 곡조 청상[1]으로 가는 길을 잊었는 듯
林邛道士를 太眞이 만나이셔
임공도사[2]를 태진[3]이 만나서
離宮긔별 몯내무러 허튼시름 푸먼는듯
이궁[4] 소식 묻지 못해 허튼 시름 품었는 듯
綠衣黃裳을 半마깜 헤틴양은
녹의황상을 반만큼 헤친 모양은
陶淵明 栗里三逕의 松菊이 헤드런는듯
도연명 율리삼경에 송국이 흩어진 듯
岐陽 絲桐소개 놀애 소리는
기양 사동[5] 속에 노래 소리는
杜拾遺 曲江暮春에 暖日平蕪에 緩緩行ᄒᆞ는듯
두보가 곡강의 늦은봄 난일평무[6]에 천천히 거니는 듯
天台山 綠蘿月의 數聲淸猿이 구름소개 흐르는듯
천태산 연라월[7]에 원숭이떼 우는 소리가 구름 속에 흐르는 듯
춤츠는양은 末央宮 늘의딘 버드리 자다가 굽니는듯
춤추는 모양은 미앙궁 늘어진 버들이 자다가 굽이치는 듯

---

1 은나라를 망하게 했다는 음악인 청상 연주법.
2 백낙천의 〈장한가長恨歌〉에서 인용한 시구. 임공은 사천성에 있는 산 이름.
3 당나라 양귀비.
4 도교의 신선이 산다는 궁.
5 중국 섬서성 기현 땅의 거문고.
6 해가 따뜻하게 비치는 평원.
7 푸른 덩굴사이 비친 달빛.

西施의 姑蘇臺上의 興계워 노니ᄂᆞᆫ듯

서시가 고소대 위에 흥겨워 노니는 듯

香山居士이 玉欄의 지혀이셔 弱質을 나오혀ᄂᆞᆫ양은

향산거사[8]가 옥란에 의지하여 약질을 나울대는[9] 모습은

林處士 西湖雪夜의 梅花가지 이어ᄂᆞᆫ 듯

임처사 서호의 눈 오는 밤에 매화가지 흔드는 듯

嬌態를 계워 百砂 閣畔의 오먀가먀 ᄒᆞᄂᆞᆫ양은

교태를 못이겨 백사 각반에 오며가며 하는 모습은

瑤臺예 宴罷하고 梁王宮女 ᄂᆞ리ᄂᆞᆫ듯

요대에 잔치 끝나 양왕 궁녀 내려오는 듯

七月七日 烏鵲橋의 躕躇更躕躇 織女星이론듯

칠월 칠석 오작교에 머뭇머뭇 직녀성 이른 듯

謝安石 携妓東山을 블랴말랴 ᄒᆞ노라

사안석 휴기동산[10]을 볼까 말까 하노라

---

8 중국 당나라 때 시인 백거이.

9 부드럽게 굽어져 흔들리는 모양.

10 진나라 사람인 사안석이 기생을 데리고 동산에 오르는 모습.

37. 반조화전가反嘲花煎歌

① 작품명 : 반조화전가反嘲花煎歌

② 작자명 : 안동권씨(安東權氏, 1718~1789)

안동권씨는 〈조화전가〉·〈반조화전가〉가 수록된 필사본 《잡록》의 필사자이며, 〈조화전가〉를 지은 홍원장과 친척으로 확인된다.

③ 출전 : 필사본 《잡록雜錄》

④ 해제

이 작품은 필사본 《잡록》에 〈조화전가〉 등의 가사와 함께 수록되어 있으며, 작자인 안동권씨는 18세기에 활동한 것으로 확인된다. 화전놀이를 하는 여성들을 보고 〈조화전가〉를 지어 희롱하자, 여성들의 입장에서 〈반조화전가〉를 지어 그에 대해 화답한 작품이다. 〈반조화전가〉는 '〈조화전가〉에 대해 반대로 답하다'라는 의미인데, 〈조화전가〉에 대한 반론과 남성들의 입장에 대해 재차 조롱하는 내용을 담고 있다. 즉 여성들의 화전놀이를 조롱하는 〈조화전가〉에 대해 직접적으로 반박하는 형식으로 되어 있는데, 남자와 달리 평소에 규방에 머무는 여자들은 오직 봄날의 화전놀이에서 주변의 경치를 즐길 수 있기에 소중하다는 입장을 피력하고 있다. 화전놀이를 가서 아름다운 봄 풍경을 만끽하며, 단 하루일지라도 봄철의 승경勝景을 즐기는 여성들의 자족적인 태도가 잘 드러나 있다고 하겠다.

⑤ 원문과 현대역

어와 남ᄌᆞ들아 녀ᄌᆞᄅᆞᆯ 긔롱마오
어와 남자들아 여자를 기롱[1]마오
남ᄌᆞ 일 가쇠로다 우리 보매 우읍ᄉᆞ의
남자 일 가소롭다 우리 보면 우습구나
몃 ᄃᆞᆯ을 경영ᄒᆞ며 허송광음 ᄀᆞ이 업ᄂᆡ
몇 달을 경영하며 허송세월 끝이 없네
젹으나 쾌남ᄌᆞ면 긔 아니 쉬울손가
더구나 쾌남자면 그 아니 쉬울까
헛 ᄆᆞᄋᆞᆷ 다달히며 일번 용의 못 ᄒᆞ여셔
헛 마음 다독이며 한 번 먹은 마음 못 하여서
부녀 일힝의 암암히 불워ᄒᆞ니
부녀 일행을 암암리에 부러워하니
잔폐코 셟산키야 이 밧긔 ᄯᅩ 이시랴
쇠잔하고 서럽기야 이 밖에 또 있으랴
모다 안자 디져괴며 두문불출 ᄒᆞ얏고야
모여 앉아 지저귀며 두문불출 하는구나
ᄌᆞ갸ᄂᆡ 못ᄒᆞᆫ 일을 용심내여 무엇ᄒᆞ리
자기네 못한 일을 마음내어 무엇하리
ᄇᆡᆨ사ᄅᆞᆯ ᄃᆞᆼ가디라 과공은 무ᄉᆞ 일고
온갖 일 중요하다 과공[2]은 무슨 일인가
출하리 깁히 드러 농업의나 힘ᄡᅳ디니
차라리 깊이 들어 농업에나 힘쓸지니

---

1 기롱譏弄. 빗대어 실없는 말로 놀림.
2 과공誇功. 공로를 지나치게 자랑함.

님당ᄒᆞᆫ 션ᄇᆡ들이 글 딧느라 운동내고

일 당한 선비들이 글 짓느라 움직이고

문죄 초칙 ᄯᅥᆯ쳐내여 홍홍이며 그덕이니

죄를 묻고 책 잡기 떨쳐내어 흥흥거리며 끄덕이니

샹하촌 일이가의 긔 몃치 모혓ᄂᆞᆫᄃᆡ

위 아랫마을 한두 집에 그 몇이 모였는데

곳고랑의 심줄과 곤 젓 ᄀᆞᆺᄒᆞᆫ 부귀들에

꾀꼬리의 힘줄과 곤젓 같은 귀신들에

무단ᄒᆞᆫ 열병 토셜 이 아니 구경인가

무단한 열 올려 말하기 이 아니 구경인가

열흘의 ᄒᆞᆫ 마디도 탈초성편 못 ᄒᆞ고셔

열흘에 한 마디도 탈초성편[3] 못 하고서

죵일토록 ᄒᆞᄂᆞᆫ 말이 광언 패셜 ᄲᅮᆫ이로다

종일토록 하는 말이 광언[4]과 패설[5] 뿐이로다

그려도 무숨 경의 밋친 ᄆᆞ음 내닷관ᄃᆡ

그래도 무슨 경황에 미친 마음 내닫길래

시시로 두로 모혀 곤당을 타둔ᄒᆞ니

때때로 두루 모여 곤장을 타둔[6]하니

욕ᄌᆞᆺ다 부모유체 져 무숨 일이런고

욕잣다 부모 남긴 몸 저 무슨 일인가

내암나ᄂᆞᆫ 좀 글ᄌᆞᄂᆞᆫ 삼년의셔 뎌물엇ᄂᆡ

냄새나는 좀 먹은 글자는 삼 년 동안 저물었네

---

3 탈초성편脫草成篇. 읽기 쉬운 필체로 바꿔 글 한 편을 완성함.

4 광언廣言. 거리낌없이 함부로 말함.

5 패설悖說. 이치에 맞지 않는 말.

6 타둔打臀. 죄인의 엉덩이를 때림.

문쟝이 녹속ᄒᆞ니 건도셩녀 ᄒᆞ엿던가
문장이 비루하니 건도성녀[7] 하였던가
어와 애ᄃᆞᆯ을샤 녀ᄌᆞ 되미 애ᄃᆞᆯ을샤
어와 애달퍼라 여자됨이 애달퍼라
우리 일신 남ᄌᆞ런들 이 아니 쾌ᄒᆞᆯ넌가
우리 한 몸 남자인들 이 아니 즐거울까
느즌 봄 곤ᄒᆞᆫ 날의 뷘 독을 글디 말고
늦은 봄 피곤한 날에 빈 독을 들지 말고
츈당ᄃᆡ 알셩시예 일필명작 ᄒᆞ여내여
춘당대 알성시에 일필로 명작을 지어서
계화 쳥삼 빗난 듕의 열친광녀 ᄒᆞ련만은
계화 청삼[8] 빛난 중에 부모님 기쁘고 내가 빛나기 하련마는
하ᄂᆞᆯ히 무디ᄒᆞ여 녀신으로 마련ᄒᆞ니
하늘이 무지하여 여자 몸으로 마련하니
아모리 애ᄃᆞᆯ은들 곳쳐 다시 되일손가
아무리 애달픈들 고쳐 다시 될 것인가
심규의 드러안자 옥ᄆᆡ로 붕위되여
깊은 규방에 들어앉아 옥매[9]로 벗을 삼아
녀힝을 ᄆᆞᆰ게 닷고 방젹을 힘쁘더니
여자 행실 맑게 닦고 길쌈에 힘쓰더니
동군이 유정ᄒᆞ여 삼ᄉᆞ월을 모라오니
봄의 신이 유정하여 삼사월을 몰아오니

---

7 건도성녀乾道成女. 양의 성질을 지녀 강건한 하늘의 도를 얻은 자가 여성이 됨을 이르는 말.

8 계화청삼桂花青衫. 계수나무를 수놓은 적삼.

9 옥매玉梅. 매화.

원근 암애예ᄂᆞᆫ 홍금당을 둘어잇고
원근의 벼랑에는 붉은 비단 둘러 있고
촌변의 도리화ᄂᆞᆫ 가디마다 ᄉᆡᆨ을 씌여
마을 가의 도리화[10]는 가지마다 색을 띠어
사창안 부녀 흥을 제 혼자 도도ᄂᆞᆫᄃᆡ
사창[11] 안 부녀 흥을 제 혼자 돋우는데
도로혀 ᄉᆡᆼ각ᄒᆞ니 인ᄉᆡᆼ이 이만이라
돌이켜 생각하니 인생이 이러하다
녀ᄌᆞ의 젼화ᄒᆞᆷ도 녜우터 이심으로
여자의 달라짐이 예부터 있음으로
ᄒᆞᆫ 거름 두루혀셔 완풍경 ᄒᆞ려 ᄒᆞ고
한 걸음 돌려서 풍경 구경 하려 하고
디심ᄒᆞᄂᆞᆫ 우ᄉᆡᆼ들과 일언의 구일ᄒᆞ니
김매는 친구들과 한 마디로 구일하니[12]
맛바회 ᄉᆞ미당의 대회ᄅᆞᆯ 여러내여
맛바위 사미당에 큰 모임을 열어내어
금차 옥ᄌᆞᆷ은 용모의 광ᄎᆡ되고
금빛무늬 옥비녀는 용모에 빛을 내고
녹의홍샹은 도로의 문명ᄒᆞ다
푸른 옷 붉은 치마 도리어 분명하다
츈풍이 다시 부러 새봄을 더의ᄂᆞᆫ ᄃᆞᆺ
춘풍이 다시 불어 새봄을 더하는 듯

---

10 도리화桃李花. 복숭아꽃과 자두꽃.
11 사창紗窓. 얇게 성기게 짠 비단으로 바른 창문.
12 오랫동안 편안히 지내니.

일시예 모힌 부녀 삼십여인 녈좌ᄒᆞᄂᆡ

한 때에 모인 부녀 삼십여 명 늘어서 앉네

규리 한담으로 ᄎᆞᄎᆞ로 슈작ᄒᆞ고

규리[13] 한담으로 차차 말을 주고받고

쳥유 분 모화내야 소담히 당만ᄒᆞ여

기름과 밀가루 모아서 소담히 장만하여

옥녀 션동들을 몬져 겻거 내여노코

옥녀[14] 선동[15]들을 먼저 엮어 내어놓고

종용히 모다 안자 정결히 뇨긔ᄒᆞᆫ 후

조용히 모여 앉아 정결히 요기한 후

그저야 니러셔셔 곳곳디 완샹ᄒᆞ니

그제야 일어서서 곳곳을 완상하니

동풍 어제 비예 봄경이 새로왓ᄂᆡ

동풍 어제 비에 봄 풍경이 새롭네

ᄃᆡ샹의 벽도화ᄂᆞᆫ 날 위ᄒᆞ여 우어잇고

누대 위의 벽도화는 날 위하여 웃어주고

강두의 양뉴디ᄂᆞᆫ 의연ᄒᆞᆫ 츔이로다

강나루 버들가지는 의연한 춤이로다

오ᄉᆡᆨ운 깁흔 골의 쳑촉이 만발ᄒᆞ니

오색 구름 깊은 골에 철쭉이 만발하니

무릉도원인들 이예셔 더 ᄒᆞ오며

무릉도원인들 이보다 더 하며

13 규리閨裏. 규방 안.

14 옥녀玉女. 선계에 사는 여자 신선.

15 선동仙童. 신선의 시중을 드는 아이.

젼계예 ᄆᆞᆰ은 딩담 한가도 한가ᄒᆞᆯ샤
앞 개울에 맑은 연못 한가하고 한가하네
청승별계ᄅᆞᆯ 다시 보와 무엇ᄒᆞ리
맑고 뛰어난 별세계를 다시 보아 무엇하리
귀ᄀᆞ의 됴흔 소ᄅᆡ 됴슈 호음 아닐손가
귓가에 좋은 소리 새와 동물 소리 아닐런가
노션ᄉᆡᆼ ᄉᆞ시음의 무권츈산 금슈명이
노선생 사시음[16]에 무권춘산 금수명[17]이
형용도 됴흘시고 진실노 이경이라
형용도 좋구나 진실로 특별한 풍경이라
뎡젼의 푸ᄅᆞᆫ풀은 일반의ᄉᆞ 씌여 잇다
뜰 앞의 푸른 풀은 한 가지로 띄어 있다
듀염계 어든 ᄆᆞᄋᆞᆷ 내ᄯᅩᄒᆞᆫ ᄭᅵᄃᆞᄅᆞ니
주렴계[18] 얻은 마음 내 또한 깨달으니
형형ᄉᆡᆨᄉᆡᆨ을 조화옹이 비저내니
형형색색을 조물주가 빚어내니
모흐면 일니 되고 ᄒᆞᆺ트면 만쉬로다
모으면 하나되고 흩으면 만 개로다
도라안자 관난ᄒᆞ니 셩인의 슐 아닌가
돌아앉아 바라보니 성인의 기술이 아닌가
영과 취ᄃᆡᆫᄒᆞ여 쥬야ᄅᆞᆯ 모ᄅᆞ고녀
노래하며 크게 취하여 밤낮을 모르거니

---

16 사시음四時吟. 사시의 풍경을 읊조리는 소리.

17 무권추난금수명霧捲春山錦繡明. 안개 걷힌 봄 산에 수놓은 비단 빛나고. 퇴계의 〈산거사시각사음山居四時各四吟〉

18 중국 송대의 철학자 주돈이周敦頤를 일컬음.

아ᄂᆞᆫ가 모르ᄂᆞᆫ가 이 보소 남ᄌᆞ들아
아는가 모르는가 이 보소 남자들아
츈시 호광음의 녀ᄌᆞ 죠롱 ᄲᅮᆫ이로쇠
봄날 세월 좋아 여자 조롱 뿐이로다
너모들 됴롱 마오 남ᄌᆞ 슈치 ᄯᅩ 잇ᄂᆞ니
너무들 조롱 마오 남자 수치 또 있나니
앏히ᄂᆞᆫ ᄉᆞ셔 삼경 겻히ᄂᆞᆫ 졔ᄌᆞ ᄇᆡᆨ가
앞에는 사서삼경 곁에는 제자백가
위인도 경계술이 다 주어 버렷거ᄂᆞᆯ
위인도 경계술이 다 주어 벌렸거늘
보고 닑고 못 힝ᄒᆞ니 단청 구경 아닐소냐
보고 읽고 못 행하니 단청 구경 아닐까
인니예 너 른집을 굿흐여 마다ᄒᆞ고
인근에 넓은 집을 구태여 마다하고
산경 좁은 길노 군속히 ᄎᆞ자가니
산길 좁은 길로 구차하게 찾아가니
산금야쉬가 벗ᄒᆞ려 ᄒᆞᄂᆞᆫ고야
산금[19] 야수[20]가 벗하려 하는구나
녕ᄃᆡ예 거촌 쒸를 뉘 능히 ᄆᆡ야내리
영대에 거친 띠풀을 누가 능히 베어내리
그려도 명니 샹애 헛 욕심 ᄌᆞ아내야
그래도 명리[21] 위에 헛 욕심 자아내어

19 산금山禽. 산짐승.
20 야수野獸. 사람에게 길들여지지 않고 산이나 들에서 자연 그대로 자란 짐승.
21 명리名利. 명예와 이익.

단양 화월니예 져 소릐 흠염ᄒᆞ니
단양 화월리에 저 소리 싫어하니
져러ᄒᆞᆫ 남ᄌᆞ들은 불취반치 되ᄂᆞᆫ고야
저러한 남자들은 불취반치[22] 되는구나
외외ᄒᆞᆫ 대댱부ᄂᆞᆫ 더옥 아니 타비ᄒᆞ랴
우뚝한 대장부는 더욱 아니 본받으랴
어와 져 남ᄌᆡ야 아마도 옥창 부녀ᄂᆞᆫ 신션인가 ᄒᆞ노라.
어와 저 남자야 아마도 옥창의 부녀는 신선인가 하노라.

22 불취반치不醉反恥. 취하지 않아 도리어 부끄러움.

38. 백상루별곡百祥樓別曲

① 작품명: 백상루별곡百祥樓別曲

② 작자명: 이현(李俔, 1540~1618)

이현의 자는 경연磬然, 호는 교취당交翠堂으로, 한음군漢陰君에 봉해졌다. 세종대왕의 넷째 아들 임영대군의 증손으로, 조부는 영양군, 아버지는 청화군이다. 임진왜란 때 영위사로 안주에 갔었다. 유저에 《교취당집交翠堂集》 4권 2책이 있고, 권4에 〈백상루별곡〉이 전한다.

③ 출전: 입력원전 《교취당집交翠堂集》 권4.

④ 해제

이 작품은 이현이 선조 28년(1595)에 영위사迎慰使로 안주 지방에 머물고 있을 때, 전망이 좋은 백상루를 널리 전파하고자 별곡을 지어달라는 지방민들의 간청을 받고 지은 가사이다. 그 내용은 누대의 모양과 청천강의 풍경, 청천강에 얽힌 옛날 사적에 대한 회포, 당시의 선치민안善治民安한 모습과 임지에서의 한가로운 생활을 노래한 것이다.

⑤ 원문과 현대역

드런디 오라더니 보관디고 ᄇᆡᆨ샹누
듣던 데 올랐더니 보았는가 백상루[1]
야쇽다 강산이 날기ᄃᆞ려 닛놋던가
야속하다 강산이 날 기다려 있었던가

---

1 백상루百祥樓. 평북 안주에 있는 누각.

새ᄂᆞᄎᆡ 맛보고 녜본듯 반기니
새 낯에 만나고 예 본 듯 반기니
유정ᄒᆞᆫ 네런가 연분인은 내롯던가
유정한 너였던가 연분 있는 나였던가
전조구지ᄅᆞᆯ 어ᄂᆡ ᄒᆡ예 듕슈ᄒᆞᆫᄃᆡ 층누걸각이
전조구지[2]를 어느 해에 중수[3]했기에 층루걸각[4]이
에제셴ᄃᆺ ᄒᆞ옛고야 비맹이 표묘ᄒᆞ여
어제 세운 듯 하구나 비맹[5]이 표묘[6]하여
반쳔의 들허시니 금벽이 죠요ᄒᆞ여
하늘 중에 들렸으니 금벽이 밝게 빛나[7]
영낙쟝쥬로다
영락장주[8]로다
위난을 비겨안자 취안으로 도라보니
난간을 기대앉아 취안[9]으로 돌아보니
좌우현판의 고금제영이
좌우현판의 고금제영이
풍경이 보ᄎᆡ여 죠화ᄅᆞᆯ 아여시니
풍경이 보채여 조화를 이루었으니
유필쥬ᄉᆞ에 더슬이리 아조젹다
유필주사[10]에 더 쓸 일이 아주적다

---

2 전조구지前朝舊址. 전 왕조의 옛 터.
3 중수重修. 건물 따위의 낡고 헌 것을 새로 고쳐 지음.
4 층루걸각層樓傑閣. 여러 층으로 높고 크게 지은 누각.
5 비맹飛甍. 용마루.
6 표묘縹緲. 멀리 아득하게 보이는 모양.
7 조요照耀. 찬란하게 빛남.
8 영락장주影落長洲. 그림자 긴 물가에 떨어짐.
9 취안醉眼. 술에 취한 사람의 눈.

청나만졈이 ᄇᆡᆨ운간의 소사나
청라만점[11]이 백운간에 솟아나
노프이 나즈니 너브니 죠브니 흣버러 인ᄂᆞᆫ거ᄉᆞᆫ
높거니 낮거니 넓으니 좁으니 흩어 벌여 있는 것은
향산이 마죠븨예 취병을 두럿도다
향산이 마주보여 취병[12]을 둘렀도다
분쳡쳔층이 벽산요을 에워띄여
분첩 천층[13]이 벽산요를 에워 띠어
굽거니 펴거니 숨거니 뵈거니
굽거니 펴거니 숨거니 뵈거니
셜험관방은 철옹셩이 갓갑도다
설험관방[14]은 철옹성[15]이 가깝도다
약ᄉᆞᆫ동ᄃᆡ에 느즌구룸 채것고
약산동대에 늦은 구름 채 걷히고
향노봉 엇게예 ᄌᆞ연이 빗겻는제
향로봉 어깨에 보랏빛 연기가 비꼈는데
슈창을 열티고 옥침을 비겨시니
수창[16]을 열치고 옥침을 비꼈으니
번가ᄒᆞᆫ ᄆᆞ음에 눈이조차 겨ᄅᆞᆯ업다
번거로운 마음에 눈조차 겨를 없다

---

10 유필주사濡筆疇思. 붓에 먹을 찍고 생각이 막힘.
11 청라만점青螺萬點. 소라 일만 개. 여기서는 산봉우리들.
12 취병翠屛. 꽃나무의 가지를 이리저리 휘어서 문이나 병풍 모양으로 만든 물건.
13 분첩천층粉堞千層. 희게 색칠을 한 성 위의 담 천층.
14 설험관방設險關防. 군사적으로 중요한 곳의 방어시설.
15 철옹성鐵甕城. 쇠로 만든 독처럼 튼튼하게 둘러쌓은 산성.
16 수창繡窓. 그림이나 글자를 헝겊에 수놓아 만든 창문.

두가래 ᄂᆞ린믈이 눈압픠 와모다져
두 갈래 내린 물이 눈 앞에 모여서
ᄉᆞᆷ차형셰 되여 셧거도로 감도니
삼차형세[17] 되어 섞어 도로 감도니
ᄡᅣᆼ용이 ᄠᅳ도러 여의주ᄅᆞᆯ 다토다가
쌍용이 뒤엉켜 여의주를 다투다가
선셩을 ᄀᆞᆯ프러 가라나ᄂᆞᆫ ᄌᆞ시로다
선성[18]을 겹치게 새로 나는 모양이다
ᄒᆡ문이 갓가와 느즈믈 채미니
해문[19]이 가까워 늦음을 채쳐 미니
평ᄉᆞ몰흔ᄒᆞ고 도셰반로ᄒᆞ야
평사 몰흔[20] 하고 도서[21]가 반쯤 드러나니
안지졍난이 ᄉᆡ니피 훗부칠제
안지[22]정난[23]이 새잎이 흩날릴 때
격강노화의 열운ᄂᆡ 세연ᄂᆞᆫᄃᆡ
격강[24]노화[25]에 엷은 연기 가득한데
더퍼ᄂᆞᆫ니 안목이오 셧도ᄂᆞ니 백구로다
덮었나니 안목[26]이오 섰 도나니 백구로다

---

17 삼차형세三叉形勢. 세 갈래로 된 산의 형세.
18 선성善性. 착한 본성.
19 해문海門. 육지 사에 끼어 있는 바다의 통로.
20 발자국 같은 것이 없어져 흔적이 없어짐.
21 도서島嶼는 크고 작은 섬.
22 안지岸芷. 바위 벼랑 위에 난 지초 풀.
23 정란汀蘭. 물가에서 자라는 난초.
24 격강隔江. 강을 사이에 두고 떨어져 있음.
25 노화蘆花. 갈대꽃.
26 안목雁鶩. 기러기와 산 오리.

샤탄의 됴퇴ᄒᆞ야 믈ᄀᆞ이 여터시니
사탄[27]에 조퇴[28]하여 물가가 얕아지니
ᄎᆡ릉동ᄌᆞ와 완사ᄋᆞ녀ᄂᆞᆫ
채릉동자[29]와 완사아녀[30]는
개벼ᄐᆞᆯ 만나셔 웃줄겨 ᄀᆞ래ᄂᆞᆫ다
갯볕[31]을 만나서 우쭐대며 즐기는구나
파렴조일ᄒᆞ야 만경이 허명ᄒᆞ니
파렴조일[32] 하여 만경이 허명[33]하니
안화요공ᄒᆞ야 신ᄉᆡ표연ᄒᆞ니
안화[34] 요공하여 신사표연[35]하니
열ᄌᆞ어풍ᄒᆞ야 반동에 ᄠᅥ인ᄂᆞᆫᄃᆞᆺ
열자 어풍[36]하여 반공에 떠 있는 듯
댱풍이 느지부러 파랑을 놀래니
장풍이 더디 불어 물결[37]을 일게 하니
부광이 약금ᄒᆞ야 낙죠셩듀ᄒᆞ니
부광이 약금하여 낙조 성주하니

---

27 사탄斜灘. 비스듬한 여울.
28 조퇴潮退. 조수가 물러감.
29 채릉동자採菱童子. 마름 캐는 어린 사내아이.
30 완사아녀浣沙兒女. 빨래하는 계집아이.
31 변변치 못한 햇볕.
32 파렴조일波恬朝日. 물결이 고요하여 아침 해가 떠오름.
33 허명虛名. 실속없는 명성.
34 안화眼花. 일종의 눈병. 여기서는 눈앞의 아름다운 풍경.
35 신사표연神思飄然. 정신과 생각이 바람에 나부끼어 팔랑이듯 함.
36 열자어풍列子御風. 열자가 바람을 탐. 중국 제자백가의 한 사람인 열자가 바람을 타고서 속세의 시비를 떠났다가 15일이 지난 후에 돌아온 것을 이르는 말.
37 파랑波浪. 파랑은 작은 물결과 큰 물결.

텬샹군션이 연단을 호리라
천상 군선이 연단을 호리라
문무화을 마초와 황금만곡을 단조에 글히ᄂᆞᆫᄃᆞᆺ
문무화[38]를 맞추어 황금 만곡[39]을 단조[40]에 끓이는 듯
슈병백만이 어복혼이 되어시니
수병[41] 백만이 어복혼[42]이 되었으니
됴두노긔ᄂᆞᆫ 어늬저긔 ᄂᆞ즉홀고
조두 노기[43]는 어느 때나 낮아질까
강변칠불은 아ᄂᆞᆫ다 모ᄅᆞᄂᆞᆫ다
강변칠불[44]은 아는가 모르는가
믈ᄌᆡ인망ᄒᆞ니 감챵이 긔지업다
물재 인망[45]하니 감창[46]이 그지없다
관동육칠 긔약업시 오도고야
관동[47] 육칠 기약 없이 오는구나
반금긔회을 너안이면 엇질넌고
반금 기회[48]를 너 아니면 어쩔런고
젼셩번화과 읍듕치화을 대강만 무ᄅᆞ니
전성 번화와 읍중 치화를 대강만 물으니

---

38 문무화文武火. 약한 불과 센 불.
39 만곡萬斛. 아주 많은 분량.
40 단조丹竈. 단약을 만드는 부엌.
41 수병隋兵. 수나라 병사.
42 어복혼魚腹魂. 물속에 빠져 죽음.
43 조두노기潮頭怒氣. 조두노기는 파도치는 물결의 성난 듯한 기운.
44 강가의 일곱 불상. 칠불사의 연기 설화가 있음.
45 물재인망物在人亡. 자연은 그대로이고 사람은 죽음.
46 감창感愴. 가슴에 사무쳐 슬픔.
47 관동冠童. 어른과 아이.
48 반금半襟. 반쯤 걷은 옷. 여기서는 허름한 옷. 기회羈懷. 나그네 회포.

황ᄉᆡ망양ᄒᆞ야 진젹이 되엿도다
왕사망양[49] 하여 진적[50]이 되었도다
호고ᄉᆡᆼ만ᄒᆞ여 피쥬임풍ᄒᆞ니
호고생만[51] 하여 술잔 들고 풍류 즐기니[52]
몯내 픈시름이 가디록 ᄉᆡ롭도다
못다 푼 시름이 갈수록 새롭구나
정쳥송식ᄒᆞ야 ᄇᆡᆨ폐구흥ᄒᆞ니
정청송식[53]하여 백폐구흥[54]하니
여염이 안도ᄒᆞ야 난리ᄅᆞᆯ 이졋도다
여염[55]이 안도하여 난리를 잊었도다
셩주회란ᄒᆞ샤 듕흥을 여르시니
성주 회란[56]하사 중흥을 열으시니
메옛던 셩진이 ᄂᆡ일이면 다쁠로다
메어졌던 성진이 내일이면 다 쓸겠구나
텬ᄌᆞ셩명ᄒᆞ샤 유권동고ᄒᆞ샤 양호ᄅᆞᆯ 보ᄂᆡ실ᄉᆡ
천자 현명하여 유권 동고[57]하셔 양호[58]를 보내실 때
불이신비비ᄒᆞ샤 영위ᄉᆞ로 가라셔ᄂᆞᆯ 왕ᄉᆞ미고 이라
신을 천하게 여기지 않으셔서[59] 영위사[60]로 가라셔늘 왕사미고[61]이라

---

49 왕사망양往事亡羊. 지난 일에 대해 아는 이가 아무도 없음.
50 진적陳迹. 지난날의 자취.
51 호고생만好古生晩. 옛 것을 좋아하나 늦게 태어났음.
52 파주임풍把酒臨風은 술잔을 들고 풍류를 즐김.
53 정청송식政淸訟息. 정사를 맑고 깨끗이 하여 백성들 사이에서조차 송사가 없게 함.
54 백폐구흥百廢俱興. 시행되지 못했던 것들이 어진 관리를 만나면 다시 시행될 수 있음.
55 여염閭閻. 백성들이 모여 사는 마을.
56 성주회란聖主回鑾. 임금님께서 궁궐로 돌아감.
57 유권동고有眷東顧. 명나라 신종이 임진왜란 때 조선을 도운 일.
58 양호楊鎬. 정유재란 때 명나라 장수.

셕배됴발ᄒᆞ야 왕셩을 ᄯᅥ나오니
저녁에 하직하고 아침에 출발하여 왕성을 떠나오니
츈복을 ᄀᆞᆺ일워 ᄉᆞᆷ월초길이엇다
춘복을 갓 입으니 삼월 초하루로다
화개화락ᄒᆞ고 두젼셩회ᄒᆞ야
화개화락 하고 두전성회[62] 하여
샹마도 거도고 됴곡도 셩슉ᄒᆞ야
상마[63]도 걷우고 곡식도 성숙하여
다ᄉᆞᆺᄃᆞ리 너머시니 실숄셩즁에
다섯 달이 넘었으니 귀뚜라미 울음에
새ᄀᆞᄋᆞᆯ을 놀라과랴
새 가을을 놀라와라
ᄒᆡᆼ장을 ᄆᆞᆫ져보고 귀긔ᄅᆞᆯ 헤아리니
행장을 만져보고 귀기[64]를 헤아리니
몃ᄯᆞᆯ 어ᄂᆡ날의 ᄀᆡᆨ편을 뵈야녈고
몇 달 어느 날에 객편[65]을 재촉해 갈까
일변의 밤ᄭᅮᆷ이하니 갈길멀러 ᄒᆞ로라
일변[66]의 밤 꿈이 많으니 갈길 멀어 하노라

---

59 불이신비비不以臣鄙卑는 임금께서 작가를 비루하고 천한 사람으로 보시지 않음.
60 영위사迎慰使. 중국 사신을 영접하는 벼슬.
61 왕사미고 王事靡盬. 나랏일이 느슨함.
62 두전성회斗轉星回. 시간이 흘러서 계절이 바뀌면 북두칠성을 비롯한 별자리가 바뀜. 세월의 흐름을 뜻함.
63 상마桑麻. 누에치기와 길쌈.
64 귀기歸期. 돌아갈 날.
65 객편客鞭. 나그네의 채찍.
66 일변日變. 날마다 변함. 여기서는 왜란倭亂을 비유.

39. 별사미인곡別思美人曲

① 작품명 : 별사미인곡別思美人曲

② 작자명 : 김춘택(金春澤, 1670～1717)

김춘택은 조선 후기의 문인으로, 자는 백우伯雨, 호는 북헌北軒이다. 1689년(숙종 15) 기사환국이 일어나 서인이 제거되자, 여러 번 유배와 투옥을 반복했다. 종조부인 김만중의 소설 《구운몽》과 《사씨남정기》를 한문으로 번역하였다.

③ 출전 : 필사본 《가사》(가람문고본)

④ 해제

이 작품은 숙종 때 김춘택이 유배지인 제주에서 지은 것이다. 그는 숙종 계비繼妃인 인현왕후仁顯王后의 친정 조카이다. 인현왕후가 폐비되었을 때 연좌連坐되어서, 다섯 번이나 유배되고 세 번이나 옥에 갇혀 30여 년간을 고생했다. 김춘택의 문집인 《북헌집北軒集》에는 "내가 제주에 와 우리말로 〈별사미인곡〉을 지으니, 이는 정철鄭澈의 양미인곡兩美人曲을 좇아 지은 것이다"라는 기록을 남겼는데, 이로 보아 작자가 제주도에 유배된 1706년(숙종 32) 4월에서 1710년 6월 사이에 〈별사미인곡〉을 지은 것으로 추정된다. 이 작품은 필사본 《가사》(가람문고본)에 실려 있다. 정철의 가사를 모방하여 창작하였으며, 그 구성은 〈속미인곡〉과 같이 대화체 형식으로 되어 있다. 이 작품은 화자가 유배지에서 임금님을 그리워하며 자신의 감정을 토로하였으며 순 한글로 표기되어 있다.

⑤ 원문과 현대역

이보소 져 각시님 셜운 말슴 그만ᄒᆞ오
이보소 저 각시님 서러운 말씀 그만하오
말슴을 드러ᄒᆞ니 셜운 줄 다 모를 쇠
말씀을 들어보니 서러운 줄 다 모를 새
인년인들 ᄒᆞᆫ 가지며 니별인들 갓탈손가
인연인들 한 가지며 이별인들 같을까
광한젼 ᄇᆡᆨ옥경의 님을 뫼셔 즐기더니
광한전 백옥경에서 님을 모시고 즐기더니
니ᄅᆡ를 ᄒᆞ엿거니 ᄌᆡ앙인들 업슬손가
아양[1]을 부렸거니 재앙인들 없을까
ᄒᆡ 다 저문 날의 가는 줄 설워마소
해 다 저문 날에 가는 줄 서러워마소
엇더타 니 ᄂᆡ 몸이 견흘 ᄃᆡ 젼혀 업ᄂᆡ
어찌하여 이 내 몸이 견줄 데 전혀 없네
광ᄒᆞᆫ전 어ᄃᆡ머오 ᄇᆡᆨ옥경 ᄂᆡ 아던가
광한전 어디인가 백옥경 내 알았던가
원앙침 비취금의 뫼셔 본 적 ᄇᆞ히 업ᄂᆡ
원앙침[2] 비취금[3]에 모셔 본 적 전혀 없네
내 얼골 이 거동이 무엇로 님 길고
내 얼굴 이 행동이 무엇으로 임 사랑할까

---

1 니ᄅᆡ, 어리광을 피움.
2 원앙침鴛鴦枕. 원앙을 수놓은 베개.
3 비취금翡翠衾. 비취색의 비단 이불. 젊은 부부가 덮는 화려한 이불.

질ᄉᆞᆷ을 모ᄅᆞ거니 가무야 더 니ᄅᆞᆯ가

길쌈을 모르는데 가무[4]야 더 말할까

엇언지 님 향向ᄒᆞᆫ ᄒᆞᆫ 조각 이 ᄆᆞ음을

어찌하여 임 향한 한 조각 이 마음을

하ᄅᆞ리 심기시고 셩현이 가라치서

하늘이 생기시고 성현이 가르쳐서

뎡학이 알펴 잇고 부월이 두ᄒᆡ 이셔

정학[5]이 앞에 있고 부월[6]에 뒤에 있어

일ᄇᆡᆨ 번 죽고 죽어 쌔가 길니 된 후ᄌᆞ도

일백 번 죽고 죽어 가루가 된 후라도

님 향ᄒᆞᆫ 이 ᄆᆞ음이 변ᄒᆞᆯ손가

임 향한 이 마음이 변할까

나도 일을 가져 ᄂᆞᆷ의 업ᄉᆞᆫ 것만 어더

나도 일을 가져 남이 없는 것만 얻어

부용화 오ᄉᆞᆯ 짓고 목난으르 ᄂᆞᄆᆞᆺ 사마

연꽃으로 옷을 짓고 모란으로 주머니 삼아

한ᄅᆞᆯ긔 ᄆᆡᆼ세ᄒᆞ여 님 섬기랴 원이러니

하늘께 맹세하여 임 섬기기 원하더니

조물 ᄉᆡ긔ᄒᆞᆫ가 귀신이 희즈온가

조물주가 시기했나 귀신이 훼방했나

ᄂᆡ 팔ᄌᆞ 그만ᄒᆞ니 사ᄅᆞᆷ을 원망ᄒᆞᆯ가

내 팔자 그러하니 사람을 원망할까

---

4 가무歌舞. 노래와 춤.
5 정학鼎鑊. 죄인을 삶아 죽이는 큰 솥.
6 부월斧鉞. 작은 도끼와 큰 도끼라는 뜻으로, 사형 집행인들이 쥔 무기를 일컬음.

ᄂᆡ 몸의 지은 죄를 모ᄅᆞ니 긔 더 죄라
내 몸의 지은 죄를 모르니 그것이 더 죄라
나도 모ᄅᆞ거니 ᄂᆞᆷ이 어이 아도던고
나도 모르는데 남이 어찌 알겠는가
한ᄅᆞ하 살ᄆᆞ인가 이 몸이 되녀 이셔
하늘이 만드셨나 이 몸이 되어 있어
만슈 천슨의 가고 가고 ᄯᅩ 가 잇ᄂᆡ
만수천산에 가고 가고 또 가 있네
님 계신 ᄃᆡ ᄉᆡᆼ각ᄒᆞ니 ᄭᅮᆷ인들 어이 갈고
임 계신 데 생각하니 꿈엔들 어찌 갈까
인간 천슨의 ᄇᆞ리고 나라거니
인간세계 많은 산에 버리고 날았으니
천츅의 불샹ᄒᆞᆯ 손 한 시절 왕소군이
천추[7]에 불상한 것은 한나라 시절 왕소군이
옥계의 푸리 ᄂᆞ고 심궁의 밤이 길 졔
옥계단에 풀이 나고 깊은 궁궐의 밤이 길 때
ᄉᆡᆼ각고 못 보ᄂᆞᆫ 줄 ᄉᆞᆯ들이 한ᄒᆞ다가
생각하고 못 보는 줄 살뜰히 한탄하다가
만니 변셩의 무ᄉᆞᆷ ᄒᆞ라 가단 말고
만리 변성[8]에 무엇 하러 갔단 말인가
인연이 그러커든 니별이나 업거나
인연이 그렇거든 이별이나 없거나
니별이 이러커든 인연이나 잇돗던가
이별이 이렇거든 인연이나 있던가

---

7 '천추千秋'의 오기인 듯. 길고 오랜 세월.
8 변성邊城. 변방邊方과 같은 뜻.

산호 지게 ᄇᆡᆨ옥함의 님 옷도 잇ᄂᆡ마ᄂᆞᆫ
산호 지게 백옥함에 님 옷도 있지만은
뉘려셔 가저가며 가저간들 보실손가
누구라서 가져가며 가져간들 보실까
내 ᄒᆞ인 뉘라 ᄒᆞ고 무ᄉᆞᆫ 말노 보ᄂᆡ올고
내 하인 누가 하고 무슨 말로 보내올까
스ᄉᆞ로 면괴ᄒᆞ니 ᄂᆞᆷ이 엇디 니루려니
스스로 면괴[9]하니 남이 어찌 말하려니
누어도 ᄉᆡᆼ각이오 안ᄌᆞ도 ᄉᆡᆼ각이라
누워도 생각이요 앉아도 생각이라
아ᄆᆞ도 이 ᄉᆡᆼ각은 일각을 못 이즐 쇠
아마도 이 생각은 일각[10]을 못 잊을 새
치운 밤 더운 낫과 죽 됴반 조셕 딘디
추운 밤 더운 낮과 죽과 아침 조석 진지[11]
님의 소식 듯ᄌᆞ ᄒᆞ니 뉘라셔 전ᄒᆞᆯ손가
임의 소식 듣자 하니 누가 전할까
ᄭᅩᆺ 픠거든 ᄇᆞ라오면 님 ᄉᆡᆼ각 더욱 만ᄒᆡ
꽃 피거든 바라보면 임 생각 더욱 많아
초나라 가ᄂᆞᆫ 허리 연나라 고은 얼골
초나라 가는 허리 연나라 고운 얼굴[12]
긴 ᄉᆞᄆᆡ 말근 소ᄅᆡ 어수선 될서이고
긴 소매 맑은 소리 어수선히 되었구나

9 면괴面愧. 남을 마주 대하기 부끄러움.
10 일각一刻. 짧은 시간.
11 끼니로 먹는 음식을 높여 이르는 말.
12 초나라와 연나라에서의 미인의 조건을 일컬음.

광치야 됴타ᄆᆞᄂᆞᆫ 뎡셩이야 ᄃᆞ 이실ᄀᆞ
광채에 좋다마는 정성이야 다 있을까
ᄃᆡ 빈혀 ᄭᅩᄌᆞᆫ 머리 님의손ᄃᆡ 향ᄒᆞ엿고
대나무 비녀 꽂은 머리 임의 손에 향하였고
뵈 치마 ᄆᆡ온 몸이 님의 후 됴화 잇ᄂᆡ
삼베 치마 입은 몸이 임의 뒤에 좋아 있네
어려서 이러ᄒᆞᆫ가 미처서 이러ᄒᆞᆫ가
어리석어 이러한가 미쳐서 이러한가
ᄆᆞ암이 절노 나니 뉘라서 금ᄒᆞᆯ손고
마음이 절로 생기니 누가 금지할까
뫼서서 이릐 ᄒᆞ기 각시님 갓도던들
모셔서 이리 하기 각시님 같던들
서룸이 이러ᄒᆞ며 ᄉᆡᆼ각인들 이러ᄒᆞᆯ가
설움이 이러하며 생각인들 이러할까
차ᄉᆡᆼ의 이러커든 후ᄉᆡᆼ을 어이 알고
지금 생에 이렇거든 다음 생을 어찌 알까
ᄎᆞ하리 싀여져 구름이ᄂᆞ 되어이셔
차라리 없어져 구름이나 되어서
상광 오ᄉᆡᆨ이 님 계신 ᄃᆡ 덥혓고저
상광 오색[13]이 임 계신 데 덮였으면
그도 ᄆᆞ소 ᄒᆞ면 ᄇᆞ람이ᄂᆞ 되야이서
그도 마소 하면 바람이나 되어서
ᄒᆞ일 청음의 님 계신 ᄃᆡ 부러고저
여름날 청음[14]의 임 계신 데 불어서

13 상광오색祥光五色. 다섯 가지의 길한 빛.
14 청음淸音. 여름날의 맑고 시원한 응달.

그도 ᄆᆞ소 ᄒᆞ면 일뉸명월 되어니서
그도 마소 하면 일륜명월[15] 되어서
영영 반야의 두려시 비최고저
깊은 밤에 분명하게 비추고저
그도 ᄆᆞ소 ᄒᆞ면 명순ᄃᆡ쳔 되어니서
그도 마소 하면 명산대천 되어서
농비 봉무ᄒᆞ여 님의 집의 둘러 잇고
용이 날고 봉이 춤춰 임의 집에 둘러 있고
그도 ᄆᆞ소 ᄒᆞ면 천심노목 되어니서
그도 마소 하면 천심노목[16] 되어서
ᄃᆡ하를 괴와 노코 님의 몸을 밧들고저
큰 집을 지어 놓고 임의 몸을 받들고저
그도 ᄆᆞ소 ᄒᆞ면 덩지초 되아니서
그도 마소 하면 빨간 지초[17] 되어서
긔린 봉황으로 님의 상서 되아니서
기린과 봉황으로 임의 상서로움 되어서
그도 ᄆᆞ소 ᄒᆞ면 금옥명듀 되아니서
그도 마소 하면 금옥명주[18] 되어서
청묘 호령으로 님의 보ᄇᆡ寶貝 되엿고저
청묘 호령[19]으로 임의 보배 되었으면
그도 ᄆᆞ소 ᄒᆞ면 오현금 되아니서
그도 마소 하면 다섯 줄 거문고 되어서

---

15 일륜명월一輪明月. 둥글고 밝은 달.
16 천심노목千尋老木. 천 길이나 되는 오래된 큰 나무.
17 지초芝草. 지칫과에 속한 여러해살이풀.
18 금옥명주金玉明珠. 아주 귀중한 구슬.
19 청묘호령淸妙護靈. 맑고 오묘한 옥의 소리.

남훈전 님의 슬상의 노혓고저
남훈전 임의 무릎 위에 놓였으면
그도 ᄆᆞ소 ᄒᆞ면 화류ᄆᆞ 되어니서
그도 마소 하면 화류마[20] 되어서
옥안 금천으로 님을 ᄐᆡ화 달니고저
옥안 금천[21]으로 임을 태워 달렸으면
그도 ᄆᆞ소 ᄒᆞ면 ᄉᆡ 즘ᄉᆡᆼ 되어니셔
그도 마소 하면 새나 짐승 되어서
ᄐᆡ박디 상님원의 노일며 즐기고저
태백지 상림원에 노닐며 즐겼으면
그도 ᄆᆞ소 ᄒᆞ면 씌글이나 되어니셔
그도 마소 하면 티끌이나 되어서
님 ᄃᆞ니ᄂᆞᆫ 길 우희 ᄂᆞ붓기며 다니고저
임 다니는 길 위에 나부끼며 다녔으면
어와 이 각시님 그려도 그러ᄒᆞᆫ다
어와 이 각시님 그래도 그러한가
팔ᄌᆞ를 어이ᄒᆞ며 천뉸인들 도망ᄒᆞᆯ가
팔자를 어찌하며 천륜인들 도망할까
더ᄒᆞ거니 덜ᄒᆞ거니 분별ᄒᆞ여 무어ᄉᆞ ᄒᆞ며
더하거니 덜하거니 분별하여 무엇 하며
구람이ᄂᆞ ᄇᆞ람이ᄂᆞ 되여ᄂᆞᆫ들 무엇 ᄒᆞᆯ고
그름이나 바람이나 되었는들 무엇 할까
각시님 잔 가득 부으시고 ᄒᆞᆫ 시ᄅᆞᆷ 이ᄌᆞ소셔
각시님 잔 가득 부으시고 한 시름 잊으소서

---

20 화류마驊騮馬. 주나라 목왕穆王의 팔준마八駿馬 가운데 하나로, 아주 빠른 말.
21 옥안금천玉鞍金韉. 옥으로 만든 안장과 금으로 만든 언치.

40. 봉래별곡蓬萊別曲

① 작품명 : 봉래별곡蓬萊別曲

② 작자명 : 정현덕(鄭顯德, 1810~1883)

정현덕은 조선조 말기 동래부사를 지낸 문신이다. 41세 때 벼슬길에 나아갔으며, 흥선대원군 측근으로 대원군의 집권 여부에 따라 관직생활에 굴곡이 심했다. 19세기 중엽 격변기를 살아가면서 반일의식이 투철했던 인물로 알려져 있다.

③ 출전 : 박지홍, 교감본《항도부산港都釜山》 제4호

④ 해제

〈봉래별곡〉은 작자의 나이 59세 때인 1869년에 동래 지역의 명승지를 두루 답방하고 지은 유람기행가사다. 원문은 순 한글로 되어 있는데, 교감자(박지홍)가 국한문혼용체로 고쳐 표기했다. 이 작품에서 '봉래'는 '동래'의 별칭이며 오늘날의 '부산'이다. 작품을 짓게 된 동기와 서술 방향, 동래의 명승·경관과 이를 유람하는 감회, 동래의 풍광 예찬과 여정을 마무리하는 소회 등을 진술했다. 일정 기간의 답방 경험을 진술하지 않고, 작자가 동래부사 재임 시에 여러 차례 답방한 경험을 엮어 놓았다. 특정 지점에서 조망하는 경관과 감회를 시선의 이동에 따라 진술하고 있는 점이 주목된다. 부산 지역만을 대상으로 한 유람기행가사로서는 유일하며, 작품 창작 당시 부산의 지리와 경관에 관한 정보를 담고 있다는 점에서도 주목되는 작품이다.

⑤ 원문과 현대역

蓬萊山 옛말 듯고 예 와 보니 지쳑이라

봉래산 예로부터 듣고 이제 와 보니 눈앞이도다

東海水 淸明한데 魯仲連이 간 곳 없다

동해의 물 맑고 투명한데 노중연[1]이 간 곳 없다

徐氏의 採藥舟에 童男童女 못 보와라

서씨[2]의 불로초 캐러 온 배 동남동녀 못 보겠도다

安期生 赤松子난 白雲深處 자치 없다

안기생 적송자[3]는 흰 구름 깊은 곳에 자취 없다

神仙 말이 惶惶하니 다 후려 더져두고

신선이라는 말이 황당하니 다 휘몰아 던져두고

所見을 말을 내니 別曲이 되엿도다

본 바를 말로 엮어내니 별곡이 되었도다

丈夫慷慨 못 이겨서 多遊하야 살펴보니

장부 끓어오르는 기운 못 이겨 자주 유람하며 살펴보니

金井山城 大排布에 梵魚寺가 더욱 조타

금정산성 대배포[4]에 범어사가 더욱 좋다

蘇蝦亭 드러가니 處士난 간 곳 업고

소하정[5] 들어가니 처사는 간 곳 없고

---

1 중국 전국시대 웅변가. 용기와 절개로 유명했으며, 후에 바다로 도망하여 숨어 살았다고 함.

2 중국 진나라 때의 서복徐福. 진시황의 명을 받아 동남동녀 3,000명을 배에 신고 불로초를 캐러 동쪽으로 떠난 후 돌아오지 않았다고 함.

3 적송자와 안기생 모두 중국 진나라 때의 신선.

4 크게 순서있게 잘 벌여 놓음.

5 동래 온천장 부근에 있던 정자.

遊仙台 올나가니 道士난 어대 간고
유선대 올라가니 도사는 어디 갔는가
溫井 藥水 神效하니 病人 治療 근심 업다
온천 약수 효험 신기하니 병든 이 치료 근심 없다
盃山이 案山되고 슈무막이 되엿도다
배산이 안산되고 수구막이[6] 되었도다
靖遠樓 바래보니 노교슈 어대매요
단원루 바라보니 노교수[7] 어디 쯤이오
安樂書院 드러가니 忠臣 烈士 거록하다
안락서원 들어가니 충신 열사 거룩하다
荒嶺峰 올나갈 제 竹杖芒鞋 醉한 몸이
황령봉 올라갈 때 대지팡이에 짚신 신고 취한 몸이
左편은 水營이요 右편은 釜山이라
왼쪽은 수영이요 오른쪽은 부산이라
對馬島 一岐島난 海外에 둘너 잇다
대마도 한 갈래 섬은 바다 밖에 둘러 있다
沒雲台 海雲台난 勝地라 이르니라
몰운대 해운대는 명승지라 이르니라
永嘉台 노푼 집은 釜山 景概 제일이라
영가대 높은 집은 부산 경치 중 제일이라
節制使 主鎭되고 兩浦 萬戶 附庸대야
절제사 주재하는 군영되고 양포 만호[8] 의지하여

6 수구막이. 풍수지리에서 골짜기에서 흐르는 물이 멀리 돌아 흘러서 하류가 보이지 않는 땅의 생김새를 이름.

7 임진왜란 때 동래부東萊府 교수였던 노개방盧蓋邦. 단원루에서 북향재배하고 절사節死하였음.

8 종4품의 무관.

倭舘을 防衛하니 남고쇠락 여기로다
왜관을 방위하니 남요쇄약[9] 여기도다
任辰年 八年 兵火 忠臣 烈士 긔 뉴신고
임진년 팔 년 전쟁에 충신 열사 그 누구신가
宋忠臣 鄭忠將은 紫衣 黑衣 거록하다
송충신[10] 정충장[11]은 자주 옷 검은 옷 거룩하다
形色 千秋 못 이져서 殉節터의 築壇하니
그 모습 천 년토록 못 잊어서 순국터에 제단 세우니
烈女로 扶植하고 壯士로 配享한다
열녀로 도와 서게 하고 장사로 배향한다
子城台 一片石은 萬古 史蹟 긔 뉘 아리
자성대 한조각 비석은 만고의 행적 그 누가 알리
大明 恩德 갈으랴면 昊天이 罔極하다
대명 은덕 갚으려면 넓은 하늘과 같아 끝이 없도다[12]
鄭墓라 이른 말은 東萊 鄭氏 始祖로다
정묘[13]라 이른 말은 동래 정씨 시조로다
東平縣 古邑 터의 人家도 櫛比하다
동평현 옛고을 터에 인가도 즐비하다
烈女閣 孝女碑난 大路邊의 포량이라
열녀각 효자비는 대로변에 기려 세웠도다

---

9 남요쇄약南徼鎖鑰인 듯. 부산성석비釜山城石碑에 남요인후南徼咽喉(남으로 소란한 소리를 순찰함) 서문쇄약西門鎖鑰(서문을 쇠사슬로 잠금)이 등장함.

10 동래부사 송상현宋象賢.

11 부산첨사 정발鄭撥.

12 호천망극昊天罔極은 《시경》에 등장하는 구절. '하늘처럼 넓어서 끝이 없다'는 뜻.

13 동래 정씨 시조 정문도鄭文道의 묘.

甑臺城上 둘너보니 倭城텃이 분명하다
증대성 위 둘러보니 왜성 터인 것이 분명하다
龜峰峰 泰平하니 邊方에 일이 업다
구봉봉 태평하니 변방에 일이 없다
개원 豆毛 다 지내니 草梁浦村 分明하다
개운포 두모포 다 지나니 초량포촌 분명하다
守設門 嚴肅하니 客舍 大廳 雄壯하다
수문 설문 엄숙하니 객사 대청 웅장하다
四屛山下 宴大廳은 倭使接對 무삼 일고
사병산 아래 연대청은 왜국사신 접대 무슨 일인가
東西館 완담 안에 동헝사가 더욱 죠타
동관 서관 둘러싼 담 안에 동헌 건물[14] 더욱 좋다
大峙을 넘어가니 多大鎭이 거록하다
대치고개 넘어가니 다대포 진이 거룩하다
降仙台 어대매요 神仙이 노단말가
강선대 어디 쯤이요 신선이 놀았단 말인가
陸地룰 다 본 후에 島中울 향하리라
육지를 다 본 후에 섬 속을 향하리라
絕影島 드러가니 水路 十里 的實하다
절영도 들어가니 수로 십 리 확실하다
山下는 牧場되여 三千 駿馬 聳動이라
산 아래는 목장되어 삼천 준마 뛰놀도다
山上은 封山되여 왜시 入禁 多事하다
산 위는 출입 막아 외시[15]들 단속하느라 분주하다

---

14 동헌사東軒舍인 듯.
15 외시外寺인 듯. 소나 말을 관장하던 관청(벼슬아치).

졈졈 지피 드러가니 數三 漁村섇로다
점점 깊이 들어가니 몇몇 어촌뿐이도다
伐木 겨경 차자가서 태종대 다달으니
벌목해 내리는 길 찾아가서 태종대 다다르니
海上의 높은 바외 千丈萬丈섇이로다
바다 위의 높은 바위 천 길 만 길뿐이도다
관청대가 그 앞이요 동우셤이 압임이라
관청대가 그 앞이요 동우섬이 눌러 임했도다
五六島난 東편이요 牛岩浦난 北便이라
오륙도는 동쪽이요 우암포는 북쪽이라
滄浪歌 한 曲調에 仙境이 的實하다
창랑가 한 곡조에 선경이 확실하다
仙緣이 업돗던지 江塵의 일이 만타
신선 연분이 없었던지 세속의 일이 많다
秦始皇 漢武帝도 이곳을 어이 보리
진시황 한무제도 이곳을 어찌 보랴
니 내 몸 무삼 緣分 仙境을 遍踏하고
이 내 몸 무슨 연분으로 선경을 두루 밟고
不死藥 잇다 말이 方士의 빈말이라
불사약 있다는 말이 신선 술법 닦는 이의 빈말이도다
吳道子의 腹中 山川 긔 누라셔 알아내리
오도자[16]의 가슴속 산천 그 누구라서 알아내리
니 내 몸 虛浪하여 江山을 周遊하니
이 내 몸 허랑하여 강산을 두루 유람하니

---

16 중국 당나라 현종 때 최고의 화가.

歲月이 如流하여 三年이 如夢이라
세월이 흐르는 물과 같아 삼 년이 꿈 같도다
도라가 傳하고져 洛陽 親舊 일어리라
돌아가 전하고 싶구나 서울 친구에게 이르리라
입아 蓬萊 벗님들아 내 걸 막아 무어하리
이봐 동래 벗님들아 내 길 막아 무엇하리
나도 가기 실타마난 聖恩이 罔極하니 갚으러 가노라
나도 가기 싫다마는 성은이 망극하니 갚으러 가노라

41. 봉산곡鳳山曲

① 작품명 : 봉산곡鳳山曲

② 작자명 : 채득기(蔡得沂, 1605～1646)

채득기의 자는 영이詠而, 호는 우담雩潭 또는 학정鶴汀이다. 병자호란(1636)이 끝난 뒤, 인조가 그에게 소현세자 등을 호종할 것을 명했으나 병을 핑계로 나아가지 않았다. 3년간 유배생활을 한 뒤에, 청나라로 가서 왕자들을 모셨다.

③ 출전 : 필사본《봉산곡鳳山曲》

④ 해제

이 작품은 작자인 채득기에 의해 1638년(인조 16)에 창작된 가사로, 〈봉산곡〉과 〈천대별곡〉이라는 제목의 두 개의 각기 다른 이본이 전한다. 작자가 병자호란 이후 봉림대군과 소현세자를 호종扈從하여 심양審陽으로 가게 되자, 은거하던 자천대自天臺를 떠나면서 군은君恩의 망극함을 노래한 가사이다. 채득기는 인조로부터 두 대군의 호위하여 심양으로 갈 것을 명령받았으나 병을 핑계하며 거절하자, 3년간 보은報恩에 유배되었다. 이 작품은 왕명을 받들어 심양으로 떠나는 심회를 읊는 것으로 시작한다. 자신이 은거했던 주변의 풍경을 서술하고, 왕명을 받아 신하의 도리를 다하겠다는 결의를 드러내고 있다. 작품의 마지막 부분에서는 훗날 자신이 은거했던 곳으로 다시 돌아오겠다는 희망을 표출하며 끝맺고 있다. 〈봉산곡〉은 병자호란을 배경으로 하는 작품으로, 작자를 확인할 수 있다는 측면에서 가사문학사상 귀중한 자료라고 평가된다.

⑤ 원문과 현대역

가노라 玉柱峯아 잇거라 擎天臺야
가노라 옥주봉[1]아 있거라 경천대야
遼陽 萬里 길이 어ᄃᆡ야 얼마 ᄆᆞᆯ며
요양 만리 길이 어디기에 얼마나 멀며
北關 一周年이 오ᄅᆡ다 하랴마ᄂᆞᆫ
북관 일주년이 오래되었다 하지마는
翔鳳山 別乾坤을 오ᄅᆡ다 하랴마ᄂᆞᆫ
상봉산 별건곤을 오래되었다 하지마는
魯連의 憤을 계워 塵世을 아조 ᄭᅳᆫ코
노중련[2]의 분을 못 이겨 속세를 아주 끊고
발 읍신 동솟 하나 져나귀의 시러 내여
발 없는 구리솥 하나 저는 나귀에 실어 내어
秋風 石逕斜의 臥龍崗 차자와셔
가을바람 돌길에 비껴 불 때 와룡강 찾아와서
天柱峯 巖穴下의 茅屋數間 지어 두고
천주봉 바위굴 아래 초가 몇 칸 지어 두고
鼓瑟壇 杏花坊의 亭子 터을 손조 닥가
고슬단 행화방의 정자 터를 손수 닦아
나제 다 이러나고 ᄉᆡ 달이 도다올 졔
낮에 다 일어나고 새 달이 돋아올 제
기돌 읍신 거젹문과 울 읍신 가시 삽작
기둥 없는 거적문과 울 없는 가시 사립문

1 경북 상주에 있는 산 이름.
2 중국 전국시대의 인물인 노중련.

寂寞ᄒᆞᆫ 山谷間의 自作村이 더욱 좃타
적막한 산과 계곡 사이 내 만든 마을이 더욱 좋다
生涯은 分內事라 淡泊한들 어이하리
생애는 내 분수라 담백한들 어찌하리
大明天地 일편토의 바린 百姓 도야 잇셔
대명천지 치우친 땅에 버려진 백성 되어 있어
松菊을 씨다듬고 猿鶴을 벗졀 ᄒᆞ니
소나무 국화 쓰다듬고 원숭이와 학을 벗 삼으니
어위야 이 江山이 景槪도 ᄒᆞ고 만타
어와 이 강산이 경치도 많기도 많다
萬丈 金芙蓉이 半空의 소나올나
만 길의 금빛 연꽃이 허공에 솟아올라
龜巖을 압페 두고 鏡湖上의 셧ᄂᆞᆫ 양은
귀암을 앞에 두고 경호 위에 선 모습은
三神山 第一峰이 六鰲頭의 버럿ᄂᆞᆫ ᄃᆞᆺ
삼신산 제일봉이 육오두에 벌렸는 듯
紅霞 白雲이 곳곳지 근늘이요
붉은 노을 흰 구름이 곳곳에 그늘이요
琉璃 千萬景이 빈 ᄯᅡ의 ᄭᆞᆯ여씨니
유리 같은 온갖 풍경 빈 땅에 깔렸으니
龍門을 엽페 두고 鶴汀頭의 버러심은
용문을 옆에 두고 학정두에 벌렸음은
八疊 雲母屛을 玉欄干의 둘너난 ᄃᆞᆺ
여덟 폭 구름병풍 옥난간에 두르는 듯
明沙 白石이 구뷔구뷔 景이로다
깨끗한 모래 흰 돌이 굽이굽이 경치로다

그 즁의 조흔 거시 무어시 더 나흔이

그 중에 좋은 것이 무엇이 더 나은가

龜巖이 물을 굽펴 千百尺이 소ᄉᆞ올나

귀암이 물을 굽혀 천백 척 솟아올라

雲霄間의 特立ᄒᆞ야 太空을 괴와씨니

구름 끝에 우뚝 서서 허공을 괴었으니

어위야 自天臺야 네 일홈이 果然 虛得 아니로다

어와 자천대야 네 이름이 과연 헛되이 얻은 것 아니로다

文章이 富贍한들 뉘 詩로 다 써ᄂᆡ며

문장이 넉넉한들 누구의 시로 다 써내며

畵工이 神妙ᄒᆞᆫ들 한 붓으로 다 그릴가

화가가 신묘한들 한 붓으로 다 그릴까

秋風이 건듯 부러 입입히 불거씨니

가을바람이 살짝 불어 잎잎마다 붉었으니

물드린 織女錦은 鏡面의 거럿ᄂᆞᆫ ᄃᆞᆺ

물들인 직녀 비단은 물 위에 걸렸는 듯

花香은 擁鼻ᄒᆞ고 百果ᄂᆞᆫ 익어난ᄃᆡ

꽃향기는 코를 감싸고 온갖 열매는 익었는데

梅花盆 梔子器예 黃白菊이 셕겨셔라

매화 화분 치자 그릇에 황국 백국 섞였구나

風景도 조컨이와 物色도 긔지읍다

풍경도 좋거니와 물색도 끝이 없다

空山 子規聲은 瀟湘竹을 짜리ᄂᆞᆫ ᄃᆞᆺ

공산 두견새 소리는 소상죽을 때리는 듯

平沙 落雁影은 衡浦夕을 쑴구난 ᄃᆞᆺ

모래사장 기러기 그림자 형포의 석양[3]을 꿈꾸는 듯

江心 子夜半의 玉浮圖을 거러씨니
강 가운데 한밤중에 달[4]을 걸었으니
蘇仙의 赤壁趣을 저 혼ᄌᆞ 자랑할가
소동파의 적벽 흥취를 저 혼자 자랑할까
天寒 白屋의 玉屑이 霏霏ᄒᆞ니
추운 날 초가집[5]에 흰 눈이 흩날리니
千巖 萬壑中의 瓊瑤窟이 되엿셔라
수많은 바위와 계곡 속에 경요굴[6]이 되었구나
蒼髥丈夫 捧日亭은 孤節을 구지 가셔
잿빛 수염 장부의 봉일정은 외로운 절개를 굳이 가져
石上의 特立ᄒᆞ니 歲寒의 더욱 貴타
돌 위에 우뚝하니 한겨울에 더욱 귀하다
漁翁이 나을 불너 고기잡이 ᄒᆞᄌᆞ거날
어부가 나를 불러 고기잡이 하자거늘
夕陽을 빗겨 띄고 笞磯로 나려가셔
석양을 비껴 띄고 이끼 낀 돌에 내려가서
孤舟을 손조 져어 氷網을 거더ᄂᆡ니
외로운 배 손수 저어 얼음 그물 걷어내니
銀鱗玉尺이 罟마도 걸여셔라
은린옥척[7]이 그물마다 걸렸구나
鸞刀로 鱠을 치고 고기 파라 비진 슐을
좋은 칼로 회를 치고 고기 팔아 빚은 술을

3 형포는 형양지포衡陽之浦의 준말.
4 옥부도玉浮圖. 허공에 뜬 옥 그림이라는 뜻으로, 달을 가리킴.
5 백옥白屋. 초라하고 보잘것없는 초가집.
6 옥으로 꾸민 듯 하얗게 빛나는 궁궐.
7 비늘이 은빛으로 빛나고 모양이 좋은 큰 물고기.

갑픈 盞의 가득 부어 醉토록 머근 후의
깊은 잔에 가득 부어 취하도록 먹은 후에
烏巾을 빗기 씨고 詠歸門 도라드러
오건[8]을 비스듬히 쓰고 영귀문 돌아들어
天臺山 爛柯石을 놉피 베고 지어씨니
천대산 바둑판[9]을 높이 베고 누웠으니
長松 落雪은 醉眠을 씩오는 닷
장송에 내린 눈은 취한 눈을 깨우는 듯
蕭索흔 秋冬의도 景物이 이러커든
고요하고 쓸쓸한 가을 겨울에도 풍경이 이렇거든
花月三春 綠陰夏야 한 입으로 다 이르랴
꽃피는 봄 세 달 녹음이 우거진 여름이야 한 입으로 다 말하랴
物外烟霞 혼주 조아 富貴功名 이져씨니
자연의 풍경 혼자 좋아 부귀공명 잊었으니
人世上 黃粱은 몃 번이나 익언난고
사람 세상에서 기장밥[10]은 몇 번이나 익었는가
幽靜門 나제 다다 人跡이 끈쳐씨니
유정문 낮에 닫아 인적이 끊겼으니
天崩 地坼흔들 그 뉘라셔 傳할손고
하늘이 무너지고 땅이 갈라진들 그 누가 전할까
薇蕨을 손됴 키야 石泉의 씨쳐 먹고
고사리를 손수 캐어 돌샘에 씻어 먹고

---

8 남자들이 많이 쓰던 쓰개의 하나.
9 바둑판이 새겨진 돌. 곧 난가爛柯란 도끼자루가 썩는다는 말인데, 바둑 두는 재미를 말함.
10 황량黃粱. 곡식 가운데 하나인 기장을 일컬음. '황량몽'은 일장춘몽一場春夢이라는 뜻.

崇禎日月 保全ᄒᆞ야 軀命이나 ᄉᆞ라나면
명나라[11]의 일월 보전하여 목숨이나 살아나면
長城 萬里 밧게 白骨이 싸엿신들
만리장성 밖에 백골이 쌓였던들
이거시 桃源이라 綠髮을 불을손야
이것이 무릉도원이라 녹발[12]을 부러워할까
五絃琴 쥴을 골나 紫芝曲 노ᄅᆡᄒᆞ니
오현금 줄을 골라 자지곡[13] 노래하니
소곰도 醬도 읍시 맛 조흘ᄉᆞ 江山이야
소금도 장도 없이 맛 좋구나 강산이여
비듬밥 풀ᄯᅦ 쥭의 ᄇᆡ부를ᄉᆞ 風景이야
비름밥 풀죽에 배부르구나 풍경이여
是非榮辱 다 더지고 白鷗偕老 ᄒᆞ랏더니
시비와 영욕 다 던지고 갈매기와 함께 늙자 하였더니
무삼 才德 잇다 ᄒᆞ고 나라조차 아라시고
무슨 재주와 덕 있다 하고 나라까지 아시고
쓸 ᄃᆡ 읍신 이 한 몸을 차즈시기 窮極ᄒᆞᆯᄉᆞ
쓸데없는 이 한 몸을 찾으시니 궁극[14]하여
商山 季冬月의 瀋陽 가라 부르시니
상산 십이월에 심양 가라 부르시니
어ᄂᆡ 뉘 일이라 頃刻인들 머물손가
어느 누구의 일이라 잠깐인들 머물까

11 숭정崇禎. 명明나라 말기 의종毅宗 때의 연호.
12 검고 윤택이 있는 머리.
13 세상의 난을 피하여 은자인 상산商山의 사호四皓가 만든 노래.
14 몹시 절실함.

君恩을 感激ᄒᆞ야 行裝을 顚倒ᄒᆞ니
임금 은혜를 감격하여 행장을 전도[15]하니
三年 입은 겹즁치막 이불 요 兼ᄒᆞ엿다
삼년 입은 옷가지로 이불과 요를 겸하였다
南州 더온 ᄯᅡ도 치움이 이러커든
남쪽 더운 땅도 추움이 이렇거든
北極窮陰 깁픈 고ᄃᆡ 우리 님 계신 데야
북쪽 겨울 깊은 곳에 우리 임 계신 곳이야
다시곰 바라보고 우리 님 ᄉᆡᆼ각ᄒᆞ니
다시금 바라보고 우리 임 생각하니
五國 寒月을 뉘 ᄯᅡ이라 바라시며
오국[16] 차가운 달을 누구 땅이라 바라보며
異域 風霜을 어이 그리 격그신고
이국의 바람과 서리를 어찌 그리 겪으실까
旄邱의 버든 칠기 三年이 되야셔라
언덕에 뻗은 칡이 삼년이 되었구나
倒懸이 이러커든 屈膝을 언제 펼고
도현[17]이 이렇거든 꿇은 무릎 언제 펼까
漢朝의 ᄉᆞ람 읍셔 犬羊臣이 되야시니
중국에 사람 없어 오랑캐 신하 되었으니
三百年 禮樂文物 어ᄃᆡ로 가단 말고
삼백년 예악문물 어디로 갔단 말인가

15 위치나 차례를 거꾸로 뒤바꾸다.
16 만주 길림성吉林省 동북부에 있는 지명.
17 심한 곤경이나 위험이 닥침을 비유한 말.

오늘날 降虜妾이 다 옛날 觀周賓이라
오늘날 항복하니 다 옛날 주나라에 가서 손님노릇 처지라[18]
堯天이 久閑ᄒᆞ고 宋日이 잠겨시니
요임금 하늘은 오래 막혔고 송나라 해는 길이 잠겼네[19]
東海水 어이 둘너 이 羞辱 씨ᄉᆞ련가
동해수 어찌 퍼올려 이 치욕 씻으련가
吳宮의 셥흘 싹코 越山의 씨ᄅᆡ 단이
오나라 궁궐에 섶을 쌓고 월나라 산에 쓸개 매달아
主辱 臣當死은 古今의 常經이라
임금의 치욕에 신하가 죽음으로 맞섬은 고금의 도리이라
하물며 우리 집이 世世國恩 입ᄉᆞ오니
하물며 우리 집이 대대로 나라의 은혜 입었으니
아모리 溝壑인들 大義을 이질손가
아무리 구렁인들 대의를 잊을까
平生의 어린 計較 旣倒狂瀾 마그랴ᄃᆡ
평생의 어리석은 계교 거센 물결[20] 막으려니
才操 읍신 弱ᄒᆞᆫ 몸이 大厦將傾 어이 할고
재주 없는 약한 몸이 장차 기울어지는 큰 집 어찌 할까
房 안의셔 눈물 ᄂᆞ면 兒女子의 態度로다
방 안에서 눈물 나면 아녀자의 태도로다
이 怨讐 못갑푸면 어ᄋᆡ 面目 다시 들ᄭᅩ
이 원수 못 갚으면 어찌 얼굴 다시 들까

---

18 관주빈觀周賓. 굴욕을 당하고도 설욕할 생각은 않고 동화한다는 뜻.

19 채득기의 〈술회증소백산거사홍두곡우정述懷贈小白山居士洪杜谷宇定〉 '요천구폐색 송일장침륜堯天久閉塞 宋日長沈淪' 구절이 있음.

20 기도광란旣倒狂瀾. 이미 기운이 약해져서 일의 형세를 걷잡을 수 없음.

岳手의 춤을 밧고 祖楫의 盟誓ᄒᆞ니
악비[21]의 손에 침을 뱉고 조적의 노에[22] 맹세하니
ᄂᆡ 몸의 쥭음 ᄉᆞ름 一鴻毛의 빗겨 두고
내 몸에 죽음과 삶 깃털처럼 비껴 두고
東西南北 萬里 박게 命을 좃ᄎᆞ 단이리라
동서남북 만리 밖에 명을 좇아 다니리라
닛거라 가노라 가노라 잇거라
잊어라 가노라 가노라 있거라
無情ᄒᆞᆫ 白鷗더른 盟誓期約 웃건마는
무정한 갈매기들은 맹세한 약속 비웃건만
聖恩이 하 罔極ᄒᆞ시니 갑고 다시 도라오리라
성은이 하 망극하시니 갚고 다시 돌아오리라

21 송宋나라 고종高宗 때의 충신 악비岳飛의 손.
22 조즙祖楫. 진晉나라 원제元帝 때의 인물 조적祖逖의 노.

42. 봉선화가鳳仙花歌

① 작품명 : 봉선화가鳳仙花歌

② 작자명 : 허초희(許楚姬, 1563～1589)

허초희는 조선 중기 선조 때의 여류시인이다. 본관은 양천, 본명은 초희, 호는 난설헌蘭雪軒이다. 이달李達에게 시를 배워 8세 때 이미 시를 지었으며 천재적인 시재詩才를 발휘하였다. 1577년(선조 10) 15세의 나이에 김성립과 결혼하였으나 원만하지는 못했다. 연이어 딸과 아들을 모두 잃고, 오빠 허봉이 귀양을 가는 등 불행한 자신의 처지를 시작詩作으로 달래어 애상적 시풍의 특유한 시 세계를 이룩했다. 그가 세상을 떠난 후 동생 허균이 작품 일부를 명나라 시인 주지번朱之蕃에게 주어 중국에서 시집 《난설헌집》이 간행되어 격찬을 받았다. 작품으로는 시詩에 〈유선시遊仙詩〉·〈빈녀음貧女吟〉·〈곡자哭子〉·〈망선요望仙謠〉·〈동선요洞仙謠〉·〈견흥遣興〉 등 총 142수가 있고, 가사歌辭로 〈원부사怨婦辭〉·〈봉선화가鳳仙花歌〉 등이 있다.

③ 출전 : 필사본 《정일당잡지貞一堂雜識》

④ 해제

이 작품은 조선 중기에 허초희가 지은 규방가사이다. 작품 전체의 길이는 모두 45행, 형식은 4음보 4보격의 율격이 대체로 잘 지켜졌으며 6음보로 늘어난 행이 몇 군데 나타나 있다. 내용은 봉선화 이름의 유래와 봉선화의 아름다움, 향기 없음, 그리고 봉선화를 심는 일 등 봉선화라는 제재의 주변적 사실로부터 시작된다. 이어서 손톱에 물들이는 모습과 땅 위에 붉은 꽃이 가득히 수놓아졌음을 보고 꽃밭에 떨어진 봉선화의 운명을 애석하게 여기면서도, 다른 꽃과 달리 여인의 손톱 위에 오래 남아 그 절조를 나타내는 노래이다. 작가는 봉선화를 단지 여인의 장식물, 여인의 한, 원망, 그리움 등의 투영으로 보지 않고 살아 있는 개체로 봄으로써 여인의 섬세한 감정을 잘 드러냈다.

⑤ 원문과 현대역

香閨의 일이 업셔 百花譜를 혀쳐보니
향규[1]에 할 일이 없어 백화보[2]를 펼쳐 보니
봉선화 이 일홈을 뉘라서 지어낸고
봉선화 이 이름을 누가 지어 냈는가
眞游의 玉簫소릐 紫煙으로 힝흔 후에
신선의 옥피리 소리가 선경으로 사라진 후에
閨中의 나믄 因緣枝花의 머므르니
규방에 남은 인연이 한 가지 꽃에 머물렀으니
柔弱흔 푸른 닙은 봉의 꼬리 넘노는 듯
연약한 푸른 잎은 봉의 꼬리가 넘노는 듯
自若히 붉은 꼿은 紫霞裙을 헤쳣는 듯
아름다운 붉은 꽃은 신선의 옷을 펼쳐 놓은 듯
白玉섬 조흔흘게 종종이 심어내니
고운 섬돌 깨끗한 흙에 촘촘히 심어 내니
春三月이 지난 후에 香氣 업다 웃지 마소
봄 삼월이 지난 후에 향기가 없다고 웃지 마소
醉흔 나븨 미친 벌이 ᄯᅡ라올가 저허ᄒᆞ네
취한 나비와 미친 벌들이 따라올까 두려워하네

---

1 부녀자의 방을 아름답게 부르는 말.
2 온갖 꽃에 대한 설명을 쓴 책.

貞靜ᄒᆞᆫ 氣像을 녀자 밧긔 뉘 벗ᄒᆞᆯ고

정숙하고 조용한 저 기상을 여자 외에 누가 벗 하겠는가

玉欄干 긴긴 날에 보아도 다 못보아

옥난간 긴긴 날에 보아도 다 못 보아

紗窓을 半開ᄒᆞ고 叉鬟을 불너ᄂᆡ어

사창을 반쯤 열고 차환[3]을 불러내어

다 핀 ᄭᅩᆺ을 ᄏᆡ여다가 繡箱子에 다마노코

다 핀 봉선화 꽃을 따서 수상자에 담아 놓고

女工을 그친 후의 中堂에 밤이 깁고

바느질을 그친 후에 안채에 밤이 깊어

蠟燭이 발갓을제 나음나음 고초 안자

밀촛불이 밝았을 때 차츰차츰 꼿꼿이 앉아

흰 구슬을 가라마아 氷玉ᄀᆞᆮᄒᆞᆫ 손 가온ᄃᆡ 爛漫이 개여ᄂᆡ여

흰 구슬을 갈아 바수어 옥같이 손 가운데 흐무러지게 개어 내니

波斯國 저 諸侯의 紅珊宮을 혀첫ᄂᆞᆫ ᄃᆞᆺ

파사국[4] 저 제후의 홍산궁[5]을 헤쳐 놓은 듯하며

深宮風流 절고에 紅守宮을 마아ᄂᆞᆫ ᄃᆞᆺ

심궁 풍류[6] 절구에 홍수궁[7]을 빻아 놓은 듯

纖纖한 十指上에 수실로 가마ᄂᆡ니

가늘고 고운 열 손가락에 수실로 감아 내니

---

3 머리를 얹은 젊은 여자女子 종을 이르는 말.

4 페르시아.

5 붉은 산호 궁궐.

6 깊은 궁궐의 풍류.

7 붉은 도마뱀. 한나라 무제가 단옷날 도마뱀에게 주사를 먹여 붉은 도마뱀을 만들었다고 함.

조희 우희 불근 물이 微微히 숨의는 양
종이 위에 붉은 물이 희미하게 스며드는 모양
佳人의 야튼 뺨의 紅露를 찌친는 듯
미인의 뺨 위에 홍조가 어리는 듯
단단히 봉흔 모양 春羅玉字一封書를 王母에게 부칫는 듯
단단히 묶은 모양은 춘나옥자일봉서[8]를 서왕모에게 부치는 듯
春眠을 느초깨여 차례로 풀어 노코
봄잠을 늦게 깨어 열 손가락을 차례로 풀어 놓고
玉鏡臺를 대흐여서 八字眉를 그리래니
거울 앞에서 눈썹을 그리려고 하니
난데 업는 불근 꼿이 가지에 부텃는 듯
난데없는 붉은 꽃이 가지에 붙어 있는 듯
손으로 우희랴니 紛紛이 흣터지고
손으로 잡으려 하니 어지럽게 흩어지고
입으로 불랴 흐니 석긴 안개가리왓다
입으로 불려고 하니 섞인 안개에 가리웠다
女伴을 서로 불러 朗朗이 자랑흐고
여자 친구를 서로 불러서 즐겁게 자랑하고
쪽 압희 나아가서 두 빗흘 比較흐니
쪽 앞에 가서 꽃과 손톱을 비교하니
쪽닙희 푸른믈이 쪽의여서 푸르단말 이 아니 오를손가
쪽 잎에서 나온 푸른 물이 쪽빛보다 푸르단 말, 이 아니 옳겠는가
은근이 풀을 매고 돌아와 누었더니
은근히 풀을 매고 돌아와서 누웠더니

8 비단에 옥으로 박은 글씨, 한 통의 편지.

綠衣紅裳 一女子가 飄然이 앞희 와서
녹의홍상[9] 한 여자가 표연[10]히 내 앞에 와서
웃ᄂᆞᆫ ᄃᆞᆺ 찡기ᄂᆞᆫ ᄃᆞᆺ 謝禮ᄂᆞᆫ ᄃᆞᆺ 下直ᄂᆞᆫ ᄃᆞᆺ
웃는 듯 찡그리는 듯 사례하는 듯 하직하는 듯
朦朧이 잠을 ᄭᆡ여 丁寧이ᄉᆡᆼ각ᄒᆞ니
몽롱[11]히 잠을 깨어 곰곰이 생각하니
아마도 ᄭᅩᆺ귀신이 내게와 下直ᄒᆞᆫ다
아마도 꽃 귀신이 내게 와서 하직한다
繡戶를 급히 열고 ᄭᅩᆺ수풀을 점검ᄒᆞ니
수호[12]를 급히 열고 꽃 수풀을 살펴보니
ᄯᅡ우희 불근 ᄭᅩᆺ이 가득히 수노핫다
땅 위에 붉은 꽃이 가득히 수놓았다
黯黯이 슬허ᄒᆞ고 낫낫티 주어담아
암암[13]히 슬퍼하고 낱낱이 주워 담으며
ᄭᅩᆺ다려 말 부치ᄃᆡ 그ᄃᆡᄂᆞᆫ 恨티 마소
꽃에게 말하기를 그대는 한스러워 마소
歲歲 年年의 ᄭᅩᆺ빗은 依舊ᄒᆞ니
해마다 꽃빛은 옛날과 같으니
허믈며 그ᄃᆡ 자최 내 손에 머믈럿지
하물며 그대 자취가 내 손톱에 머물렀지
東園의 桃李花ᄂᆞᆫ 片時春을 자랑 마소
동산의 도리화[14]는 편시춘[15]을 자랑하지 마소

9 푸른 저고리와 붉은 치마. 곧 봉선화를 가리킴.
10 표연飄然. 훌쩍 나타나거나 떠나는 모양.
11 희미하여 흐릿함.
12 수놓는 방장으로 가린 문.
13 속이 상하여 시무룩함.

二十番 ᄭᅩᆺᄇᆞ람의 寂寞히 ᄠᅥ러진ᄃᆞᆯ 뉘라서 슬허ᄒᆞᆯ고

이십번[16] 꽃바람에 적막하게 떨어진들 누가 슬퍼하겠는가

閨中에 남은 因緣 그ᄃᆡ ᄒᆞᆫ몸 ᄲᅮᆫ이로세

규중에 남은 인연이 그대 한 몸뿐일세

鳳仙花 이 일홈을 뉘라서 지어ᄂᆡᆫ고 일로ᄒᆞ야 지어서라

봉선화 이 이름을 누가 지었는가 이렇게 해서 지어진 것이로구나

---

14 복숭아꽃과 오얏꽃.

15 잠깐 지나가는 봄.

16 이십사번화신풍二十四番花信風, 소한에서 곡우까지 5일마다 봄바람이 분다하여 꽃 한 가지 씩을 배당했음을 말함.

43. 부여노정기扶餘路程記

① 작품명 : 부여노정기扶餘路程記

② 작자명 : 연안이씨(延安李氏, 1737～1815)

연안이씨는 예조판서 이지억李之億의 딸로, 유성룡의 8세손 유사춘柳師春의 아내이며, 초계문신 유태좌柳台佐의 어머니이다. 재주와 문필이 뛰어난 인물로 알려져 있다. 생애 궤적을 살필 수 있는 자료가 현재로서는 드물다.

③ 출전 : 《규방가사 I 》 가사문학대계 3(한국정신문화연구원 고전자료편찬실)

④ 해제

〈부여노정기〉는 작자의 나이 66세 때인 1802년에 지은 것으로 보이는 국문 기행가사다. 작자가 여성인 데다 부여현감으로 부임하는 아들의 행차에 동행한 경험을 진술하고 있다는 점에서 노정기행류路程紀行類 규방가사로 일컫기도 한다. 아들의 부여현감 제수 소회, 임지로 출발하는 행렬의 모습, 여정에서 마주친 지역들의 풍물과 정취, 반백이 된 동생과의 해후, 부여 관아에서의 도임잔치, 남편의 회갑연 정경 및 성은에 대한 감사 등을 노래했다. 여성이 지은 가사 가운데 작자와 창작 연대가 밝혀진 가장 오래된 것 가운데 하나로서, 안동 하회로부터 부여 관아에 이르는 여정을 속도감 있게 전개해나간 작품이다.

⑤ 원문과 현대역

황정경 일자를 엇지타 그릇 알고

황정경[1] 한 글자를 어찌하여 잘못 알고

인간에 적강ᄒᆞ여 평ᄉᆡᆼ에 병이 만하

인간세계에 내려와서 평생에 병이 많아

북창 하에 누웟스니 려위여 역불위라

북쪽 창 아래 누웠으니 뜻대로 하기 어렵도다

복희씨를 꿈ᄭᅮ던가 금조에 희작성이 과연히도 신영ᄒᆞ다

태평성대 꿈꾸었던가 오늘 아침 까치 소리 참으로 새롭도다

경주인 한임 소리 느러지게 나ᄂᆞᆫ고야

임금님 명령 전하는 소리 늘어지게 나는구나

갑인연 방소ᄅᆡᆫ 듯 을묘년 감시런 듯

갑인년[2] 급제소리인 듯 을묘년[3] 감관시험인 듯

홍문관 직중 아해 평서를 올리거늘

홍문관 관직에 있는 아이 평서[4]를 올리거늘

소수를 엇픗 드러 방함을 ᄯᅦ여 보니

전하는 것 얼핏 들어 봉함[5]을 떼어 보니

충청도 부강태수 말망에 몽점ᄒᆞ니

충청도 부여현감 말망[6]에 몽점[7]하니

---

1 도가道家의 수련 경전. 신선이 이 경전의 한 글자라도 잘못 읽으면 천상계에서 인간계로 귀양온다고 함.

2 1794년으로 추정.

3 1795년으로 추정.

4 탈없이 무사하다는 소식을 알리는 편지.

5 편지나 문서 따위를 봉투에 넣고 봉함.

6 임금에게 세 사람의 벼슬아치 후보자 천거할 때 서열의 끝에 있는 사람을 이르던 말.

7 임금이 관리의 인사를 결정할 때 후보자로 천거된 세 사람 중 적격자라고 판단한

어화 성은이야 가지록 감축ᄒᆞ다
어와 성은이야 갈수록 감축이도다
작년에 안악 영감 일문에 감우러니
작년에 안악 영감 가문에 단비더니
오늘날 이 희보는 긔 더욱 망외로다
오늘날 이 기쁜 소식 그 더욱 뜻밖이도다
수왈 소읍이나 네게는 고향이라
비록 작은 읍이지만 너에게는 고향이라
착홀사 우리 주자 일마다 긔특하다
착하도다 우리 아들 일마다 기특하다
정공등 어대내며 병친이 쾌차ᄒᆞ니
좋은 약초[8] 얻어내서 병든 어버이 쾌차하니
화풍은 만실ᄒᆞ고 시졀은 삼월이라
화창한 바람 집안에 가득하고 시절은 삼월이도다
친척은 만당ᄒᆞ며 시우난 낙낙ᄒᆞ여
친척은 뜰에 가득하고 철 맞춰 내리는 비 촉촉하여
이화도 향기롭다 풍백을 의논ᄒᆞ며
배꽃도 향기롭다 바람이 어떨지 이야기 나누며
성은이 중첩ᄒᆞ여 이 역을 피홀소냐
성은이 거듭되니 이 소임을 피하겠는가
청하 초길일에 영양으로 발행ᄒᆞ니
산뜻한 여름 초하룻날 영양으로 행차를 떠나니
친척이 히열흔다 고붕이 하레ᄒᆞ니
친척들이 기뻐하고 좋은 벗들이 축하하니

인물 위에 점을 찍어 결정하던 일.

8 정공등丁公藤. 껍질과 열매를 약용하는 식물. 일명 마가목.

범갓흔 허다 하졸 조수 갓치 미러드러
범같은 허다한 하졸 조수같이 밀려들어
보운총 조흔 말게 쌍교를 놉히 시러
기품 있는 좋은 말에 쌍가마를 높이 실어
청풍은 선배 되고 명월을 후배 삼아 추종이 십리로다
맑은 바람 앞세우고 밝은 달 뒤에 두어 따르는 행렬 십리도다
좌우에 권마성은 위풍이 볼 만ᄒᆞ다
좌우에서 지르는 소리[9] 위풍이 볼 만하다
당시에 듯던 소리 반갑기 그지업다
그때 듣던 소리 반갑기 그지없다
독교를 후거ᄒᆞ니 별 수는 바이 업네
말 한 마리 끄는 가마를 뒤에 세우니 별 수는 전혀 없네
예천 ᄯᅡ 오천내를 발 아래 구버보니
예천 땅 오천내를 발 아래 굽어보니
용궁읍을 얼는 지내 우두원 숙소ᄒᆞ고
용궁읍을 얼른 지나 우두원에서 임시로 묵고
삼산을 잠간 드러 옛 벗님 차차보고
삼산을 잠깐 들러 옛 벗님 찾아보고
수향을 승선ᄒᆞᆯ 제 어옹을 즐기는 듯
수향에서 배를 탈 때 어부된 기분 즐기는 듯
창송은 울울ᄒᆞ고 록죽은 의의ᄒᆞᆫᄃᆡ
푸른 소나무 울창하고 푸른 대나무 의의[10]한데

---

9 권마성. 말이나 가마가 지나갈 때 위세를 더하기 위해 그 앞에서 하졸들이 목청을 길게 빼어 부르는 소리.

10 의의猗猗. 보기좋도록 아름답고 성함.

삼춘은 거의 가고 연즉은 완완흔듸
춘삼월 거의 가고 제비 참새는 더디오는데
차정에 채운이요 마제에 향풍이라
행렬 깃발에 채색 구름이요 말 발굽에 향기로운 바람이라
층암 벽계를 몃 곳이나 지나거니
층층 바위 맑은 계곡 몇 곳이나 지나가니
쥬렴을 잠간 들고 원근을 쳠망흐니
주렴을 잠깐 들고 멀리 가까이 살펴보니
산쳔도 수려흐고 지셰도 활연흐다
산천도 수려하고 지세도 트였도다
사십 년 막힌 흉금 이제야 티이거다
사십 년 막혀 있던 가슴 이제야 트이는도다
함창 싸 태봉 술막 음식도 정결흐다
함창 땅 태봉 주막 음식도 정결하다
상주는 대관이라 인물도 번화흐다
상주는 큰 관아라 사람 물산도 번화하다
보은은 협중이라 속리산 내맥이로다
보은은 협곡 속이라 속리산 안줄기도다
옥천을 다시 보니 반석이 더욱 조혜
옥천을 다시 보니 너럭바위 더욱 좋도다
삼십 년 써난 동생 옥성와 만나보니
삼십 년 떠나 있던 동생 옥성에 와 만나보니
도로예 고초흐여 청수흔 그 얼굴이 반백이 다 되엿네
힘든 일에 고생 많아 맑고 수려한 그 얼굴이 반백이 다 되었네
손 잡고 체루하니 회포도 엄억흐다
손 잡고 눈물 흘리니 마음속 쌓인 정 가슴을 덮는도다

압길이 탄탄ᄒᆞ니 옛 말삼 다ᄒᆞᆯ손가 창연지심 그지업다
앞길이 한참 남았으니 쌓인 얘기 다하겠는가 아쉬운 마음 그지없다
패거리 큰 주소에 북풍이 마주 부니
행렬무리 큰 숙소에 북풍이 마주 부니
십오야 발근 달에 성신을 거느리고
보름 밤 밝은 달에 별들을 거느리고
백연화 한 가지가 연연이 나라드러
흰 연꽃 한 가지가 가냘프게 날아들어
천백인 앙첨 중에 지재현 ᄒᆞ올 적에
뭇 사람 우러르는 중 고갯마루에 나타날 때에
이 조흔 이 세계를 남으게 보이고져
이 좋은 이 세계를 남에게 보이고 싶도다
행인이 국공ᄒᆞ니 주막을 용동ᄒᆞ며
수행하는 이들이 피곤해 하니 주막을 들러가며
가교마 벌연 독교 편토록 하령ᄒᆞ니
가마 메어 끄는 말이 편하도록 영을 내리니
수배에 다리 ᄶᅧᆯ기 백 배나 더ᄒᆞ고나
앞 뒤에서 다리 떠는 일 백 배나 더하구나
년산에 말을 가라 금편을 다시 치니
연산에서 말을 갈아 채찍질을 다시 하니
채석강 뱃머리가 녀흘을 맛내난 듯
채석강 뱃머리가 여울을 만나는 듯
진애에 뭇은 ᄶᅵ를 백마강에 업시ᄒᆞ니
먼지에 모인 때를 백마강에서 없애니
금회가 탁락ᄒᆞ야 선분이 젹을소냐
품은 회포 뛰어나니 신선 연분이 적겠는가

고란사 청풍젼은 본다시 알거니와

고란사 청풍전은 본 듯이 알거니와

조령재 청풍경을 안자서 보리로다

조령재 맑은 풍경을 앉아서 보겠노라

노셩현 은진미륵 이제야 친히 보고

노성현 은진미륵 이제야 친히 보고

션경을 얼픗 보아 부아로 도라드니

선경을 얼핏 보며 부여로 돌아드니

향기예 생명거동 호수입식 책젼립이

기생들 생글거리는 모습 범수염을 하고 선 무관들이

일 안에 기묘흔듸 삼 번에 현알흐네

하룻날에도 기묘한데 세 번을 알현하네

오리정 널븐 뜰에 꿀벌리 모이난 듯

오리정 넓은 뜰에 꿀벌이 모이는 듯

전후 사령 까지 옷과 급창의 청쳔익은

앞 뒤 사령 걸친 옷과 급창의 푸른 옷소매는

개암이 잣는 곳에 오색이 어리엿내

해진 데 헝겊 대어 기운 곳에 오색이 어리었네

삼현 육각은 쳔지가 진동흐니

삼현 육각 소리에 천지가 진동하니

백제 적 도읍이라 오히려 풍역일다

백제 시절 도읍이라 오히려 기풍 있도다

수문을 크게 열고 내아로 뫼실 적에

관아 문을 크게 열고 내아로 모실 때에

렴점셩 수양버들 그늘도 한가흐다

염정성 수양버들 그늘도 한가롭다

완완히 행보ᄒᆞ여 청중에 올나셔니
천천히 걸음을 옮겨 대청 가운데 올라서니
삼중석 만화방을 이리져리 노앗난데
삼중석 위에 꾸민 방을 이리저리 놓았는데
좌ᄒᆞ여 안즌 후에 옛 일을 상상ᄒᆞ니
자리잡고 앉은 후에 옛 일을 떠올리니
명주의 조흔 풍경 아시에 즐겻드니
강릉의 좋은 풍경 어린 시절에 즐겼더니
유양의 조흔 의식 실토록 ᄒᆞ여보고
젖먹여 기른 좋은 음식 싫도록 먹어보고
황제에 조흔 성덕 중토록 입엇드니
황제의 좋은 성덕 몇 번을 입었더니
부강에 조흔 맛을 노래에 다시 보니
부여의 좋은 맛을 나이 들어 다시 보니
아해야 술 부어라 취토록 마시리라
아이야 술 부어라 취하도록 마시리라
한태부에 남궁연이 이갓치 즐겁더냐
한나라 고조의 남궁연이 이같이 즐거웠겠는가
주중에 진정 말이 석감이 젹을소냐
술마시는 중에 내어놓은 말이 옛 감회 적겠는가
임자 계축 기황 시졀 차마 엇지 이질소냐
임자년[11] 계축년[12] 굶주린 시절 차마 어찌 잊겠는가
유자유손 유귀거니 옛글에도 잇거니와
자손 대대로 남길 귀한 유지인 것 옛글에도 있거니와

---

11 1792년으로 추정.
12 1793년으로 추정.

당당ᄒᆞᆫ 동상 방에 너를 엇지 못 안치며
당당한 동생 방에 너를 어찌 못 앉히며
이 조흔 이 세계를 너를 엇지 못 보이나
이 좋은 이 세계를 너에게 어찌 못 보이는가
오내에 맷친 한이 골슈에 박혓스니 속광젼 풀닐소냐
내 안에 맺힌 한이 골수에 박혔으니 속마음 풀리겠는가
의법적 종부직을 증자로 쓰단 말가
법에 따른 아내 품계[13]를 관모 장식[14]으로 쓴다는 말인가
부생이 약몽ᄒᆞ니 천당에셔 만날손가
뜬구름 같은 인생 꿈과 같으니 천당에서 만날 것인가
취즁 건곤이요 한중 금괴로다
취중의 세상이요 한스러운 얼룩고양이[15]로다
광음이 훌훌ᄒᆞ여 경신 신유 거의로다
세월이 쉬이 흘러 경신년[16] 신유년[17] 거의도다
십일월 염육일은 유학대감 회갑이라
십일월 이십육 일은 유학대감 회갑이라
유자자효 여증손에 유부유부 경부졍부
효성스러운 자식 증손자에 행실 바른 지아비 지어미들
시화 세풍ᄒᆞ니 쩍 가장 조타마는
시절 좋고 풍년 드니 때 가장 좋다마는

13 종부직從夫職. 남편의 품계에 따라 아내의 작위를 봉하던 일.
14 증자頂子(정자). 전립 따위의 위에 꼭지처럼 만들어 달던 꾸밈새. 품계에 따라 금·은·옥·석 따위의 구별이 있었음.
15 금괴. 얼룩고양이의 옛말. 표화묘豹花猫.
16 1800년으로 추정.
17 1801년으로 추정.

팔역신민 소회 중에 셜연이야 ᄒᆞ올손가
팔도 신하 백성 생각 모두가 잔치 베풂이야 하겠는가
당경중 뫼왓신들 종종 효성 적을소냐
집안 사람들 모시게 되면 때로 효성 적겠는가
우흐로서 주신 쌀을 시진빙청 모아다가
얻어서 주신 쌀을 예서제서 모았다가
남산갓치 ᄯᅧᆨ을 ᄒᆞ고 한강채로 술을 비져 종누갓치 괴와 올여
남산같이 떡을 하고 한강 통째로 술을 빚어 종루같이 괴어 올려
병부 찬 태수 아해 국공ᄒᆞ여 헌수ᄒᆞᆯ 새
병부를 찬 현감 아이 허리 굽혀 술잔 올릴 때
연벽 진ᄉᆞ 중계아는 종후ᄒᆞ며 잔을 드니
동시에 급제한 진사[18] 가운데 아이 따라 하면서 잔을 받드니
배석ᄒᆞ신 두 노인은 서로 고면ᄒᆞ시난 양
배석하신 두 노인은 서로 돌아보시는 모습
평생에 못ᄒᆞᆫ 일은 자식에게 받을나니 만고에 희한ᄒᆞ다
평생에 못한 일을 자식에게 받게 되니 만고에 드물도다
하저ᄒᆞᆫ 후 상 물여라 통인 급창 포복일다
음식 먹은 후 상 물려라 통인 급창 포식하도다
원정월 조ᄒᆞᆫ 날에 사향지심 더ᄒᆞ더니
음력 정월 좋은 날에 고향 생각 더하더니
승정원 옥당소리 슈찬 유지 올니나냐
승정원 옥당 벼슬아치[19] 수찬 교지 올리느냐
어와 셩은이야 가지가지 망극ᄒᆞ다
어와 성은이야 가지가지 망극하도다

---

18 연벽連璧·연벽聯璧. 형제가 동시에 과거에 급제함.
19 옥당소리玉堂小吏. 옥당(홍문관)의 작은 벼슬아치.

44. 북관곡北關曲

① 작품명 : 북관곡北關曲

② 작자명 : 송주석(宋疇錫, 1650～1692)

송주석은 우암尤菴 송시열宋時烈의 손자로, 자는 서구叙九, 호는 봉곡鳳谷이다. 서울의 사직동에서 출생, 1683년(숙종 9)에 등과하여 용담현령을 거쳐 홍문관弘文館 부교리副校理에 이르렀으나 1692년(숙종 18)에 43세의 나이로 생을 마쳤다.

③ 출전 : 필사본 《은보집략恩譜輯略》

④ 해제

이 작품은 1675년(숙종 1)에 함경도 덕원으로 유배된 우암 송시열을 배행陪行하였던, 그의 손자 송주석이 지은 유배가사이다. 조선 후기 서인과 남인의 예론으로 인해서 치열한 정치 투쟁이 있었는데, 송시열이 유배되기 이전에 남인인 허목과 윤선도 등이 효종孝宗의 상喪에 조대비(인조계비)의 복제服制를 삼년설로 주장했다가 유배되었다. 얼마 후 효종비인 인선왕후仁宣王后의 상을 당하여 서인인 송시열이 조대비의 복을 대공설(9개월)로 주장하다가 남인인 허목 등에게 패배하여 덕원으로 유배되었다. 송시열의 입장에서 유배에 처해지게 된 전후의 사정과 유배지까지의 노정 등을 읊은 작품이다. 〈북관곡〉은 필사본 《은보집략》에 송찬규宋燦圭의 가사 〈상산별곡商山別曲〉과 함께 실려 있으며, 연세대 도서관에도 《북관곡》(단권)이 필사본으로 전하고 있다. 필사본 상단에는 한글로, 하단에는 한자로 표기되어 있다.

⑤ 원문과 현대역

어와 설운지고 이 행차行次 무사 일고
어와 서러워라 이 행차 무슨 일인가
장사長沙 천일애天一涯에 가태부賈太傅 행색色인가
장사 하늘 끝에 가의[1]의 행색인가
조주潮州 팔천니八千理에 한니부韓吏部 길이런가
조주 팔천 리에 한유[2]의 길이던가
북관北關 천니千里 밖에 어대라고 가시는고
북쪽 변방 천리 밖에 어디라고 가시는가
평생을 도라보나 지은 죄 없건마는
평생을 돌아보나 지은 죄 없건마는
늣게야 어찐 일로 이런 화禍 만나신고
뒤늦게 어떤 일로 이런 화 만나셨나
무기년 간사戊己年間事를 생각거든 목이 멘다
무신년과 기유년 사이의 일[3]을 생각하니 목이 멘다
슬플사 효종대왕孝宗大王 큰 뜻을 품으시고
슬프다 효종대왕 큰 뜻을 품으시고
감반甘盤 구학舊學에 동덕同德을 차자시니
감반[4]의 옛 학문에 동덕을 찾았으니
그 적의 일개신一個臣이 초야草野로 니러 오니
그 때의 한 신하가 초야로 일어나서 오니

---

1 가의賈誼. 한나라 때 정치인이자 시인.
2 한유韓愈. 중국 당나라 때 문장가.
3 무기년간사戊己年間事. 1668~1669년(현종 9~10)의 예론禮論을 말함.
4 중국 고대 은殷나라의 어진 신하.

풍운風雲 계합契合이 천지에 드문지라
바람과 구름이 꼭 들어맞기가 천지에 드물거든
촉선생蜀先生 제갈량諸葛亮이 그대도록 하도던가
촉나라 제갈량이 그처럼 하였던가
중회重恢 대사업大事業을 적이면 일을러니
다시 회복하는 대사업을 어지간하면 이룰러니
신민臣民이 무록無祿하야 덧업시 여히오니
신하와 백성들이 녹봉이 없어 덧없이 여의었으니
고신孤臣의 피눈물이 침석枕席에 젓었세라
외로운 신하의 피눈물이 머리맡에 젖었구나
님 향한 단심丹心이 죽기를 생각거든
님 향한 충성심이 죽기를 생각했지만
상제喪制 중重한 일을 구차히 하올손가
상례의 제도 중한 일을 구차하게 할 것인가
기년복朞年服 중자설衆子說이 녜대로 하였더니
기년복 중자설[5]이 옛 법대로 하였더니
해윤海尹 흉소후凶疏後에 사설이 횡유橫流야
윤선도[6]의 흉한 상소 후에 사특한 설이 횡행하여
비주卑主 이종설二宗說과 국본國本이 미정상소
비주 이종설[7]과 국본이 정해지지 않았다는 상소
전후에 이름 달나 세철世哲에게 극히 되니
전후에 이름이 달라 세철에게 극히 되니

---

5 효종孝宗의 상喪에 인조가 맏아들이 아니라는 이유로 조대비(인조 계비)의 복제服制를 1년(기년)으로 하였음.

6 해윤海尹. 해남의 윤 씨라는 뜻으로, 윤선도를 가리킴.

7 임금을 낮추어 종통이 둘이라는 말로 인조가 맏아들이 아니기에, 종통이 둘이라는 남인들의 주장.

흉凶참소 위험危險한 말 몸의 쌀 니노매라

흉한 참소 위험한 말 몸의 닭살 돋는구나

선왕先王이 성명聖明하사 간상奸相을 통촉洞燭하니

선왕이 총명하여 간사한 상을 통촉하니

망타網打할 흉한 계교計巧 발뵈디 못 하더니

한꺼번에 모조리 잡을 흉한 계교 드러내지 못 하더니

인선후人善后 복제服制일이 마초아 날 제이고

인선왕후[8] 복제일이 마침내 날 때이네

참언讒言이 망극罔極하야 온갖 길로 나아가니

헐뜯는 말이 망극하여 온갖 길로 나아가니

대성인大聖人 총명聰明인들 의혹疑惑이 업사실가

큰 성인의 총명인들 의혹이 없을까

그려도 짐작斟酌하고 네 일을 생각하사

그래도 짐작하고 옛 일을 생각하여

종시終始히 죄罪주기는 참아 하디 아니시니

끝내 죄주기는 참아 하지 않았으니

이제곳 계시던들 이런 일이 이실런가

이제 곧 계시던들 이런 일이 있을런가

금상今上도 처엄에는 은권恩眷이 중重하시니

임금님도 처음에는 총애가 중했으니

여덟 번 층관행차蟲官行次 우연偶然한 뜻이신가

여덟 번 사관 행차 우연한 뜻이실까

좌우左右에 뫼신 사람 무삼 말쌈 살와관대

좌우에 모신 사람 무슨 말씀 아뢨길래

---

8 효종의 비인 인선왕후.

그덧대 어이하야 이 뜻을 변變하신고
그 사이에 어이하여 이 뜻을 변하셨나
간신姦臣이 틈을 보아 내외內外로 향응響應하니
간신이 틈을 보아 안팎으로 호응하니
흉인凶人의 한 상소上疏로 효시嚆矢를 삼아 두고
흉인의 한 상소로 처음을 삼아 두고
주야晝夜에 마련하야 일시一時에 니러나니
밤낮에 마련하여 일시에 일어나니
한 사람 잡난 말이 죄목罪目도 하도 할사
한 사람 잡는 말이 죄목도 많기도 많구나
무리無理코 패악悖惡한 말 발명키 즉거니와
무리하고 패악한 말 발명[9]하면 죽거니와
폄손貶損 군부君父는 일호一毫나 근사하며
임금을 폄하하는 것은 터럭 하나라도 근사[10]하며
강출降黜 국통國統은 적으나 방불彷彿한가
국통을 낮추어 물리침은 어지간히 비슷한가
이러한 못할 말로 함부로 하거든
이러한 못할 말로 함부로 하거든
그 밖의 다른 말을 일러 무삼 할 일손고
그 밖의 다른 말을 말해 무엇 할 일인가
아마도 주상전하主上殿下 선입先入을 주主하시니
아마도 주상전하 선입을 주관하시니
고신孤臣의 원억冤抑한 일 뉘라서 폭백暴白할고
외로운 심하의 억울한 일 뉘라서 변명하여 말할까

---

9 발명發明. 변명하여 밝히거나 발뺌하려 함.
10 근사勤仕. 맡은 일에 힘씀.

두어 달 객여중客旅中에 세뉼歲律이 고쳐세라
두어 달 떠도는 중에 법률이 고쳐질까
결단決斷 언제 날고 대죄待罪도 지루하다
결단이 언제 날까 죄를 기다림도 지루하다
전후前後에 구救한 사람 아오로 죄罪 닙으니
전후에 구한 사람 아울러 죄 입으니
조정朝廷에 현사대부賢士大夫 며치나 나마시며
조정에 어진 사대부 몇이나 남았으며
남북南北에 내친 선배 기 무삼 죄罪 이실고
남북에 내친 선배 그 무슨 죄 있을까
정거停擧야 해벌解罰이야 어두정 된 제이고
정거[11]야 죄에서 풀려남이야 어떻게 된 것인가
심할사 시절時節 사람 낢뜰도 낢뜰시고
심하다 이 때 사람 날뛰기도 날뛰는가
죽일 말 도모圖謀커든 삭출削黜에 그칠손가
죽일 말 도모하거든 벼슬길에서 내쫓는 것에 그치겠는가
마참내 원찬遠竄 계사啓辭 소회所懷에 드리시니
마침내 멀리 귀양하라는 계사로 품고 있는 생각을 올리니
금오랑金吾郎 선문先文이 급함도 급할시고
금오랑 먼저 올린 글이 급하기도 급했구나
전지傳旨를 들란 후에 창황蒼黃이 길을 나니
전지를 들은 후에 급작스럽게 길을 나서니
싹 낸 말 빈 사람 군속窘束도 할세이고
삯을 낸 말과 빈 사람 묶인 것처럼 하였구나

11 일정 기간 동안 과거를 못 보게 함.

장양역長揚驛 빗긴 날에 골육骨肉을 니별離別하고
장양역 저물 무렵 가족들과 이별하고
여윈 말 채쳐 모라 어드로 간단 말고
여윈 말 채찍질로 몰아 어디로 간단 말인가
가난 이 마음은 어히나 업거니와
가는 이 마음은 어이가 없거니와
보내난 심사心事를 생각거든 가이 업다
보내는 심사를 생각하니 끝이 없다
하믈며 가향친속家鄕親屬이야 니별離別인들 미쳐 할가
하물며 고향 친척이야 이별인들 미처 할까
감창感愴한 정회情懷를 어이구러 견대난고
사무쳐 슬픈 정회야 어떻게 견디는가
주거리住車里 너무 다라 죽산竹山에 조반朝飯하고
주거리 넘어 달려 죽산에서 아침 먹고
니천利川 따 광주廣州 따올 밤낫을 지낸 후에
이천 땅 광주 땅을 밤낮을 지난 후에
신릉新陵을 바라보고 어름으로 강을 건너
신릉을 바라보고 대강 짐작으로 강을 건너
장안長安 지척咫尺을 곁으로 지난말이
장안 지척을 곁으로 지나니
부운浮雲이 웅울雄鬱하야 천일天日을 가려시니
뜬 구름이 크게 뭉쳐 하늘의 해를 가렸으니
처량凄凉한 이 행색行色을 어니구러 빗최실고
처량한 이 행색을 어떻게 비추실까
신변身邊 녜 초구로 눈물을 가리우고
몸에 걸친 옛 가죽옷으로 눈물을 가리고

평구역平邱驛 지내다라 본접本接골 드러자고
평구역 지나가서 본접골 들어가 자고
포천抱川을 도라드러 김화金化로 향한말니
포천을 돌아들어 김화로 향하니
봉만峯巒도 높을시고 도로道路도 머도 멀사
봉우리도 높고 도로도 멀기도 멀구나
양문역楊文驛 풍전역風田驛 몇이나 지나거니
양문역 풍전역 몇이나 지났는가
동주東州는 어대메요 보개산寶盖山 뵈노매라
동주는 어디요 보개산 보이는구나
식목역植木驛 낫 말 먹여 김성金城을 곁에 두고
식목역 낮에 말 먹이고 김성을 곁에 두고
구례九禮재 겨우 너머 창도역昌道驛 든단 말가
구례재 겨우 넘어 창도역 들어갔단 말인가
보리비탈 험險한 길에 빙설氷雪이 닙혓이니
보리비탈 험한 길에 눈과 얼음 입혔으니
부뜨라며 업뜨라며 어이구려 디내거니
부딪히고 엎어지며 어떻게 지났는가
신안역新安驛 점심 후에 회양淮陽을 드러오니
신안역 점심 후에 회양으로 들어오니
갓득이 냉낙冷落한데 우설雨雪을 무삼 일고
가뜩이나 추운데 진눈깨비 무슨 일인가
주인主人이 권당眷黨이라 대접待接이 극진極盡하다
주인이 인척[12]이라 대접이 극진하다

12 권당眷黨. 혼인 관계를 통해 혈연적으로 관계가 있는 일정한 범위의 사람들.

니튼날 조반朝飯 후에 철령鐵嶺을 올라가니
이튿날 조반 후에 철령을 올라가니
엄풍嚴風이 차도 찰사 북도北道도 여기로다
매서운 바람 차기도 차구나 북쪽 고장 여기로다
운산雲山이 첩첩疊疊하니 고향故鄕이 어대메오
구름과 산이 첩첩하니 고향이 어디인가
도로혀 바라보니 눈물이 절로 난다
도리어 바라보니 눈물이 절로 난다
고산高山은 구역舊驛이라 역관驛舘이 비여세라
고산은 옛 역이라 역관이 비였더라
마을에 잠간 드러 인마人馬를 재촉하야
마을에 잠깐 들어가 사람과 말을 재촉하여
동주東州골 저문 후에 불 혀고 드러오니
동주골 저문 후에 불 켜고 들어오니
안변수安邊守 다한 손이 두어히 모다세라
안변 태수 만난 손님이 두어 명이 모였구나
그날 밤 계요 새와 덕원德源을 들나 하야
그날 밤 겨우 새워 덕원에 들러서
남산역南山驛 잠간 지나 방하旁下뫼 주점住點하고
남산역 잠깐 지나 방하산 머물러 점심 먹고
지능智陵을 빗거 보고 병풍암屛風岩 나려 수여
지릉을 비스듬히 보고 병풍암에서 내려 쉬어
원산촌遠山村 다다르니 대양大洋이 거기로다
원산촌 다다르니 바다가 거기로다
정편征鞭을 다시 보아 부내府內에 드러오니
채찍을 다시 보아 고을 안에 들어오니

여염閭閻이 소조蕭條커든 집인들 조흘손가
여염집이 쓸쓸하니 집인들 좋겠는가
그더디 몃 날 인고 이월二月이 하매로다
그 사이 몇날인가 이월이 벌써로다
영嶺 우흘 바라보니 적설積雪이 희여세라
고개 위를 바라보니 쌓인 눈이 하얗구나
시절時節을 헤아리고 고원故園을 생각하니
시절을 히아리고 고향을 생각하니
화양동華陽洞 심근 매화 몃 가지 버러시며
화양동 심은 매화 몇 가지 피었으며
소제蘇堤 약한 버들 하마면 푸르리라
소제의 약한 버들 벌써 푸르리라
엇지타 이 따에는 봄빛이 업서시며
어떻게 이 땅에는 봄빛이 없으며
바람은 어이조차 그대도록 요란한고
바름은 어이하여 그토록 요란한가
창窓 지게 주어 닷고 적막히 안자시니
창 지게[13] 주어 닫고 적막하게 앉았으니
집 념녀念慮 나라 근심 혐 가림도 하고 만타
집 염려 나라 근심 생각을 가리는 것이 많기도 많구나
이후에 무삼 죄를 또 아니 더을넌가
이후에 무슨 죄를 또 아니 더할런가
객창客窓에 겨오 든 잠 몃 번이나 놀래친고
객지에서 겨우 든 잠 몇 번이나 놀랬나

---

13 마루와 방 사이의 문이나 부엌의 바깥문.

하날을 원망할가 사람을 탓할손가
하늘을 원망할까 사람을 탓할까
녜부터 현인군자賢人君子 뉘 아니 굿겻실고
예부터 현인과 군자 뉘 아니 고생했나
동한東漢 적 당고화黨錮禍와 송조宋朝에 위학금僞學禁을
동한 시절 당고의 화[14]와 송나라 때 위학금[15]을
전사前史에 지내보고 분개憤慨히 녁이던 일
옛 역사에서 읽어보고 분개하여 여기던 일
내 집에 친히 볼 줄 내 엇디 아라실고
내 집에서 친히 볼 줄 내 어찌 알았을까
아마도 설운 뜻이 가지록 가이 업다
아마도 서러운 뜻이 갈수록 끝이 없다
어나 제 조흔 바람 이운 풀 부러내야
어느 때 맑은 바람 시든 풀 살려내어
초택楚澤을 니별離別하고 고국故國에 도라가셔
초택을 이별하고 고향에 돌아가서
겨렛것 모다 안자 이 사설辭說 니르려니
친척들 모여 앉아 이 이야기 말하려나

---

14 당고화黨錮禍. 후한後漢의 영제 때 학식과 명망이 높은 사람들을 당인黨人으로 몰아 금고禁錮한 일을 말함.

15 위학금僞學禁. 남송 때 주자학이 거짓 학문僞學이라고 하여 금지 당했던 일.

45. 북정가北征歌

① 작품명 : 북정가北征歌

② 작자명 : 이용(李溶, ?~?, 조선 영조 연간)

이용은 서울 출생으로, 무안대군撫安大君 이방번李芳蕃의 후손이며, 생몰년은 알 수 없다. 일찍이 무과에 급제하여 무관으로서 관북지방에서 33년 동안 벼슬살이를 했다. 저서로 한문으로 된 시문집 《적의適宜》가 있다.

③ 출전 : 필사본 《적의適宜》(국립중앙도서관 소장)

④ 해제

〈북정가〉는 작자가 오랜 관북지방 벼슬살이를 마치고 서울로 돌아와 1776년에 지은 국한문혼용체 유람기행가사다. 산수유람을 즐기는 작자의 기질, 무관으로서 관북으로 향하는 여정, 관북 각처 순력과 답방, 여정을 마무리하는 소회 등을 노래했다. 관북지방의 풍물과 정취뿐 아니라 무관으로서의 소임 수행, 우국충정의 의지를 구절 사이사이에 담고 있다. 백광홍의 〈관서별곡〉, 정철의 〈관동별곡〉이 해당 지역을 대표하는 유람기행가사 작품이라고 할 때, 〈북정가〉는 조우인의 〈출새곡〉과 더불어 관북지역 유람기행가사를 대표하는 작품이라고 할 수 있다.

⑤ 원문과 현대역

내 본ᄃᆡ 悠悠者로 百年을 放蕩ᄒᆞ려

내 본디 한가로운 사람으로 한평생을 방탕히 지내려

風塵에 ᄯᅥᆯ친 막대 곳곳이 집퍼셰라
세간에 휘젓고 다닌 지팡이 곳곳에 짚었도다
山水에 다ᄒᆞᆫ 눈이 塞外예 여단말가
산수자연에 닿은 눈이 변방까지 열었단 말인가
滔滔ᄒᆞᆫ 놉흔 興이 千里志ᄅᆞᆯ ᄌᆞ아내니
도도한 높은 흥이 천 리 뜻을 자아내니
長纓을 請ᄒᆞ리라 畵筆을 더져스라
무관[1]을 청하려고 문관 붓을 던졌도다
儒冠으로 밧곤 戎衣 긔 무어시 쾌ᄒᆞ던다
유생의 관으로 바꾼 무관 군복 그 무엇이 즐겁던가
行裝을 點檢ᄒᆞ니 遠遊篇이 새로왜라
행장을 점검하니 멀리 노니는 시문이 새롭도다
다락院의 ᄆᆞᆯ을 먹여 梁文驛에 쉬오고져
다락원에서 말을 먹여 양문역에서 쉬고 싶구나
淮陽이 어드메요 녜 일홈을 ᄎᆞ자가니
회양이 어디 쯤인가 예로부터 이름 있는 곳 찾아가니
三神山이 겨ᄐᆡ 잇다 魯連海도 갓가올샤
삼신산[2]이 곁에 있다 노련해[3]도 가깝겠구나
雪雲嶺은 엇디ᄒᆞ여 져대도록 놉닷말고
설운령은 어찌하여 저처럼이나 높다는 말인가
길흘 녜여 올나가니 고뷔고뷔 絕險ᄒᆞ다
길을 내어 올라가니 고비고비 참으로 험하도다
머리 우회 瀑布소ᄅᆡ 萬山中을 흔드ᄂᆞᆫ ᄃᆞᆺ

1 장영長纓. 갓의 긴 끈. 전투모, 무장을 뜻함.
2 금강산.
3 동해.

머리 위의 폭포소리가 온 산중을 흔드는 듯

머리 아릭 구름덩이 一行人을 밧드는 듯
머리 아래 구름덩이가 한 행인을 받드는 듯
倏然이 羽化ᄒᆞ여 半空中의 소소 쓰니
갑자기 날개가 생겨 공중에 솟아 뜨니
心神이 恍漾ᄒᆞ여 놀랍기도 그음 업다
심신이 황홀하여 놀랍기도 끝이 없다
놉거든 險치 마라險커든 놉지 마라
높거든 험하지 말 것을 험하거든 높지 말 것을
白沙公에 壯탄 말이 마초아 ᄀᆞᆺ틀시고
이항복의 탄식한 말[4]이 맞추어 같기도 하구나
高山을 지내모라 釋王寺 바라보니
고산을 지나면서 석왕사 바라보니
古蹟은 하것마는 宿緣이 不足할샤
옛 유적은 많건마는 묵은 인연이 부족하구나
碧海水 翻드쳐서 閭閻을 둘너시니
푸른 바닷물이 출렁 밀려와 마을을 두르고 있으니
關北으로 오는 舡隻 到泊處가 되어셰라
관북으로 오는 배들 정박처가 되고 있구나
水陸에 生梨 됴키 元山倉이 아닐넌가
물과 땅에 물산 좋기로 원산 상평창이 아니었던가
차즈리라 先王 舊蹟 德源으로 드러가니
찾으리라 선왕[5] 옛 유적 덕원으로 들어가니

4 백사白沙는 이항복의 호. '壯탄 말'은 '장탄長嘆'으로서, 이항복이 북청으로 유배갈 때 지은 시조에 등장하는 '철령鐵嶺 높은 봉에 쉬어 넘는 저 구름아'를 뜻함.

故老의 傳ᄒᆞᆫ 말이 稀微홈도 稀微ᄒᆞ다
노인이 전하는 말이 희미하기도 희미하구나
龍興江 ᄂᆞ린 즐기 黑石里를 둘너시니
용흥강 내린 줄기 흑석리를 두르고 있으니
周나라 八百基業 海東에 여ᄅᆞ실샤
주나라 팔백 년 업적 이 땅에 여셨도다
萬歲橋 놉흔 ᄃᆞ리 十里에 거의로다
만세교 높은 다리 십 리에 가깝도다
樓閣이 葱籠ᄒᆞ니 樂民이 아닐넌가
누각이 우뚝하니 낙민루가 아닐는지
本宮에 兩株松이 奇異홈도 奇異홀샤
본궁의 두 그루 소나무 기이하기도 기이하구나
鬱鬱이 蒼蒼ᄒᆞ여 殿角을 덥퍼 잇고
빽빽하고 푸르러서 전각 한 모퉁이를 덮고 있고
祥雲이 어릔 고데 民物이 安樂ᄒᆞ니
상서로운 구름 어린 곳에 백성 생업이 안락하니
聖祖의 雨露澤을 至今ᄀᆞ지 보리로다
성스러운 조상의 은덕을 지금같이 보겠도다
咸關嶺을 겨유 넘어 侍中슴로 올은말이
함관령을 겨우 넘어 시중대로 올라가 보니
옛 將帥의 雄才大略 어이 그리 壯ᄒᆞ던고
옛 장수[6]의 재주와 지략 어찌 그리도 장하던가
女眞을 蕩掃ᄒᆞ고 선춘령의 碑를 삭여
여진을 소탕하고 선춘령에 비를 새겨

5 이성계李成桂.
6 윤관尹瓘.

凱歌로 돌아올 제 이 짜히 노랏도다

개선가 부르며 돌아올 때 이 땅에서 놀았도다

靑海를 구버보고 居山驛을 도라드니

푸른 바다를 굽어보고 거산역을 돌아드니

崩城敗壁 宛然ᄒᆞ야 至今에 流轉ᄒᆞ니

허물어진 성 부서진 성벽 뚜렷이 오늘에 이르도록 떠도니

肅愼氏 故都을 몃 千 年이 지낫ᄂᆞᆫ고

숙신[7]의 옛 도읍 몇 천 년이 지났는가

구름을 ᄀᆞ랏ᄂᆞᆫ 듯 하ᄂᆞᆯ을 ᄀᆞ랏ᄂᆞᆫ 듯

구름을 갈아낸 듯 하늘을 갈아낸 듯

雪雲이야 咸關이야 오히려 ᄂᆞᆯ사거든

설운령이야 함관령이야 오히려 놀라거든

險ᄒᆞ고 놉다ᄒᆞᆫ들 이 ᄀᆞᆺᄐᆞ니 ᄯᅩ 잇ᄂᆞᆫ가

험하고 높다한들 이 같은 곳 또 있겠는가

城津은 關隘이오 吉州ᄂᆞᆫ 雄府로다

성진은 좁은 관문이요 길주는 웅장한 고을이도다

戰功을 무ᄅᆞ리라 臨命이 어드메요

전쟁 공적을 물으리라 임명역이 어디 쯤인가

殉國ᄒᆞ던 許家들은 一村을 지어 잇고

나라 위해 목숨 바친 허씨 후손들[8] 한 마을을 이루었고

巋然ᄒᆞᆫ 重峯廟ᄂᆞᆫ 後人이 興感ᄒᆞ니

우뚝한 조헌의 서원[9]은 후세 사람 마음을 움직이니

---

7 여진족.

8 허가許家. 임진왜란 때 순국한 허관許灌의 후손을 의미하는 듯함.

9 중봉묘重峯廟. 중봉重峯은 조헌趙憲의 호. 운전서원雲田書院을 의미하는 듯함.

十里ᄅᆞᆯ 오든 언덕 忽然이 수거드니

십 리를 오른 언덕 홀연히 숙이게 하니

蘇武의 깁흔 구이 여긔야 울톳던가

소무[10]의 깊은 원한 여기에서 울부짖었던가

無限이 千百仞을 ᄯᅡ속으로 드러가니

무한히 천백 길을 땅속으로 들어가니

鬼物이 森然ᄒᆞ여 客의 魂을 놀내거나

귀신들이 많고 많아 길손의 혼을 놀래는구나

今世에 이를 본 者 뭇노라 몃몃치뇨

지금 세상에 이를 본 자 묻노라 몇몇인가

안즌 바회 셧ᄂᆞᆫ 돌히 긔ᄂᆞᆫ ᄃᆞᆺ ᄯᅱ노ᄂᆞᆫ ᄃᆞᆺ

앉은뱅이 바위 서 있는 돌이 기는 듯 뛰노는 듯

形形色色 奇異ᄒᆞ다 엇디ᄒᆞ면 보리런고

형형색색 기이도 하다 어찌하면 볼 수 있겠는가

셧바괴니 안개 구ᄅᆞᆷ 어린 등에 海瘴 조ᄎᆞ

서서 배회하니 안개 구름 서린 등에 독한 바닷기운 따라

男兒의 壯ᄒᆞᆫ ᄠᅳ지 奮然이 ᄯᅥᆯ쳐나셔

남아의 장한 뜻이 기운차게 일어나서

子長을 배홧더니 從軍이 되어셰라

사마천[11]을 배웠는지 군대를 따르는 모습이구나

七寶山 됴흔 景이 눈 속의 熹微ᄒᆞ니

칠보산 좋은 경치 눈 속에 희미하니

會象臺 金剛窟을 하마면 가리로다

회상대 금강굴을 어쩌면 가겠도다

---

10 중국 전한시대 때 흉노를 토벌한 장수.

11 자장子長. 전국 전한시대 때 사람인 사마천司馬遷의 자字.

鏡城을 ᄇᆞ라보고 明川을 넘어ᄒᆞ니
경성을 바라보고 명천을 넘어가니
號令이 嚴肅ᄒᆞᆫ데 威儀도 하도홀샤
호령이 엄숙한데 위세도 대단도 하구나
制勝堂 너른 뜰에 鼓角이 喧塡ᄒᆞ니
제승당 넓은 뜰에 북과 나발이 시끄럽게 메우니
肅肅 ᄀᆞᄐᆞᆫ 吏隷와 熊羆 ᄀᆞᄐᆞᆫ 士卒이
엄숙한 무리 같은 아전들 곰처럼 용맹한 군졸들이
整齊히 버린 中에 旌旗를 휘동ᄒᆞ니
가지런히 벌이어 선 가운데 깃발을 지휘해 움직이니
大丈夫 快ᄒᆞᆫ 일을 긔 아니 볼거이고
대장부 장쾌한 일을 그 아니 볼 것인가
元帥臺 놉흔 터히 渤海를 구버보니
원수대 높은 터에서 발해를 굽어보니
漁浪으로 가ᄂᆞᆫ 믈이 어드러셔 뵌단말고
어랑천으로 가는 물이 어디 쯤에서 보인단 말인가
貿貿ᄒᆞᆫ 荒裔之地 倫綱을 아ᄂᆞᆫ 거ᄉᆞᆫ
무지하고 서투른 변방 윤리 기강을 아는 것은
李富率의 傳ᄒᆞᆫ 學行 蒙士를 敎化ᄒᆞ니
이부수[12]가 전한 학덕 행실 몽매한 이를 교화하니
靜淑ᄒᆞᆫ 山河之氣 一身에 모혓시니
맑고 깨끗한 산천의 기운 한몸에 모였으니
吾道의 廣大ᄒᆞᆷ믈 이에돠 알니로다
유학의 광대함을 이로써 알겠도다

12 부수副率는 벼슬 이름. 이재정李載亭을 일컬음.

길ᄀᆞᄒᆡ ᄆᆞᆰ은 시ᄂᆡ 가ᄂᆞᆫ 사ᄅᆞᆷ 머무로니

길가에 맑은 시내 가는 사람 머무르게 하니

屹然ᄒᆞᆫ 兄弟巖이 天作으로 ᄡᅢ혀나셔

우뚝히 솟은 형제암 하늘의 솜씨로 빼어나서

雙으로 셧ᄂᆞᆫ 거동 雁序ᄅᆞᆯ ᄎᆞ렷시니

쌍으로 서 있는 거동 위아래 질서를 따랐으니

伯夷 叔齊 놉흔 持操 節義ᄅᆞᆯ 잡앗ᄂᆞᆫ ᄃᆞᆺ

백이 숙제 높은 지조 절개 의리를 잡고 있는 듯

蘇軾 蘇轍 너른 文章 名望을 가졋ᄂᆞᆫ ᄃᆞᆺ

소식 소철 넓은 문장 명성 인망을 가지고 있는 듯

ᄒᆞᆫ번 보면 ᄃᆞ시 오니 긔 아니 多情턴가

한번 보면 다시 오니 그 아니 다정하던가

茂山嶺이 젹다마ᄂᆞᆫ 두세 번을 쉬여 넘어

무산령이 작다마는 두세 번을 쉬어 넘어

十五里ᄅᆞᆯ 버더시니 뉘라셔 쉽다턴고

시오리를 벋어 있으니 누구라서 쉽다던가

豆滿江 흐른 고데 鴻溝ᄅᆞᆯ 난화시니

두만강 흐르는 곳에 경계를 나누었으니

鰲山으로 地界삼아 눈알ᄑᆡ 막켜 잇고

오산으로 땅 경계를 삼아 눈앞에 막혀 있고

接賓舘에 드ᄂᆞᆫ 거시 紅抹頭 言伱儷라

접빈관에 드는 모습 머리에 붉은 수건 두르고 짝이라고 이르더라

장ᄉᆞᄒᆞᄂᆞ 胡人들은 무ᄉᆞᆫ 일노 온단 말고

장사하는 오랑캐들은 무슨 일로 온단 말인가

大宛馬와 羊鼠皮로 牛鹽을 交易ᄒᆞ니

대완국 말과 양가죽 쥐가죽으로 소와 소금을 교역하니

寧塔의 모화 두어 別區를 삼앗고야
영탑에 모아 두어 별도 구역을 삼았구나
兩國이 交收ᄒᆞ려 和親을 ᄒᆞ돗던가
두 나라가 교역하려고 화친을 하였던가
宋나라 運盡ᄒᆞᆯ제 兩青衣 行酒ᄒᆞ고
송나라 운수가 다할 때 두 청색옷 입은 사람 술잔을 돌리고[13]
五國城의 주리단 말 드럿더니 보완지고
오국성[14]에서 굶주렸다는 말 들었더니 보는 듯하구나
江左의 英雄드리 됴흔 謀策 업돗던지
두만강 왼쪽[15] 영웅들이 좋은 계책 없었던지
千萬代예 붓그림을 써서 보기 어려웨라
천만 년에 붓과 그림을 써서 보기가 어려워라
路傍에 纍纍ᄒᆞ미 皇帝塚이 眞傳인가
길가에 다닥다닥 붙은 것 황제 무덤이 정말 전해오는 것인가
荒原衰草 너른 들에 金棺玉匣 슬프도다
거친 들판 시드는 풀 넓은 들에 금관 옥장구 슬프도다
胡山을 엽히 끼고 擧樑峴을 넘어셔니
오랑캐 산을 옆에 끼고 거량현을 넘어서니
鎭北樓 빗난 丹雘 中天에 소사 잇고
진북루 빛나는 단청 공중에 솟아 있고
永嘯堂 宏傑ᄒᆞᆫ 집 一營을 鎭定ᄒᆞᆫ니
영소당 굉장하고 훌륭한 집 한 감영을 진정시키니

13 송나라 휘종徽宗과 흠종欽宗 두 왕이 금金의 침입을 받고 잡혀가서 당한 수모를 뜻함.
14 송나라 휘종과 흠종이 끌려간 성.
15 강좌江左. 중국을 가리킴.

녜붓터 移住ᄒᆞ여 이 城을 직회돗다
예부터 이주하여 이 성을 지키는도다
兵馬의 精强홈과 元戎의 深謀遠慮
병사와 말 씩씩 강건함과 원수의 깊은 책략 훗날 예견
敵國이 저허ᄒᆞ니 邊疆이 ᄆᆞᆰ을시고
적국이 두려워하니 변방 강토가 맑기도 하구나
沙漠에 王庭 업기 몃 百年이 지낫관ᄃᆡ
사막에 세운 나라 없는 것 몇 백년이 지났기에
人民이 乘化ᄒᆞ여 淳俗이 되어ᄂᆞ다
인민이 교화를 입어 순후한 풍속이 되어 있도다
鍾穩城 넘어드러 江邊으로 조ᄎᆞ가니
종성 온성 넘어들어 강변으로 따라가니
胡塵이 咫尺이라 花草도 만흘시고
오랑캐 땅 지척이라 화초도 많기도 하구나
春來예 不似春이 녯글도 날 속여라
봄이 왔으나 봄 같지 않다는 옛글도 나를 속이도다
妙흘시고 동당아 쟁영흘손 立岩이
오묘도 하구나 동당아 높고도 가파른 선바위가
무ᄉᆞᆫ 일을 뭇ᄌᆞ오려 하늘계 츄미럿ᄂᆞᆫ
무슨 일을 물으려고 하늘로 치솟았는가
撫夷鎭 나즌 城의 防卒이 數十이라
무이진 낮은 성에 방어 병사가 수십이라
關隘을 防禦ᄒᆞ미 踈迂홈도 踈迂ᄒᆞ다
좁은 관문 방어함이 엉성하기도 엉성하구나
八池ᄅᆞᆯ 瞻望ᄒᆞ고 句甫로 둘워가니
팔지를 바라다보고 구포로 둘러가니

御史臺 놉흔 터히 斡東을 向ᄒᆞ엿다

어사대 높은 터가 알동을 향하였다

洪武年間 사르실 제 諸千戶를 避ᄒᆞ시샤

홍무 연간 살으실 때 제천호를 피하셔서[16]

赤島로 드르시니 陶穴이 열세 고지

적도로 들어가시니 움막 구덩이 열세 곳이

至今에 宛然ᄒᆞ니 窮困ᄒᆞ미 極ᄒᆞ실샤

지금에도 완연하니 곤궁함이 극에 달하셨을 때

赤池예 主人翁이 客龍을 조ᄎᆞᆯ 時節

적지의 주인 노인이 객룡을 쫓아낸 시절[17]

黑白을 分辨ᄒᆞ샤 ᄒᆞᆫ 살노 마치시니

흑백을 가리셔서 한 화살로 맞추시니

血痕이 불거이셔 後世예 알니로다

혈흔이 붉게 남아 있어 후세에도 알겠도다

西水羅 ᄉᆡᆼ긴 터히 瓢子ᄀᆞᆺ치 드러가셔

서수라 항구 생긴 터에 표주박 같이 들어가서

夷夏를 난ᄒᆞᆫ 고데 瑟海를 ᄀᆞ리치니

우리와 중국을 가르는 곳에서 슬해[18]를 가리키니

ᄯᅡ 밧근 바다히요 물 맛근 하날이라

땅 밖은 바다요 물 밖은 하늘이라

16 홍무 연간은 중국 명나라 태조 때(1368~1398). 제천호諸千戶는 벼슬 이름. 이를 피한 이는 조선 태조의 선조 익조翼祖.

17 조선 태조가 등극하기 전, 꿈에 적지赤池의 주인 백룡이 밖에서 들어온 흑룡을 죽여 달라고 하여 태조가 다음날 과연 흑룡을 쏘아 죽이니 흑룡의 붉은 피가 낭자하여 그 못은 적지가 되고 이성계는 그 덕으로 후에 왕이 되었다는 고사.

18 오늘날 러시아 블라디보스톡에 있는 연해주沿海州 부근을 말함.

平生에 아는 바는 하늘 따히 굿다더니
평생에 아는 바는 하늘 땅이 같다더니
이제야 찌닷과라 하늘이 너르도다
이제야 깨달았도다 하늘이 너르도다
너른 하늘 그여올나 西海를 구버보면
넓은 하늘 기어올라 서해를 굽어보면
짜히 현마 너른 고지 업슬 줄이 아니로되
땅이 설마 넓은 곳이 없을 줄이 아니로되
泰山에 오른 말이 좁거니 좁은 海東
태산에 올라 하는 말[19]이 좁고도 좁은 우리 땅
天下도 역엇ᄂ니 容納홀 듸 專혀 업다
천하도 엮었으니 용납할 데 전혀 없다
卵島의 알둔 져비 時時로 도라오고
난도에 알을 둔 제비 때때로 돌아오고
烏碣岩의 안즌 白鷗 興盡ᄒ매 ᄂ라나니
오갈암에 앉은 갈매기 흥이 다함에 날아가니
遠客의 離鄕心事 三千里를 놀내거다
먼 길 나선 길손 고향과 떨어진 마음 삼천 리를 놀라게 하도다
萱堂에 倚閭情은 日夜에 懸望ᄒ고
어머니의 자식 기다리는 심정은 밤낮으로 문간에 기대어 바라보고[20]

---

19 《맹자孟子》〈진심장盡心章〉에 나오는 "공자가 동산에 올라 노나라를 작게 여기고, 태산에 올라 천하를 작게 여겼다. 공자왈 등동산이소로 등태산이소천하공자왈 등동산이소로 등태산이소천하孔子曰 登東山而小魯 登泰山而小天下孔子曰 登東山而小魯 登泰山而小天下"라는 구절의 원용.

20 현망懸望ᄒ고. 의려지망倚閭之望 고사의 원용. 멀리 나간 자식이 돌아오지 않을 때 애타게 기다리는 부모의 심정을 뜻함. 중국 춘추시대 왕손고王孫賈의 어머니가 "네가 저녁 늦게 나가 돌아올 때면 대문에 기대어 서서 기다렸고, 네가 저녁에 나가 돌아오지 않으면 마을 밖에 세워진 문에 나가서 기다렸다. 녀조출이만래 칙오

蘭階예 서너 줄기 晨昏으로 기도로니
난초 심은 섬돌에서 서너 줄기 눈물 흘리며 새벽 해질녘으로 기다리니
아히야 말 안장 ᄒᆞ여사라 도라가 위로ᄒᆞ리라
아이야 말 안장 올리거라 돌아가 위로하리라

의문이망 녀모출이부환 칙오의려이망女朝出而晩來 則吾倚門而望 女暮出而不還 則吾倚閭而望"라는 고사에 유래를 두고 있음.

46. 불효탄不孝歎

① 작품명 : 불효탄不孝歎

② 작자명 : 김경흠(金景欽, 1815～1880)

김경흠은 조선 후기의 선비이자 학자이다. 본관은 강진, 자는 덕현德玄이고, 전북 태인이 고향이다. 《성은처사김공유고城隱處士金公遺稿》에 〈지도가持道家〉·〈삼재도가三才道家〉·〈불효탄不孝歎〉·〈경심가警心歌〉 등 가사 4편이 수록되어 있다.

③ 출전 : 필사본 《성은처사김공유고城隱處士金公遺稿》

④ 해제

제목이 〈불효탄〉이고 작품의 시작이 "愚昧우매흔 너히는 不孝歎불효탄을 드러셔라"로 시작하고 있으나, 불효자에 대한 탄식은 작품 말미에 잠깐 언급되고 있을 뿐 대부분의 내용은 효에 대한 것으로 채워지고 있다. 사람이 짐승보다 귀한 것은 제 부모를 능히 알기 때문이라고 하면서 부모에게 효도하기 위해 어떻게 해야 하는지를 하나하나 제시한다. 아울러 효와 관련하여 고사를 남긴 대표적 인물들을 빠짐없이 나열하고 이들을 본받아 착한 사람이 되라고 권고한다. 마지막으로 세상이 변하여 불효자가 난무하는 상황을 개탄하고 뒤늦게 개과천선을 생각해도 바꾸기가 쉽지 않음을 경고하고 있다.

⑤ 원문과 현대역

愚昧우매흔 너히는 不孝歎불효탄을 드러셔라
우매한 너희는 불효탄을 들어보라

天開地闢천개지벽 萬物만물 ᄉᆡᆼ길 제 貴賤귀천으로 ᄉᆡᆼ겨슨니
천지개벽 만물 생길 때 귀천으로 생겼으니
貴귀ᄒᆞᆫ 거선 사ᄅᆞᆷ이요 賤천ᄒᆞᆫ 거슨 김ᄉᆡᆼ이라
귀한 것은 사람이요 천한 것은 짐승이라
ᄉᆞᄅᆞᆷ이 貴귀타 ᄒᆞ되 不孝불효ᄒᆞ면 賤천ᄒᆞ미요
사람이 귀하다고 하되 불효하면 천함이요
김생이 賤천타 ᄒᆞ되 貴귀ᄒᆞᆫ 김생 인ᄂᆞ니라
짐승이 천하다고 하되 귀한 짐승 있느니라
反哺반포ᄒᆞ난 烏鵲오작이며 報本보본ᄒᆞ난 豺獺시달이ᄂᆞᆫ
반포[1]하는 까마귀며 은혜 갚는 수달은
제 父母부모를 能능히 아니 賤천ᄒᆞᆫ 中중의 貴귀하도다
제 부모를 능히 아니 천한 중에 귀하도다
하말며 ᄉᆞᄅᆞᆷ으로 禽獸금수만 못ᄒᆞᆯ소냐
하물며 사람으로 금수만 못하겠느냐
天地間천지간 萬物만물린들 父母부모 업시 ᄉᆡᆼ길소냐
이 세상 만물인들 부모 없이 생길쏘냐
人道인도를 行행한 뜯슨 父母부모 먼여 셤기나니
사람 도리 행한 뜻은 부모 먼저 섬기나니
五倫오륜의 首第수제 되고 百行백행의 根源근원이라
오륜의 으뜸이고 백행의 근원이라
父生母育부생모육 劬勞구로하야 니ᄂᆡ 몸이 ᄉᆡᆼ겨시니
부모님 덕택으로 이내 몸이 생겼으니
胎中태중 十月시월 勞焦노초ᄒᆞ야 십生생구死사 나실 제
복중 열 달 애태워서 겨우겨우 태어날 때

1 까마귀 새끼가 자라서 늙은 어미새에게 먹이를 물어다 줌.

男女남녀 分別분별 아이ᄒᆞ고 沐浴목욕 감겨 젼 머긔며
남녀 분별 아니하고 목욕 시켜 젖 먹이며
치워한가 더퍼주고 아파한가 어루만져
추운가 덮어주고 아픈가 어루만져
膝下슬하 三年삼년 기를 져긔 하고만ᄒᆞᆫ ᄌᆞᆫ병이며
품안 삼년 기를 적에 하고많은 잔병이며
大疫대역 小疫소역 지ᄂᆡᆯ 적의 問醫문의 用藥용약 하겨시며
홍역 수두 지낼 적에 진찰 받아 약을 쓰며
이ᄂᆡ 몸을 ᄉᆞᆯ니실 졔 焦盡肝腸초진간장 하시도다
이내 몸을 살리실 때 애간장을 태우셨도다
免懷면회를 계우 ᄒᆞ야 五六歲오륙세를 기ᄂᆡ가니
품에서 겨우 나와 오륙 세를 지나가니
千字천자 推句추구 가라치되 人事인사를 알게 하며
천자[2] 추구[3] 가르치되 사람 도리 알게 하며
八九歲팔구세를 기ᄂᆡ가니 小學소학 大學대학 가ᄅᆞ치며
팔구 세를 지나가며 소학 대학 가르치며
十餘歲십여세를 기ᄂᆡ가니 四書三經사서삼경 가ᄅᆞ치되
십여 세를 지나가니 사서삼경 가르치되
避害피해 就吉취길 알계 하야 ᄉᆞᄅᆞᆷ 될가 ᄇᆞ라나니
좋고 나쁨 구별하여 사람될까 바랐더니
至于二十지우이십 成就성취토록 父母부모 근심 얼ᄆᆡ런고
이십에 이르도록 부모 근심 얼마인가
歲月세월리 如流여류하야 黑髮흑발이 白髮백발 되ᄂᆡ
세월이 빨리 흘러 검은 머리 백발 되네

---

2 천자문千字文.

3 추구집. 오언五言으로 된 좋은 대구對句들만을 발췌하여 저술한 책.

우리도 愛日애일하야 養志奉養양지봉양 밧비 하자

우리도 날을 아껴 뜻 받들어 봉양하자

泰山태산갓치 놉푼 恩惠은혜 河海하해갓치 집고 멀며

태산같이 높은 은혜 하해같이 깊고 멀며

하랄갓치 가이 업셔 엇지 다 갑사오리

하늘같이 끝이 없어 어찌 다 갚으리오

아무리 갑자 한들 半반치나 갑풀쇼야

아무리 갚자 한들 반이나 갚겠는가

昏定晨省혼정신성 드러ᄒᆞ고 甘旨감지 供養공양 至極지극하며

아침저녁 보살피고 좋은 음식 공양하며

낫빗슬 柔順유순ᄒᆞ고 말숨을 나작하며

낯빛을 순하게 하고 말씀을 낮게 하며

每事매사를 主張주장 말고 父母令부모령을 拒逆거역 말며

매사를 주장 말고 부모 명령 거역 말며

不遠遊불원유도 ᄒᆞ려니와 遊必有方유필유방 ᄒᆞ나니라

멀리 가지 말거니와 가게 되면 알려야 한다

病병과 疾질이 계시거든 問醫문의 用藥용약 급피 하야

질병이 있으시면 진찰 받아 약을 쓰며

질거이 웃지 말고 放心방심ᄒᆞ야 ᄌᆞ지 말며

즐거이 웃지 말고 방심하여 자지 말며

萬事만사를 다 바리고 근심을 하여셔라

만사를 다 버리고 근심을 하여라

子道자도를 못 行행하면 禽獸금수와 다를소냐

자식 도리 못 행하면 금수와 다르겠느냐

生前생전으 못ᄒᆞᆫ 孝誠효성 死後사후에 恨한이 되니

생전에 못한 효성 사후에 한이 되니

古今고금 聖賢성현 이 뜻 아라 極盡극진 奉養봉양 ᄒᆞ시도다

고금 성현 이 뜻 알아 극진 봉양 하시도다

貴爲天子귀위천자 不解憂불해우은 大舜대순의 孝誠효성이요

천자임에도 근심한 건 순임금의 효성[4]이요

問有餘則문유여즉 日有之일유지난 曾子증자의 養志孝양지효요

남은 것이 있다 한 건 증자의 봉양[5]이요

七十칠십 五色班爛衣오색반란의난 老萊子노래자의 孝養효양이요

칠십에 색동옷 재롱 노래자의 봉양[6]이요

親痢친리의 嘗糞憂상분우난 庾黔婁유검루의 至孝지효요

부친 이질에 변을 맛본 건 유검루의 지극한 효[7]요

雪中泣而설중읍이 筍生순생ᄒᆞ니 孟宗맹종의 天孝也천효야[8]요

눈 속에서 죽순 얻음 맹종의 효성이요

氷自解而빙자해이 雙鯉出쌍리출은 王祥왕상의 至孝也지효야요

얼음 녹고 잉어 나온 건 왕상의 지극한 효[9]요

---

4 남이 자기를 좋아해주는 일도, 아름다운 여색도, 부귀영화도, 천자의 존귀함도 순임금의 근심을 풀 수 없었고, 오직 부모에게 받아들여지는 것만이 그의 근심을 풀어줄 수 있는 것이었다고 함.

5 증자가 증석을 봉양하는데 반드시 술과 고기를 차려 내놓고 상을 물릴 때는 반드시 남긴 것을 줄 분을 물었으며 남은 것이 있는가를 물으면 반드시 있다고 대답했다고 한다. 이는 부모의 마음을 봉양한 효로 해석되고 있음.

6 노래자가 나이 70세에 어린아이의 재롱을 부려 몸에는 오색의 알록달록한 옷을 입었으며, 일찍이 물을 떠가지고 마루에 오르다가 거짓으로 미끄러져 땅에 엎드려 어린애처럼 울기도 하였으며, 부모 곁에서 병아리를 가지고 놀기도 하여 부모의 마음을 기쁘게 해드리려 한 것을 가리킴.

7 중국 남조시대 제나라의 유검루가 괴질에 걸린 아버지의 병세를 알기 위해 변을 맛보았다는 고사를 가리킴.

8 겨울에 늙은 어머니께서 죽순竹筍을 먹고 싶어 했지만 아직 죽순이 나오지 않아서 구할 수 없게 되자 맹종이 대숲에 들어가서 슬피 우니 땅 속에서 죽순이 솟아나 어머니께 가져다 드렸다고 함.

9 날씨가 추운 한겨울에 얼음이 얼었을 때 어머니가 산 물고기를 먹고 싶어 하자 왕상은 옷을 풀고서 강에 나아가 얼음을 쪼개 물고기를 잡으려 하였는데 갑자기 얼

三夏炎熱삼하염열 扇枕床선침상은 黃香황향의 孝誠효성이요

한여름에 침상 부채질 황향의 효성[10]이요

百里遠程백리원정 負米恨부미한은 子路자로의 孝誠효성이라

백 리 먼 길 쌀짐 진 건 자로의 효성[11]이라

이 밧긔 인난 至孝지효 엇지 다 긔록ᄒᆞ랴

이 밖의 지극한 효 어찌 다 기록하랴

ᄃᆡ강이나 니ᄅᆞᄂᆞ니 너히도 본을 바다

대강이나 이르나니 너희도 본을 받아

眷眷服膺권권복응 ᄉᆡᆼ각ᄒᆞ야 착한 ᄉᆞᄅᆞᆷ 되여셔라

잊지 말고 명심하여 착한 사람 되어라

世遠세원 人亡인망하고 經殘경잔 敎弛교이하야

세대 멀고 성인 없어 경전 교육 해이하여

物慾물욕만 紛紜분운하니 人道인도가 젼히 업다

물욕만 난무하니 사람 도리 전혀 없다

世上세상을 둘너보니 人面獸心인면수심 불칙하고

세상을 둘러보니 인면수심 불측하고

귀 지우려 드러보니 骨肉相爭골육상쟁 참혹하다

귀 기울여 들어보니 골육상쟁 참혹하다

無知무지한 不孝불효놈은 父母부모 命令명령 아니 좃고

무지한 불효자는 부모 명령 안 따르고

養志양지가 무어신지 제 마암을 主張주장하야

부모 봉양 무엇인지 제 마음을 주장하여

음이 저절로 녹으면서 두 마리의 잉 어가 뛰어 나왔다고 함.

10 황향이 아홉 살 때 어머니를 여의고 아버지를 섬기는데 여름에는 베갯머리에서 부채질을 하고 겨울에는 몸으로써 이불을 따뜻하게 했다고 함.

11 자로가 가난하여 매일 쌀을 등짐으로 져서 백 리 밖까지 운반하여 그 운임을 받아 부모를 봉양한 것을 가리킴.

從天降종천강을 ᄒᆞ여난 듯 從地出종지출을 하여난 듯
하늘에서 내려온 듯 땅에서 솟은 듯
酒色주색의로 東동의 놀고 博奕박혁으로 西의 노라
주색으로 동에 놀고 박혁[12]으로 서에 놀아
不順불순 不孝불효 하난 놈이 남의게나 잘할소냐
불순 불효하는 놈이 남에게는 잘 하겠는가
니웃ᄉᆞᄅᆞᆷ 글이 보고 洞內동내의 是非시비 나니
이웃사람 그르게 보고 동네에 시비 나니
失人心실인심을 漸漸점점ᄒᆞ야 遍鄕편향 中중 글니 보니
인심을 점점 잃어 모든 마을 그르게 보니
意氣의기 俠徒협도 作黨작당하야 毁家훼가 出送출송 ᄒᆞ랴 하고
의기투합 작당하여 집을 헐고 내쫓으며
不孝罪불효죄로 ᄭᅮ디시며 怒拳노권으로 打頰타협하고
불효죄로 꾸짖으며 주먹 쥐고 뺨을 치며
怒足노족으로 蹴踘축흉하니 德分덕분 제발 ᄋᆡ걸한들
성난 발로 세게 차니 덕분 제발 애걸한들
衆口중구를 難防난방이라 敗家亡身패가망신 졀로 되야
뭇사람 입 못 막으니 패가망신 절로 되어
以力服人이력복인 뫼인 ᄌᆡ물 春雪춘설갓치 녹아지니
완력으로 모인 재물 봄눈같이 녹아지니
寒廚한주의 져 妻子처자난 발 구리며 自嘆자탄하고
찬 부엌의 저 처자는 발 구르며 자탄하고
洞內동내의 뫼인 老少노소 目笑목소하야 조롱한다
동네에 모인 노소 눈짓하며 조롱한다

---

12 박혁博奕. 장기와 바둑.

改過遷善개과천선 ᄉᆡᆼ각한들 지은 죄를 버실소랴

개과천선 생각한들 지은 죄를 벗을쏘냐

白圭백규의 거문 ᄣᅵ난 갈면 다시 히련이와

백규[13]의 검은 때는 갈면 다시 희려니와

ᄂᆡ 몸의 지은 허믈 갈 ᄶᅡ망 젼히 업다

내 몸에 지은 허물 고칠 가망 전혀 없다

13 말을 삼가야 함을 비유한 말.

47. 사미인가思美人歌

① 작품명 : 사미인가思美人歌

② 작자명 : 장현경(張顯慶, 1730～1805)

장현경은 조선 후기의 문인으로, 자는 사응士膺, 호는 추담秋潭 또는 사적헌四適軒이다. 남원에서 태어나 일찍부터 학문에 뜻을 두어 1752년(영조 28)에 과거에 급제하였다. 이후 호조좌랑과 연일현감 등의 관직을 거쳐 삼례 역승을 역임하였다.

③ 출전 : 필사본 《독역차기讀易箚記》(7장본)

④ 해제

이 작품의 창작 연대는 1796년(정조 20) 7월 장현경의 나이 67세 때이다. 〈사미인가〉는 정철의 〈사미인곡〉과 〈속미인곡〉의 전통을 잇는 가사이다. 외직에 나와 있어 임금을 가까이 모시지 못하는 안타까움을 토로하면서 다시 임금의 은총을 받고자 하는 충신연주지사忠臣戀主之詞라고 할 수 있다. 화자는 오매불망 임금을 그리워하며 잠 못 드는 불면의 밤을 지내다가 잠시 옛 모습 그대로 임금을 가까이 모시는 꿈을 꾸기도 한다. 화자는 닭의 울음소리를 듣고 깨어나 다시 외롭고 답답한 현실로 되돌아오게 된 것을 안타까워하기도 한다. 이처럼 때 이른 닭의 울음소리에 잠에서 깨어나서 답답하고 어두운 현실을 마주하는 것은 〈속미인곡〉의 정서도 유사하다고 여겨진다. 〈사미인가〉의 특징은 마치 한시와 같은 형식을 취하고 있으며, 필사본 《독역차기讀易箚記》(7장본)에 수록되어 전하고 있다.

⑤ 원문과 현대역

그리울셔 우리 님금 뵈옵고져 우리 님금
그리울사 우리 임금 뵈옵고저 우리 임금
우리 님금 셩명聖明ᄒᆞ셔 천지天地오 부모父母이시니
우리 임금 성명[1]하셔 천지요 부모이시니
날 ᄀᆞᄐᆞᆫ 미천신微賤臣을 무엇시 가취可取라고
나 같은 미천한 신하를 무엇이 취할 것이라고
이은異恩을 ᄌᆞ로 닙고 연포筵褒가 졍즁鄭重ᄒᆞ니
특별한 은혜를 자주 입고 연회와 포상이 막중하니
고신孤臣 일촌침一寸枕이 눈물이 바다히다
외로운 신하 조그만 잠자리가 눈물이 바다라네
천문天門의 출입出入ᄒᆞ야 경광耿光을 일시昵侍ᄒᆞ니
대궐문에 출입하여 임금님[2]을 가까이 모시니
영화榮華가 지극至極ᄒᆞ고 소원素願이 여긔 잇다
영화가 지극하고 본래의 소원이 여기 있다
서교西郊 뉵참六站의 마관馬官을 ᄒᆞ이시니
서교의 여섯 역참에 마관[3]을 했으니
군은君恩을 슉샤肅謝ᄒᆞ고 옥폐玉陛를 하직下直ᄒᆞ니
임금 은혜를 사은숙배[4]하고 궁궐 계단을 하직하니
창문閶門 구중九重의 거름거름 눈물이라
창문 구중궁궐에 걸음걸음 눈물이라

---

1 임금의 밝은 지혜.
2 경광耿光. 밝은 빛이라는 뜻.
3 역참을 관리하는 일을 맡아보던 종육품의 벼슬.
4 사은숙배謝恩肅拜. 임금의 은혜에 감사하며 공손하게 절을 올림.

견마犬馬 미물微物도 제 님재을 ᄉᆡᆼ각ᄒᆞ고
개와 말 같은 미물도 제 임자를 생각하고
규곽葵藿 방지旁枝도 날빗ᄎᆞᆯ 기우리니
해바라기 곁가지도 햇빛을 따라 기울이니
회양□陽이 옯닷 말가 금달이 내 원願이라
회양이 옳단 말인가 금달[5]이 내 원이라
듕쇼中霄의 창窓을 열고 북신北辰을 ᄇᆞ라보니
하늘 한복판에 창을 열고 북극성[6]을 바라보니
오운五雲 깁픈 곳에 우리 님금 계시고나
오색 구름 깊은 곳에 우리 임금 계시구나
경누瓊樓 옥우玉宇에 ᄎᆔ긔秋氣ᄂᆞᆫ 치워지고
궁중 임금 계신 곳[7]에 가을 기운 추워지고
ᄇᆡᆨ노白露 겸가蒹葭의 미인美人은 머러젓ᄂᆡ
백로 절기 갈대에 미인은 멀어졌네
지령가芝靈歌 ᄒᆞᆫ 곡죠曲調로 묘묘渺渺ᄒᆞᆫ 천일방天一方에
지령가 한 곡조로 아득한 하늘 끝에
슈문隨門 슉견宿趼을 몽ᄆᆡ夢寐에나 ᄎᆞ즐손가
문을 지키느라 살이 트는 것을 꿈속에나 잦을까
거연遽然히 ᄌᆞᆷ이 드러 일침一枕을 일워시니
갑자기 잠이 들어 한 꿈을 꾸었으니
의연依然ᄒᆞᆫ 구일모양舊日模樣 입시入侍예 드럿고나
의연한 옛날과 같은 임의 모습 뵙기 위해 들어갔구나

5 금달禁闥. 임금에 평소 거처하는 궁전의 앞문.

6 북극성北極星. 늘 그 위치를 옮기지 아니하여 하늘의 중추가 되므로 임금의 자리에 비유함.

7 경누瓊樓 옥우玉宇. 옥황상제가 있는 곳. 여기서는 임금의 자리를 가리킴.

용누龍樓를 노피 열고 옥좌玉座가 엄님儼臨토다
용루를 높이 열고 옥좌가 의젓하게 임했도다
지쳑咫尺 젼셕前席의 죵일終日을 근시近侍ᄒᆞ니
지척의 앞자리에서 종일을 가까이 모시니
천안天顔이 여작如昨ᄒᆞ고 옥음玉音이 온슌溫諄ᄒᆞ데
임금님 얼굴 예와 같고 목소리는 온순하더라
촌계村鷄 ᄒᆞᆫ 솔의예 홀연忽然히 깨돌으니
촌닭 한 소리에 홀연히 개었으니
심신心神이 챵망愴惘ᄒᆞ여 눈물이 오세 젓네
마음이 슬프고 경황이 없어 눈물이 옷에 젖네
군문君門이 여천如天ᄒᆞ여 다시 들기 어려울새
궁궐 문이 하늘처럼 멀어 다시 들어가기 어렵구나
쑴이나 빙자憑藉ᄒᆞ여 우리 님금 뵈는 거슬
꿈이나 빙자하여 우리 임금 뵙는 것을
계셩鷄聲은 무삼 일노 쑴조차 씨오ᄂᆞᆫ고
닭 울음소리 무슨 일로 꿈까지 깨우는가
방황彷徨 죵야終夜의 이 ᄆᆞ음 경경耿耿ᄒᆞ다
방황하여 밤새도록 이 마음 잊히지 않네
죵남산終南山 불로不老ᄒᆞ고 한강슈漢江水 도도滔滔ᄒᆞ니
남산 늙지 않고 한강수 도도하게 흐르니
슬푸다 이 내 생각 어느 때 그치일고
슬프다 이 내 생각 어느 때 그칠까

48. 사시풍경가四時風景歌

① 작품명 : 사시풍경가四時風景歌

② 작자명 : 미상

③ 출전 : 《주해 악부》(이용기 편, 정재호 외 주해, 고려대 민족문화연구소, 1992) / 참고문헌 : 《역대가사문학전집》(임기중 편, 아세아문화사, 1998)

④ 해제

이 작품은 사계절의 아름다운 풍경을 노래한 가사이다. 각 계절을 대표하는 꽃과 새 등의 자연물에 의탁하여 사계절에 느낄 수 있는 독특한 풍경을 실감나게 표현하였다. 또한 요요夭夭 · 애애靄靄 · 표표飄飄 · 열열咽咽 · 욱욱郁郁 · 소소簫簫 · 의의依依 · 외외巍巍 · 열열烈烈 등 의성어와 의태어를 적절하게 사용함으로써, 각 계절을 대표하는 사물들의 특징을 생생하게 재현하는 효과를 보이고 있다. 자연과 더불어 자연을 즐기며 살아가던 옛사람들의 멋을 한껏 표현한 가사로서, 자연 속에서 생활의 철학과 의로운 생활에 대한 교훈을 깨닫게 해주는 물아일체의 경지를 한껏 느낄 수 있는 작품이라고 할 수 있다.

⑤ 원문과 현대역

東君이 有情ᄒᆞ야 春風이 和暢ᄒᆞ니
동군[1]이 유정하여 춘풍이 화창하니

---

1 봄을 주관하는 신을 일컫는 말.

清明佳節이라 景致도 佳麗ᄒᆞ다

청명가절이라 경치도 가려하다

万疊靑山은 翠屛을 둘넛는 듯

만첩청산은 푸른 병풍을 둘렀는 듯

百花은 万發ᄒᆞ여 光輝도 燦爛ᄒᆞ다

백화는 만발하여 광휘[2]도 찬란하다

彩筆를 놉히 들어 名畵를 그려ᄂᆡᆫ 듯

채필[3]을 높이 들어 명화를 그려낸 듯

層巖絶壁에 無心而開峰이라

층암절벽에 무심히 봉우리를 이루었구나

万山紅綠은 春色을 ᄯᅴ여 잇고

만산홍록은 춘색을 띄어 있고

林下에 우는 ᄉᆡ는 王孫을 늣기는 듯

수풀아래 우는 새는 왕손[4]을 느끼는 듯

物色도 凄然ᄒᆞ다

물색도 처연하다

滄浪水 말근 곳의 ᄭᅩᆺ그림ᄌᆞ 구름 뫼듯

창랑수[5] 맑은 곳의 꽃그림자 구름 모이듯

光彩도 사랑홉고 碧鷄좃ᄎᆞ 우러에라

광채도 사랑하고 벽계[6] 쫒아 울어 예는구나

年年春草를 슬허ᄒᆞᆯ 이 만코 만타

해마다 돋는 봄풀을 설워[7]할이 많고 많다

---

2 아름답게 반짝이는 빛.

3 채색하는데 쓰는 붓. 여러 색의 아름다운 빛.

4 부귀한 공자들을 일컫는 말.

5 원래 창랑은 한수의 지류인데, 여기서는 넓고 맑은 물의 뜻으로 쓰였음.

6 중국 전설에서 말하는 신묘한 사물.

狂風 萋萋ᄒᆞ여 落花를 ᄌᆡ촉는 듯

광풍은 처처하여 낙화를 재촉하는 듯

ᄯᅥ러지거니 피거니 爛漫이 어지럽다

떨어지거나 피우거나 난만하고 어지럽다

梨花는 눈 날이 듯 花葉이 紛紛ᄒᆞ여

이화는 눈 날리듯 꽃잎이 분분하여

於焉中 春色이 去矣로다

어언간에 춘색이 거의로다

夭夭 三色桃는 언제 오마 도라간고

요요[8]한 삼색도화는 언제 온다고 돌아갔는가

春風桃를 훌忽이 보ᄂᆡᆫ 後의

춘풍도리를 훌훌이 보낸 후에

華夏勝景을 牧丹으로 벗을 삼아

화하승경[9]을 목단으로 벗을 삼아

綠陰이 攢攢處에 花王이 빗흘 ᄌᆞ랑ᄒᆞᆫ다

녹음이 짙은 곳[10]에 화왕이 빛을 자랑한다

十里香 靄靄ᄒᆞ여 花枝의 둘너 잇고

십리향[11] 애애[12]하여 꽃가지에 둘러 있고

鶯歌는 雅雅ᄒᆞ여 太平曲을 알위는 듯

꾀꼬리 노래는 맑아서 태평곡을 아뢰는 듯

---

7 슬허는 서러워함.

8 가냘프고 아름다운 모양.

9 화려한 여름의 볼만한 경치.

10 찬찬처는 짙은 곳.

11 꽃향기가 멀리까지 퍼짐.

12 애애 '藹藹'의 착오인 듯. 애애 '藹藹'는 향기가 풍기는 것을 말하고 애애靄靄는 구름이나 안개 같 은 것이 떠있는 것을 말함.

雙鳳은 노릭ᄒᆞ고 蝴蝶이 춤을 츄니
쌍봉은 노래하고 호접이 춤을 추니
舞袖ᄂᆞᆫ 飄飄ᄒᆞ여 香風의 나뷔기고
무수[13]는 표표[14]하여 향풍에 나부끼고
歌聲은 咽咽ᄒᆞ여 花林의 얼켯세라
가성은 인인[15]하여 화림에 얽혔어라
玉階의 海棠花는 朝露를 먹음어서
옥계의 해당화는 조로를 머금어서
自若히 피엿고나
자약이[16] 피였구나
富盛ᄒᆞᆫ 芍藥ᄭᅩᆺ츤 香氣를 자랑ᄒᆞᆫ다
부성[17]한 작약꽃은 향기를 자랑한다
月桂四桂花 계 薔薇花로 벗시 되어
월계사계화는 장미화로 벗이 되어
고흔 빗흘 서로 사랑는 듯
고운 빛을 서로 사랑하는 듯
香臭 郁郁ᄒᆞ여 半空의 가득ᄒᆞ다
향취 욱욱[18]하여 반공에 가득하다
黃鶯은 말게 우러 花林間에 往來ᄒᆞ고
황앵은 맑게 울어 꽃과 화림간에 왕래하고

13 춤추는 여인네들의 너울거리는 소매.
14 가볍게 나부끼는 모양.
15 요란한 소리.
16 변함없이 평상시와 같은 모습.
17 재산이 넉넉하고 많음.
18 향기가 진동함.

楊柳은 바람을 못이긔여 青絲가 헌날인다
버들은 바람을 못이겨서 청사가 흩날린다
말ᄒᆞ노니 蓮 ᄏᆡ는 兒戲들아
말하노니 연 캐는 아이들아
滄浪水 말근 곳의 蓮꼿츨 걱거ᄂᆡ니
창랑수 맑은 곳의 연꽃을 꺾어내니
一陣香風의 紅白이 되야세라
일진향풍의 홍백이 되었어라
稚秧을 옴겨 심고 綠坡에 의디ᄒᆞ여
치앙[19]을 옮겨 심고 녹파[20]에 의지하여
玉杯를 어루만져 蓮葉酒 마신 後에
옥배를 어루만져 연엽주[21]를 마신 후에
採蓮曲을 푸면서 歸去來 ᄉᆡᆼ각ᄒᆞ니
채련곡[22]을 읊으면서 귀거래사 생각하니
田園이 어듸메뇨 東籬黃菊 ᄎᆞ져볼가
전원이 어디인가 동리황국[23] 찾아볼까
金風이 蕭蕭ᄒᆞ여 菊花 爛開ᄒᆞ니
가을바람[24]이 소소하여 국화 난개[25]하니
處士의 놉흔 節을 慨然이 보와세라
처사의 높은 절개 개연[26]히 보았어라

---

19 모종. 어린 모.
20 연파緣波인 듯. 녹파는 푸른 물결.
21 연잎으로 만든 술.
22 중국 악부가사 중의 한 노래. 대부분 남녀 간의 상사의 정이나 한적한 삶의 모습을 노래하였음.
23 동쪽 울타리에 핀 국화 꽃.
24 금풍은 가을바람. 오행설에서 금은 서쪽을 뜻하니 서쪽에서 부는 가을바람.
25 난만히 피는 것.

秋天落月에 江風이 凜凜ᄒᆞ고

추천낙월에 강풍이 늠름하고

滿山層葉이 錦繡帳을 일웟는듸

만산층엽이 금수장[27]을 이뤘는데

져근듯 잠을 일워 梅竹을 쑴의 보니

잠시 잠을 이뤄 매죽을 꿈에 보니

陽臺가 아니로다 梅林 압희 잇고

양대[28]가 아니로다 매죽 앞에 있고

湘江이 안이로되 斑竹이 푸르럿다

상강[29]이 아니로되 반죽이 푸르렀다

醉夢을 겨우 ᄭᆡ여 欄檻에 빗겨 보니

취몽을 겨우 깨어 난간에 비껴[30]보니

엇그제 少年容이 丹楓의 빗칠너니

엊그제 소년 얼굴 단풍에 비치려니

五六日 雪上 寒梅 香氣도 雅淡ᄒᆞ다

오육일 설상 한매 향기도 아담하다

蒼蒼松栢은 臘雪을 ᄯᅴ여잇고

울창한 송백은 납설[31]을 띄어있고

靑靑翠竹은 風霜을 업슈 여겨

청청취죽[32]은 풍상을 업신여겨

---

26 몹시 분하게 여기는 모양.

27 온 산에 가득한 단풍 빛을 수놓은 비단휘장으로 비유한 말.

28 전국시대 초나라 양왕이 꿈속에 선녀와 만나 즐겼다는 고당이라는 누대.

29 소상강. 이곳에 순임금의 두 부인 아황과 여영의 묘가 있음.

30 '가로 지르다'의 옛말.

31 납일에 내리는 눈.

32 푸른 대나무.

烈士의 後身인가 節槪도 堅固ᄒᆞ다
열사의 후신인가 절개도 견고하다
忠臣烈士는 松栢을 벗슬 ᄉᆞᆷ아
충신열사는 송백을 벗을 삼아
漢나라 蘇子卿과 宋時節 文天祥이
한나라 소자경과 송시절 문천상이
松栢의 節을 가져 萬古의 遺傳ᄒᆞ고
송백의 절개 가져 만고에 유전하고
빗나고 놉흔 일흠 千秋에 流芳ᄒᆞ니
빛나고 높은 이름 천추에 유방하니
이갓흔 貞節은 後人이 感動ᄒᆞ네
이같은 시절은 후인이 감동하네
忠魂은 依依ᄒᆞ여 松竹의 빗기논다
충혼은 의의[33]하여 송죽에 비긴다
蒼蒼ᄒᆞᆫ 져 松栢 누를 爲ᄒᆞ여 기리 푸르런노
푸르른 저 송백 누구를 위하여 그리 푸르렀는가
積적雪을 쓰리치고 翠竹을 어루만져
적설을 쓸어 치우고 푸른 대나무를 어루만져
古今을 長嘆ᄒᆞ니 物色이 愴然ᄒᆞ다
고금을 장탄[34]하니 물색이 창연[35]하다
巍巍 北巖下의 雪風이 凄凉ᄒᆞᆫᄃᆡ
우뚝 솟은[36] 북쪽 바위 아래 눈보라가 처량한데

33 싱싱하게 푸름.
34 길고 큰 한숨을 내쉬면서 깊이 탄식함.
35 몹시 슬픔.
36 외외巍巍. 외외는 뛰어나게 높고 우뚝 솟은 모양.

玉樹珠簾에 處處의 걸녀스니
옥수주렴[37]이 곳곳에 걸렸으니
素淡흔 雪景中의 梅香은 무슴 일고
소담한 설경 중에 매향은 무슨 일인가
烈烈寒風의 슬푸고 슬푼 興을
열렬한풍[38]의 슬프고 슬픈 흥을
헛되이 보닌 後의 雪月을 下直ᄒᆞ고
헛되이 보낸 후에 설월을 하직하고
三春을 다시 보니 반갑다 春風드라
삼춘을 다시 보니 반갑다 춘풍들아
예 보든 빗치 어이 네로구나
옛날 보던 빛이 어이 너로구나

37 '옥수주렴屋垂珠簾'의 착오인 듯. '옥수주렴屋垂珠簾'은 지붕에 드리워진 주렴을 말하는데, 처마에 매달린 고드름을 비유적으로 이르는 말.
38 겨울에 부는 매서운 찬바람.

49. 상사별곡相思別曲

① 작품명 : 상사별곡相思別曲

② 작자명 : 이세보(李世輔, 1832~1895)

이세보의 본관은 전주全州로, 아버지는 군수 이단화李端和이고, 어머니는 해평윤씨海平尹氏로 윤응선尹應善의 딸이다. 《풍아風雅》·《시가詩歌》 등의 시조집이 있고, 458수의 시조를 썼다. 조선시대에 가장 많은 시조를 지은 인물이다.

③ 출전 : 《풍아風雅》

④ 해제

〈상사별곡〉은 조선 후기 가사로 32구의 단편이다. 기본 음절률音節律이 3·4조이며 4단으로 이루어진 구조이다. 이 작품은 이세보가 여주목사 재임 시절에 지은 가사이다. 그의 시조집 《풍아》에 수록되어 있다.

⑤ 원문과 현대역

황ᄆᆡ시절 ᄯᅥ난이별 만학단풍 느졋스니
황매시절 떠난 이별 만학단풍 늦었으니
상ᄉᆞ일념 무한ᄉᆞ는 져도나를 그리련이
상사일념 무한 일은 저도 나를 그리려니
구든언약 깁흔정을 낸들어이 이졋슬가
굳은 언약 깊은 정을 나인들 어이 잊었을까
인간의 일리만코 됴물리 시긔런지
인간의 일이 많고 조물이 시기인지

ᄉᆞᆷᄒᆞ삼츄 지나가고 낙목한쳔 ᄯᅩ되엿ᄂᆡ
삼하삼추[1] 지나가고 낙목한천[2] 또 되었네
운산이 머럿쓰니 소식인들 쉬울손가
운산이 멀었으니 소식인들 쉽겠는가
ᄃᆡ인난 긴한숨의 눈물은 맷ᄶᅧ런고
대인난[3] 긴 한숨에 눈물은 몇 때런가
흉즁의 불니나니 구회간장 다타간다
가슴 속에 불이 나니 구곡간장[4] 다 타 간다
인간의 물노못ᄭᅳ난 불리라 업건마는
인간의 물로 못 끄는 불이라 없건마는
ᄂᆡ가삼 태우는 일은 물노도 어이못ᄭᅳ난고
내 가슴 태우는 일은 물로도 어이 못 끄는고
ᄌᆞ네사정 ᄂᆡ가알고 ᄂᆡ사정 ᄌᆞ네 알니
자네 사정 내가 알고 내 사정 자네 아니
셰우사창 져믄날과 소소풍상 송안성의
세우사창[5] 저문 날과 소소풍상[6] 홍안성[7]의
상ᄉᆞ몽 놀라ᄶᅵ여 ᄆᆡᆨᄆᆡᆨ키 생각ᄒᆞ니
상사몽 놀라 깨여 오랫동안 생각하니
방츈화류 됴흔시졀 강누ᄉᆞ찰 경ᄀᆡ좃차
방춘화류[8] 좋은 시절 강루사찰 경개[9] 좇아

---

1 삼하삼추三夏三秋. 세 번의 여름과 세 번의 가을. 즉 길고 긴 세월.
2 낙목한천落木寒天. 나뭇잎이 다 떨어진 추운 겨울날.
3 대인난待人難. 약속한 시간에 오지 않는 사람을 기다리는 안타까움과 괴로움.
4 구곡간장九曲肝腸. 굽이굽이 서린 창자. 깊고 깊은 마음속 비유.
5 세우사창細雨紗窓. 얇고 성기게 짠 비단으로 바른 창문에 내리는 가랑비.
6 소소풍상蕭蕭風霜. 바람서리가 쓸쓸함.
7 홍안성鴻雁聲. 기러기의 울음소리.
8 방춘화류芳春花柳. 꽃과 버들이 한창인 봄날.

일부일 월부월의 운우지착 협흡홀제

나날이 다달이의 운우지락[10] 협흡[11]할 때

청샨녹슈 증인두고 ᄎᆞ성ᄇᆡᆨ년 셔로ᄆᆡᆼ셰

청산녹수 증인 되고 차생백년 서로 맹세

못보와도 병이되고 더디와도 셩화로셰

못 보아도 병이 되고 더디 와도 성화[12]로세

오는글발 가는ᄉᆞ연 자자획획 다정턴이

오는 글발 가는 사연 자자획획 다정하니

엇지타 한별니가 역여됴긔 어려웨라

어쩌다 한별한 이가 엮어두기 어려워라

상ᄉᆞ고 상ᄉᆞ고ᄒᆞ니 상ᄉᆞ인 ᄉᆞ상사인을

그리워하고 그리워하니 그리운 사람 그리운 사람을

신롱씨 야속ᄒᆞ다 상ᄇᆡᆨ초약 ᄂᆡᆯ젹의

신농씨 야속하다 상백초약 낼 적에

만병회츈 무불통지 임이즐약 웨모른고

만병 회춘 무불통지 임 잊을 약 왜 모르는가

쳔ᄉᆞ만량 셕은간장 언지장야 쓸길업서

천사만량[13] 썩은 애간장 언지장야[14] 쓸길 없어

어늬날 어늬달의 명텬이 우리뜻보다

어느 날 어느 달의 밝은 하늘이 우리 뜻보다

---

9 경개景槪. 경치景致와 같은 말.

10 운우지락雲雨之樂. 남녀가 육체적으로 관계하는 즐거움.

11 협흡協洽. 물이 물건을 적시듯이 널리 고루 퍼지거나 전함.

12 성화成火. 매우 귀찮게 졸라 댐.

13 천사만량千思萬量. 여러 가지로 생각하여 헤아림.

14 언지장야言之長也. 자세히 말하려면 길어짐.

축실거성 이별업시 원앙침상 갓치누어
축실거성 이별 없이 원앙침상 같이 누워
이런말 옛일삼고 평성을 질길넌지
이런 말 옛일 삼고 평생을 즐길런지
어허절ᄉᆞ 둄도됴타 고진감ᄂᆡ 이아닌가
어허절사 좋고 좋다 고진감래 이 아닌가
오ᄆᆡ불망 그런임을 약슈상봉 다시탐탐
오매불망 그린 임을 약수[15]상봉 다시 기다리네
져달아 네아느냐 황녀ᄐᆡ슈 심즁ᄉᆞ를
저 달아 네 아느냐 황녀태수 심중사를
삼오야 됴흔밤의 두어라
보름날 밤 좋은 밤에 두어라
그리다보며 술잇고 임은업다 참정인가
그리다보면 술 있고 임은 없다 참정인가

15 신선이 살았다는 중국 서쪽의 전설 속의 강.

50. 상사회답곡相思回答曲

① 작품명 : 상사회답곡相思回答曲

② 작자명 : 미상

③ 출전 : 《가사집歌詞集》

④ 해제

작자·창작연대 미상의 조선시대 규방가사이다. 어렸을 적부터 함께 자라 출가한 여성을 연모하여 상사병에 걸린 남성의 편지에 회답하는 노래이다. 여자의 몸으로 불경이부不更二夫를 철석같이 믿고 있는데 편지를 보내옴에 당황한 마음을 노래하고 있다. "그런 마음 가졌으면 어찌하여 잠잠한고, 다른 곳에 시집가기 전前에 무심無心히 있지 말고" 하면서 시집가기 전에 말을 왜 못 하고 상사병이 들었냐며 탓하고 있다. 그러나 "백년百年을 못 살거든 남의 명命을 끊게 하랴"라고 하면서 만나줄 것을 약속하고 있다. 기혼의 여인인 화자는 사랑을 하소연하는 남자에게 긍정적으로 답장을 쓴 것이다. 유교적인 가치관을 앞세우기보다는 인간 본위의 의식을 드러내고 있다.

⑤ 원문과 현대역

이몸이 女子되여 徒勞百年 어려워라
이 몸이 여자 되어 도로[1] 백년가약 어려워라

---

1 헛되이 수고함. 보람 없이 애씀.

門밧게를 아니나고 閨閤에셔 ᄉᆡᆼ쟝ᄒᆞ여
문 밖을 안 나가고 규방에서 생장하여
百年佳約 定ᄒᆞᆯ적에 緣分을 ᄶᅡ라가셔
백년가약 정할 적에 연분을 따라가서
不更二夫 굿은言約 鐵石ᄀᆞᆺ치 먹엇더니
불경이부 굳은 언약 철석같이 믿었더니
無心ᄒᆞᆫ 一封書札 어ᄃᆡ로 온단말가
무심한 한 통 편지 어디에서 온단 말인가
書中 萬端事情 나려보니 아득ᄒᆞ다
편지 중 여러 사정 바라보니 아득하다
回答을 쓰려ᄒᆞ고 붓을들고 ᄉᆡᆼ각ᄒᆞ니
답장을 쓰려하고 붓을 들고 생각하니
心身이 恍惚ᄒᆞ여 말조차 ᄭᅳᆫ쳣도다
심신이 황홀하여 말조차 그쳤도다
어와 書辭中에 군ᄌᆞ셜화 ᄭᅳᆺ이업다
어와 글 중에 군자 말씀 끝이 없다
庸劣ᄒᆞᆫ 이내거동 무ᄉᆞᆷᄐᆡ도 가졋관ᄃᆡ
용렬한 이내 거동 무슨 태도 가졌는데
이ᄃᆡ도록 눈에드러 病조차 들단말가
이다지 눈에 들어 병까지 들었단 말인가
그런ᄆᆞᄋᆞᆷ 가졋스면 엇지ᄒᆞ여 ᄌᆞᆷᄌᆞᆷᄒᆞᆫ고
그런 마음을 가졌으면 어찌하여 잠잠한가
다른곳 가기젼에 無心이 잇지말고
다른 곳으로 가기 전에 무심히 있지 말고
우리서로 어려슬제 ᄒᆞᆫ가지로 놀앗스니
우리 서로 어렸을 때 함께 놀았으니

날과言約ᄒᆞᆫ 길일업시 혼자ᄆᆞᄋᆞᆷ 무슴일고
나와 언약한 길 소통 없이 혼자 마음 무슨 일인가
삽삽ᄒᆞᆫ 이내ᄆᆞᄋᆞᆷ ᄉᆡᆼ각ᄒᆞ니 後悔로다
삽삽한[2] 이 내마음 생각하니 후회로다
일이임의 이러ᄒᆞ니 무슴묘ᄎᆡᆨ 잇슬손가
일이 이미 이러하니 무슨 묘책 있겠는가
廣大ᄒᆞᆫ 텬디간에 졀ᄉᆡᆨ가인 無數ᄒᆞᆫᄃᆡ
넓디넓은 천지간에 절세가인 무수한데
날갓ᄒᆞᆫ ᄋᆞ녀ᄌᆞ야 어ᄂᆡ곳에 업슬손가
나 같은 아녀자야 어느 곳에 없을 것인가
事셰가 이러ᄒᆞ니 이도ᄯᅩᄒᆞᆫ 天定이라
일 형세가 이러하니 이도 또한 하늘이 정함이라
病이實노 드럿스면 ᄆᆞᄋᆞᆷ을 强仍ᄒᆞ오
병이 실로 들었으면 마음을 마지못해 따르리라
흐르ᄂᆞᆫ 이셰월에 朝露ᄀᆞᆺᄒᆞᆫ 우리인ᄉᆡᆼ
흐르는 이 세월에 아침 이슬 같은 우리 인생
ᄒᆞᆫ번죽어 도라가면 다시오기 어려워라
한 번 죽어 돌아가면 다시 오기 어려워라
ᄲᅧᄂᆞᆫ썩어 黃土되고 살은썩어 물이된다
뼈는 썩어 황토되고 살은 썩어 물이 된다
죽은나를 차자와셔 이런事情 ᄒᆞ오릿가
죽은 나를 찾아와서 이런 사정 할 것인가
물노일운 ᄆᆞᄋᆞᆷ이라 木石이 아니어든
물로 이룬 마음이라 목석이 아니거든

---

2 말이나 글이 분명치 못해 이해하기 어려움.

이러ᄒᆞᆫ 이인ᄉᆡᆼ을 혈마ᄉᆞ 죽게ᄒᆞ리
이러한 이 인생을 설마 죽게 하겠는가
그ᄃᆡ는 대장부로 천금ᄀᆞᆺ흔 귀ᄒᆞᆫ몸을
그대는 대장부로 천금같은 귀한 몸을
이내일신 위ᄒᆞ여셔 病이드러 누엇스니
나의 한 몸 때문에 병이 들어 누웠으니
心情을 虛費타가 가련이 죽게되면
심정을 허비하다가 불쌍히 죽게 되면
冤抑ᄒᆞᆫ 뎌혼ᄇᆡᆨ이 내탓을 ᄉᆞᆷ으리라
억울한 저 혼백이 내 탓으로 삼으리라
百年을 못살여든 ᄂᆞᆷ의命을 ᄭᅳᆫ케ᄒᆞ랴
백 년을 못 살거든 남의 목숨을 끊게 하랴
이러나 져러나 그ᄃᆡ事情 ᄇᆞ리리요
이러나 저러나 그대 사정 버리리요
緣分이 잇고 ᄌᆞ연이 맛나리라
연분이 있고 보면 자연히 만나리라
샹ᄉᆞ로 깁히든病 다풀치고 기ᄃᆞ리소
상사로 깊이 든 병 다 풀어내고 기다리소서
今月某日 明月夜에 아무쪼록 ᄇᆡ오리라
금월 모일 밝은 달밤에 아무쪼록 뵈오리라

51. 상저가相杵歌

① 작품명 : 상저가相杵歌

② 작자명 : 이황李滉

퇴계 이황이 지은 것으로 기록돼 있으나 그대로 믿기는 어렵다.

③ 출전 : 《고금가곡古今歌曲》(일본 궁내청 서릉부 소장)

④ 해제

이 작품은 여러 종의 이본이 전하고 있는데, 그중 일부 이본의 경우 작가가 퇴계로 표시되어 있다. 작품에는 농업을 중시하는 내용이 나오는데, 이런 현상은 조선 후기에 주로 나타난다는 점에서 퇴계 이황이 지었을 가능성은 낮은 것으로 보고 있다. 제목은 〈상저가〉라 하여 방아노래를 표방하고 있으나, 내용은 방아를 찧어 밥을 먹은 후에 각자가 자신의 직분에 맞는 일을 해야 함을 강조하는 교훈적인 내용이 중심을 이루고 있다.

⑤ 원문과 현대역

이바 杵長저장네야

이봐 방아꾼아

이 방하 찌허스라 방하노래 내 브룸새

이 방아 찧어라 방아노래 내 부름세

太古태고적 混沌혼돈ᄒᆞ야 穀食곡식이 업돗더니

먼 옛날 혼돈하여 곡식이 없었더니

神農氏신농씨 試驗시험ᄒᆞ야 장기 ᄯᅡ부 ᄆᆡᆼ근 후에
신농씨[1] 시험하여 쟁기 따비 만든 후에
后稷氏후직씨 ᄯᅡ흘 보아 논밧츨 分別분별ᄒᆞ니
후직씨[2] 땅을 보아 논밭을 분별하니
논밧치 삼겻거니 穀食곡식인들 업슬소냐
논밭이 생겼으니 곡식인들 없을쏘냐
穀食곡식이 비록 난들 ᄶᅵ허 아니 먹을소냐
곡식이 비록 난들 찧어야 먹지 않겠느냐
深山심산의 도든 남글 자괴로 버혀내여
깊은 산에 솟은 나무 자귀로 베어내어
확 안치고 고 마초아 거러내니 방하로다
방아 앉히고 고 맞추어 걸어내니 방아로다
고리키를 나와 노코 우기거니 졋기거니
둥근 키를 내어 놓고 우그렸다 폈다 하니
明珠명주를 우희ᄂᆞᆫ 듯 白玉백옥을 ᄆᆞᄋᆞᄂᆞᆫ 듯
고운 구슬 움켜쥔 듯 흰 옥을 부순 듯
粒粒입립히 辛苦신고ᄒᆞᆫ 것 힝혀 한ᄃᆡ 들닐셔라
알알이 고생한 것 행여 땅에 떨어질라
우믈의 믈을 기러 일거니 씻거니
우물에서 물을 길어 일거니 씻거니
솟밋희 블을 ᄯᅵ여 지어내니 밥이로다
솥 밑에 불을 때어 지어내니 밥이로다
이 밥 지어내니 먹으 리도 하고 만타
이 밥 지어내니 먹을 이도 많고 많다

1 중국 고대 삼황三皇의 한 사람. 백성들에게 농사짓는 법을 처음으로 가르쳤다고 전함.
2 중국 주周나라의 시조. 농사를 발달시킨 것으로 전함.

九重구중 宮闕궁궐의 우리 님군 혜신 후에
구중궁궐 깊이 있는 우리 임금 헤아린 후
一國일국 臣民신민이 뉘 아니 먹을소니
온 나라 백성들이 뉘 아니 먹을쏘냐
먹고 노닐소냐 홀 일은 다 잇ᄂᆞ니
먹고 놀며 지낼쏘냐 할 일은 다 있나니
治國치국 安民안민은 聖上성상의 홀 일이오
나라 다스리고 백성 돌보는 건 임금의 할 일이요
燮理섭리 陰陽음양은 宰相재상의 홀 일이오
음양 고르게 다스림은 재상의 할 일이요
承流승류 宣化선화는 方伯방백의 홀 일이오
임금의 덕 받아 폄은 관찰사의 할 일이요
面折면절 廷爭정쟁은 臺諫대간의 홀 일이오
왕 앞에서 직간함은 대간의 할 일이요
折衝절충 禦侮어모는 將帥장수의 홀 일이오
적을 꺾어 두렵게 함은 장수의 할 일이요
勸農권농 興學흥학은 守令수령의 홀 일이오
농사 장려 학문 진흥 수령의 할 일이요
入孝입효 出悌출제는 션비의 홀 일이오
부모 효도 어른 공경 선비의 할 일이요
務本무본 力穡역색은 百姓백성의 홀 일이오
본분 다 해 농사지음은 백성의 할 일이요
親上친상 死長사장은 軍士군사의 홀 일이라
임금 위해 죽는 것은 군사의 할 일이라
우리도 이 방하 찌허내여 上典供養상전공양 ᄒᆞ리라
우리도 이 방아 찧어내어 상전께 바치리라

52. 상춘곡賞春曲

① 작품명 : 상춘곡賞春曲

② 작자명 : 정극인(丁克仁, 1401~1481)

정극인은 조선 전기의 학자로, 호는 불우헌不憂軒이다. 단종 원년(1453)에 문과에 급제하여 벼슬에 나아갔으나 세조世祖가 즉위하자 사직하고 전북 태인으로 돌아왔다. 성종 때 자신의 영달榮達을 생각하지 않고 향리 자제를 교육한 공으로 삼품산관三品散官이 주어지자, 이에 감격하여 임금의 은공을 노래한 〈불우헌곡不憂軒曲〉·〈불우헌가不憂軒歌〉 등을 지어 남겼다.

③ 출전 : 《불우헌집不憂軒集》

④ 해제

〈상춘곡〉은 40행으로 된 가사로, 조선 전원가사의 대표적인 작품이다. 봄을 맞아 산림에 묻혀서 유유자적하는 선비의 삶을 살겠다는 의지에서 시작하여 산림처사로 머무르는 자족감을 노래하고 있다. 또한 정계를 떠나 안빈낙도의 생애를 누리겠다는 작가의 생각이 아름다운 표현을 통하여 잘 묘사된 작품이다.

〈상춘곡〉은 송순의 〈면앙정가〉에 영향을 주었는데, 그 제자 정철이 송순의 영향을 받아 〈성산별곡〉·〈관동별곡〉 등을 지음으로써 강호가단江湖歌壇이 형성되었다. 가사의 내용과 수사적 기법 등 우리 가사문학사에서 빛나는 작품으로 평가된다.

⑤ 원문과 현대역

紅塵에 뭇친 분네 이내 生涯 엇더흔고
속세[1]에 묻혀사는 분들 이내 생애 어떠한가
녯 사름 風流롤 미출가 뭇 미출가
옛 사람의 풍류를 미칠까 못미칠까
天地間 男子 몸이 날만흔 이 하건마는
세상에 남자 몸이 나만한 이 많건마는
山林에 뭇쳐이셔 至樂을 모롤 것가
자연에 묻혀사는 즐거움을 모르는가
數間茅屋을 碧溪水 앏픠 두고
몇 간의 초가집[2]을 시냇가에 지어놓고
松竹 鬱鬱裏예 風月主人되어셔라
송죽 우거진 곳에[3] 풍월주인 되었구나
엇그제 겨을 지나 새봄이 도라오니
엇그제 겨울 지나고 새봄이 돌아오니
桃花杏花는 夕陽裏예 퓌여 잇고
복숭아꽃[4] 살구꽃은 석양에 피어 있고
綠楊芳草는 細雨中 프르도다
푸른 버들 향기로운 풀[5]은 가랑비[6]에 푸르도다

1 번거로운 인간세상, 원뜻은 붉게 일어나는 티끌(먼지).
2 몇 칸 안 되는 초가집, 초가삼간.
3 빽빽한 숲속.
4 복숭아꽃·자두꽃·살구꽃.
5 푸른 버들과 향기로운 꽃.
6 세우중細雨中. 가랑비에.

칼로 ᄆᆞᆯ아낸가 붓으로 그려 낸가
칼로 베어낸가[7] 붓으로 그렸는가
造化神功이 物物마다 헌ᄉᆞᄅᆞᆸ다
조물주의 신비로움이[8] 사물마다 야단스럽다[9]
수풀에 우ᄂᆞᆫ 새ᄂᆞᆫ 春氣ᄅᆞᆯ ᄆᆞᆺ내 계워
수풀에 우는 새는 봄기운[10]을 못 이겨서
소ᄅᆡ마다 嬌態로다
소리마다 아양떠는 모습이라
物我一體어니 興이ᄋᆡ 다ᄅᆞᆯ소냐
자연과 한 몸[11]으로 흥겨움이 다를소냐
柴扉예 거러보고 亭子 안자 보니
문 앞[12]을 걸어보고[13] 정자에 앉아보니
逍遙吟詠ᄒᆞ야 山日이 寂寂ᄒᆞᆫᄃᆡ
거닐고 읊느라[14] 산속[15] 하루 적적한데
閒中眞味ᄅᆞᆯ 알 니 업시 호재로다
한가한 진미[16]를 아는 이 없어 혼자로다
이바 니웃드라 山水 구경 가쟈스라
이보게 이웃들이여 산수구경 가자꾸나

---

7 재단한 것인가.
8 만물을 창조 변화시키는 신령스러운 조물주의 솜씨.
9 야단스럽다, 굉장하다, 화려하다.
10 봄의 기운. 흥취.
11 자연과 내가 한 몸이 됨.
12 사립문.
13 거닐어 보기도 하고.
14 천천히 거닐며 詩를 읊은 《장자》 〈소요유〉편에 나옴.
15 산 속의 하루.
16 한가함 속의 참된 맛.

踏靑으란 오늘 ᄒᆞ고 浴沂란 來日 ᄒᆞ새

산책[17]은 오늘하고 목욕[18]은 내일하세

아ᄎᆞᆷ에 採山ᄒᆞ고 나조ᄒᆡ 釣水ᄒᆞ새

아침에 나물 캐고[19] 저녁에 낚시[20]하세

ᄀᆞᆺ 괴여 닉은 술을 葛巾으로 밧타 노코

이제 막 익은 술을 갈건[21]으로 걸러놓고

곳나모 가지 것거 수 노코 먹으리라

꽃가지 가지 꺾어 잔을 세면서 먹으리라

和風이 건ᄃᆞᆺ 부러 綠水ᄅᆞᆯ 건너오니

화풍이 문득 불어 시내를 건너오니

淸香은 잔에 지고 落紅은 옷새 진다

향기[22]는 잔에 들고 붉은 잎[23]은 옷에 든다

樽中이 뷔엿거ᄃᆞᆫ 날ᄃᆞ려 알외여라

술통[24]이 비었으면 나에게 아뢰어라

小童 아ᄒᆡᄃᆞ려 酒家에 술을 믈어

아이를 시켜서 술집에서 술을 사서

얼운은 막대 집고 아ᄒᆡᄂᆞᆫ 술을 메고

어른은 지팡이 짚고 아이는 술을 메고

---

17 3월3일, 삼짇날인 답청절에 들에 나가 새봄에 돋은 풀을 밟고 산책하는 민속놀이.

18 《논어論語》〈선진편先進篇〉에 나오는 말로 공자孔子가 제자들과 근수沂水에서 목욕한 일.

19 채산채採山菜를 생략한 형태.

20 조수어釣水魚를 생략한 형태. 낚시질.

21 칡으로 만든 두건, 은사의 두건, 술 거르는 도구로 쓰임.

22 맑은 향기.

23 떨어지는 붉은 꽃잎.

24 술을 담은 항아리 속.

微吟緩步ᄒᆞ야 시냇ᄀᆞ의 호자 안자
읊조리며 천천히 걸어[25] 시냇가에 혼자 앉아
明沙 조ᄒᆞᆫ 믈에 잔 시어 부어 들고
모래밭 맑은 물에 잔 씻어 술을 부어
淸流를 굽어보니 ᄯᅥ오ᄂᆞ니 桃花ㅣ로다
맑은 물[26] 굽어보니 떠오는 것이 도화로다
武陵이 갓갑도다 져 ᄆᆡ이 긘 거인고
무릉도원[27]이 가깝구나 저 산[28]이 그곳인가
松間細路에 杜鵑花를 부치 들고
소나무 사이 좁은 길[29]에 진달래꽃 붙들고
峰頭에 급피올나 구름 소긔 안자 보니
산봉우리에 급히 올라 구름에 앉아보니
千村萬洛이 곳곳이 버러 잇ᄂᆡ
수많은 촌락[30]이 곳곳에 벌려있네
煙霞日輝ᄂᆞᆫ 錦繡를 재폇ᄂᆞᆫ ᄃᆞᆺ
노을빛[31]은 비단[32]을 펼쳐놓은 듯
엇그제 검은 들이 봄빗도 有餘ᄒᆞᆯ샤
엊그제 검은 들판에 봄빛이 넘치는구나

25 나직히 시를 읊조리며 천천히 걸음.
26 흐르는 맑은 물.
27 '무릉도원武陵桃源'의 준말로 별천지別天地를 가리키는 말, 진晋나라 도연명의 〈도화원기桃花源記〉에 나오는 곳으로, 호남성湖南省 무릉현武陵懸에 있었다고 함.
28 '뫼'의 잘못된 표기로 산을 말함.
29 소나무 숲 사이의 오솔길.
30 수많은 마을들.
31 햇살에 빛나는 아름다운 안개와 노을. 즉 자연.
32 수놓은 비단.

功名도 날 ᄭᅴ우고 富貴도 날 ᄭᅴ우니
공명도 날 꺼리고 부귀도 날 꺼리니
淸風明月 外예 엇던 벗이 잇ᄉᆞ올고
아름다운 자연 외에 어떤 벗이 있으리오
簞瓢陋巷에 흣튼 혜음 아니 ᄒᆞ니
비록 가난[33]하지만 허튼 생각[34] 아니하니
아모타, 百年行樂이 이만ᄒᆞᆫᄃᆞᆯ 엇지ᄒᆞ리
아무튼 평생 즐거움[35]이 이만하면 어떠한가

---

33 《논어論語》에 나오는 말로, 소박하고 청빈한 생활을 이름.
34 헛된 생각, 부귀나 공명.
35 한평생 즐겁게 지냄.

53. 서왕가西往歌

① 작품명 : 서왕가西往歌

② 작자명 : 혜근(惠勤, 1320～1376)

혜근의 속명은 아원혜牙元惠로, 호는 나옹懶翁·강월헌江月軒이고, 혜근은 그의 법명이다. 21세 때 친구의 죽음을 겪고 묘적암妙寂庵에 있는 요연선사了然禪師에게 출가하였다. 그 뒤 전국의 이름 있는 사찰을 편력하면서 정진하다가 1344년(충혜왕 5) 양주 천보산 회암사檜巖寺에서 대오大悟하고, 석옹石翁에게 깨달음을 인가받았다. 중국의 지공指空·평산처림平山處林에게 인가를 받고, 무학無學에게 법을 전하여 조선시대 불교의 초석을 세웠다. 왕명으로 밀성密城(밀양) 영원사瑩源寺로 옮겨 가던 중 1376년(우왕 2) 5월 15일 여주 신륵사에서 입적하였다.

③ 출전 : 한국가사문학관 소장본

④ 해제

〈서왕가〉는 최초의 가사문학으로 추정되며, 가사 장르 형성 초기의 모습을 보여주고 있어 문학사적 가치가 높은 작품이다. 고려 말에 지어졌다고 하지만 오랫동안 불교 신도들에 의해 구비전승되어오다가 18세기 초에 문자로 기록되었다. 작품은 크게 6단락으로 구성되어 있으며, 인생무상, 한탄, 입산수도의 큰 뜻, 애욕 탐물의 어리석음, 염불공덕의 권장, 극락세계의 장엄함을 노래하고 있다. 중생을 교화하고 설득하기 위해 1인칭 시점에서 진술하고 있다.

⑤ 원문과 현대역

나도 일얼망정 셰샹에 인지러니
나도 이럴망정 세상世上의 사람 자식[1]이러니
무샹을 싱각ᄒᆞ니 다거즛 거시로식
무상無常을 생각하니 다 거짓 일이로세
부모의 기친얼골 죽은후에 속졀업다
부모께서 주신 얼굴 죽은 후엔 속절없다
젹은다 싱각ᄒᆞ야 셰ᄉᆞ를 후리치고
적다고 생각하여 세상일 내던지고
부모게 하직ᄒᆞ고 단표ᄌᆞ 일납에
부모께 하직下直[2]하고 단표자單瓢子[3] 일납一衲[4]으로
청녀쟝을 비겨들고 명산을 ᄎᆞᄌᆞ들어
청려장靑藜杖[5]을 비스듬히 들고 명산名山을 찾아들어
션지식을 친견ᄒᆞ야 마음을 ᄇᆞᆰ케랴고
선지식善知識[6]을 친견親見하여 마음을 밝히려고
쳔경만론을 낫낫치 츄심ᄒᆞ야
천경만론千經萬論[7]을 낱낱이 추심推尋[8]하여
뉵젹을 ᄌᆞᆸ으랴고 허공마를 빗겨타고
육적六賊[9]을 잡으려고 허공虛空에 말을 비스듬히 타고

1 사람의 아들.
2 먼 길을 떠날 때에 웃어른께 작별을 아뢰는 것.
3 한 개의 표주박.
4 '일납의一衲衣'의 줄인 말. 단 한 벌의 검은 색 옷. '가사袈裟'의 다른 말.
5 명아주풀로 만든 지팡이.
6 불도로서 사람을 교화 선도하는 덕이 높은 스님.
7 부처의 말씀을 기록한 '경經'과 이를 해석한 '논論'.
8 찾아내어 가지거나 받아내는 것.

반야검을 손에들고 오온산 들어가니

반야검般若劍[10]을 손에 들고 오온산五蘊山에 들어가니

졔산은 쳡쳡ᄒᆞ고 ᄉᆞ샹산이 더욱놉다

제산諸山[11]은 첩첩疊疊하고 사상산四相山[12]이 더욱 높다.

뉵근 문두에 ᄌᆞ취업는 도젹은

육근六根[13]의 문두門頭에 자취 없는 도적盜賊은

나며들며 ᄒᆞᄂᆞᆫ즁에 번뇌심 베쳐노코

나며들며 하는 중에 번뇌심煩惱心[14]을 베어놓고

지혜로 ᄇᆡ를무어 삼계바다 건너갈졔

지혜智慧[15]로 배를 움직여 삼계三界[16]바다 건너갈 제

념불즁ᄉᆡᆼ 실어두고 삼승 짐ᄯᆡ에

염불念佛[17] 중생衆生[18]을 실어두고 삼승三乘[19]의 짐대[20]에

일승돗츨 달아두고 청풍은 슌히불고

일승一乘[21] 돛 달아두니 청풍淸風은 순하게 불고

---

9 육진六塵. 마음을 더럽히는 여섯 가지 색色·성聲·향香·미味·촉觸·법法.

10 반야의 칼. 최고의 진리를 이해하는 지혜. 모든 사물의 본래의 양상을 이해하고, 불법의 진실된 모습을 파악하는 지성의 작용.

11 많은 산. 여기에서는 많은 절.

12 불교에서 만유의 모든 법이 생멸하고 변화하는 것을 네 가지 상으로 나눈 것.

13 육경六境과 같은 말로 인식을 판단하는 능력기관인 안眼·이耳·비鼻·설舌·신身의 오근五根과 의근意根, 육식六識이라고도 함.

14 번뇌하는 마음. 심신을 괴롭히는 노여움 욕망 따위의 망념妄念.

15 미혹迷惑을 없애고 보리菩提를 성취하는 힘.

16 욕계欲界·색계色界·무색계無色界 등 중생이 사는 세三 세계.

17 소리를 내어 경을 외우는 일. 부처의 모습과 공덕을 생각하면서 '나무아미타불'을 외거나 불명佛名을 부르는 일.

18 많은 사람. 부처의 구제 대상이 되는 생명이 있는 모든 존재. 깨달음을 얻지 못한 사람.

19 오승五乘 중 세 번째로 중생을 생사를 넘어선 깨달음으로 이끄는 세 가지 교법敎法을 따로 묶어 이르는 말.

20 당간幢竿으로 당幢을 달아 세우는 기둥.

ᄇᆡᆨ운은 셧도ᄂᆞᆫᄃᆡ 인간을 ᄉᆡᆼ각ᄒᆞ니
백운白雲은 섞이어 도는데 세상을 생각하니
실푸고 셜운지라 념불ᄒᆞᄂᆞᆫ 즁ᄉᆡᆼ들아
슬프고 서러운지라 염불하는 중생들아
몟ᄉᆡᆼ을 살야ᄒᆞ고 셰ᄉᆞ만 탐ᄎᆞᆨᄒᆞ야
몇 생生을 살려하고 세상 일만 탐착貪着[22]하여
ᄋᆡ욕에 ᄌᆞᆷ겻ᄂᆞᆫ다 하리도 녈두시오
애욕愛慾에 잠겼는가 하루는 열두시時요
한달도 셜ᄒᆞᆫ날에 어늬날에 한가ᄒᆞᆯᄭᅩ
한 달도 서른 날 어느 날이 한가할까
청졍ᄒᆞᆫ 불셩은 ᄉᆞ람마다 가져신들
청정清淨한 불성佛性은 사람마다 가졌거늘
어늬날에 ᄉᆡᆼ각ᄒᆞ며 ᄒᆞᆼᄉᆞ공덕은
어느 날에 생각하며 항사공덕恒沙功德[23]은
본ᄅᆡ 구족ᄒᆞᆫ들 어늬시에 ᄂᆡ여쓸ᄭᅩ
본래 구족具足[24]한들 어느 때에 내어쓸까
셔왕은 멀어지고 지옥이 갓갑도다
서왕西往[25]은 멀어지고 지옥地獄이 가깝도다
이보시오 얼우신늬 권ᄒᆞ노니 종제션근
이보시오 어르신네 권하나니 종제선근種諸善根[26]이면

---

21 '일승법一乘法'의 줄인 말. 성불成佛에 이르는 유일한 교법. 주로 '법화경法華經'을 가리킴.

22 만족할 줄 모르고 사물에 더욱 집착하는 것.

23 항사는 항하사恒河沙의 준말로 강가의 모래와 같이 무수한 공덕을 말함.

24 구족具足과 같은 말로 빠짐없이 고루 갖추어 있음을 뜻함.

25 극락세계極樂世界.

26 좋은 과보果報를 얻을 수 있는 원인. 곧 선근공덕善根功德 또는 일체 선의 근본.

금싱에 ᄒᆞ온공덕 후싱에 슈ᄒᆞᄂᆞ니

금생今生[27]에 닦은 공덕 후생後生[28]에 수受하나니

빅년 탐물은 하로ᄋᆞ츰 듸결이요

백년탐물百年貪物[29]은 하루 아침 티끌이요

삼일ᄒᆞ온 념불은 빅쳔 만겁에

삼일三日했던 염불은 백천만겁百千萬劫[30]에도

다흠업슨 보빅로식 어와 이보빅

다함없는 보배로세 어와 이 보배

녁쳔겁이 불고ᄒᆞ고 긍만셰이 쟝금이라

역천겁이불고歷千劫而不古[31]하고 극만세이장금極萬世而長今[32]이라

건곤이 넙다ᄒᆞᆫ들 이마음에 밋칠손가

건곤乾坤[33]이 넓다한들 이 마음에 미칠 것인가

일월이 ᄇᆰ다ᄒᆞᆫ들 이마음에 밋칠손가

일월日月이 밝다한들 이 마음에 미칠 것인가

삼계졔불은 이마음을 알으시고

삼계제불三界諸佛[34]은 이 마음을 알고

뉵도즁싱은 이마음을 져바릴식

육도중생六道衆生[35]은 이 마음을 저버릴세

---

27 이승. 살고 있는 이 세상.

28 내생來生. 삼생三生의 하나. 죽은 후에 다시 태어남.

29 평생 동안 탐하여 모은 재물.

30 무한한 햇수. 영원한 기간.

31 오랜 세월이 지나도 옛날이 아님.

32 만세를 다하여도 항시 오늘임. 만대萬代. 아주 오랜 세대.

33 천지天地. 하늘과 땅.

34 과거, 현재, 미래의 여러 부처.

35 여섯 세계의 중생. 중생이 선악의 업인業因에 따라 윤회하여 이르는 여섯 가지 세계. 지옥地獄, 아귀餓鬼, 축생畜生, 아수라도阿修羅道, 인간人間, 천상天上 등을 말함.

삼계륜회를 어늬날에 그칠손가

삼계윤회三界輪廻[36]를 어느 날에 그칠 것인가

져근닷 ᄉᆡᆼ각ᄒᆞ야 마음을 ᄭᆡ쳐먹고

잠깐 동안 생각하여 마음을 깨우쳐 먹고

ᄐᆡ허를 ᄉᆡᆼ각ᄒᆞ니 산쳡쳡 슈쟌쟌

태허太虛[37]를 생각하니 산첩첩山疊疊[38]하고 물잔잔水潺潺[39]하며

풍실실 화명명ᄒᆞ고 송듁은 낙낙ᄒᆞᆫᄃᆡ

바람슬슬瑟瑟[40]하고 화명명花明明[41]하며 송죽松竹은 낙락落落[42]한데

화쟝바다 건너져어 극낙셰계 들어가니

화장華藏[43]바다 건너 저어 극락세계極樂世界[44] 들어가니

칠보금지에 칠보망을 둘너시니

칠보금지七寶錦地[45]에 칠보의 망網을 둘렀으니

구경ᄒᆞ게 더옥죠히

구경하기 더욱 좋다

구품년ᄃᆡ에 념불소ᄅᆡ 쟈쟈잇고

구품연대九品蓮臺[46]에 염불 소리 잦아 있고

---

36 윤회생사輪廻生死. 바퀴 회전이 끝이 없는 것처럼 중생이 삼계육도三界六道의 미혹의 세계에서 생사를 되풀이하는 일.

37 하늘. 지평선이나 수평선 위로 높고 끝없이 펼쳐진 해와 달 그리고 별을 바라볼 수 있는 공간.

38 산이 겹겹으로 포개져 있음.

39 물이 잔잔하게 흐름.

40 바람 소리가 쓸쓸함.

41 꽃이 아주 밝음.

42 나뭇가지가 축축 늘어짐.

43 화장계華藏界로 연화장세계蓮華藏世界와 같은 말.

44 아미타불이 살고 있는 정토로, 괴로움이 없는 지극히 안락하고 자유로운 세상.

45 전륜성왕轉輪聖王이 가지고 있는 일곱 가지의 보배 · 윤보輪寶 · 상보象寶 · 마보馬寶 · 여의주보如意珠寶 · 장보將寶 · 주장신보主藏臣寶.

46 구품으로 나눈 극락세계의 연꽃 대.

청학빅학과 잉무공쟉과
청학백학青鶴白鶴과 앵무공작鸚鵡孔雀과
금봉청봉은 ᄒᆞ나니 념불일ᄉᆡ
금봉청봉金鳳青鳳은 하는 것이 염불일세
청풍이 건덧ᄒᆞ니 념불쇼릭 요요ᄒᆞᆡ
청풍淸風이 잠깐 부니 염불 소리 요요寥寥[47]하네
어와 실푸다
어와 슬프다
우리도 인간에 나왓다가 념불안코 무엇ᄒᆞ리
우리도 인간으로 나왔는데 염불 아니하고 무엇하리
나무ᄋᆞ미타불
나무아미타불南無阿彌陀佛

47 쓸쓸함.

54. 선상탄船上歎

① 작품명 : 선상탄船上歎

② 작자명 : 박인로(朴仁老, 1561～1642)

박인로의 자는 덕옹德翁, 호는 노계蘆溪 또는 무하옹無何翁이다. 선조 25년(1592) 임진왜란이 일어나자 수군에 종군, 좌병사 성윤문의 밑에서 왜적 섬멸에 진력하였으며, 선조 32년(1599)에 무과에 급제하여 벼슬이 조라포수군만호助羅浦水軍萬戶에 이르렀다. 작품으로는 〈태평사太平詞〉·〈선상탄船上歎〉·〈사제곡莎提曲〉·〈누항사陋巷詞〉·〈독락당獨樂堂〉·〈영남가嶺南歌〉·〈노계가蘆溪歌〉·〈소유정가所有亭歌〉·〈입암별곡立巖別曲〉 등 9편의 가사와 68수의 시조가 전한다. 《노계집蘆溪集》이 전하는데, 여기에 이 작품 일부가 실려 있다.

③ 출전 : 목판본 《노계집蘆溪集》

④ 해제

이 작품은 선조 38년(1605년)에 지었으며, 목판본 《노계집》에 국한문혼용체로 실려 있다. 박인로가 그의 나이 45세 때 통주사統舟師로 뽑혀 부산에 가서 수군 생활을 하면서 지은 전쟁가사다. 모두 144구로 서사序詞에서 배의 유래를 중국의 고사와 관련지어 노래하고, 본사本詞에서는 선유船遊의 즐거움을 노래하였으며, 결사結詞에서는 왜적들의 항복을 받아 태평시대가 되면 뱃놀이를 하면서 즐겁게 살고 싶다는 바람을 담고 있다.

⑤ 원문과 현대역

늘고 病든 몸을 舟師로 보닉실식
늙고 병든 몸을 통주사[1]로 보내셔서
乙巳 三夏애 鎭東營 누려오니
을사년 여름에 진동영[2]으로 내려오니
關防重地예 病이 깁다 안자실랴
변방의 중요한 요새지에서 병이 깊다고 앉아만 있겠는가
一長劒 비기 ᄎᆞ고 兵船에 구테 올나
긴 칼을 빗겨 차고 병선의 끝에 올라가
勵氣瞋目ᄒᆞ야 對馬島을 구어보니
눈을 부릅뜨고[3] 대마도를 굽어보니
ᄇᆞ람 조친 黃雲은 遠近에 사혀 잇고
바람에 쫓긴 황운은 원근에 쌓여 있고
아득ᄒᆞᆫ 滄波ᄂᆞᆫ 긴 하ᄂᆞᆯ과 ᄒᆞᆫ 빗칠쇠
아득한 창파는 하늘과 한 빛이로구나
船上에 徘徊ᄒᆞ며 古今을 思憶ᄒᆞ고
선상에 배회하며 고금을 생각하고
어리 미친 懷抱애 軒轅氏를 애ᄃᆞ노라
어리석고 미친 마음에 배를 처음 만든 헌원씨[4]가 원망스럽구나
大洋이 茫茫ᄒᆞ야 天地예 둘려시니
바다가 아득히 넓게 천지에 둘러 있으니

---

1 수군 통주사.
2 동쪽을 지키는 진영鎭營. 곧 오늘의 부산진釜山鎭.
3 여기진목勵氣瞋目ᄒᆞ야. 기운을 떨치고 눈을 부릅뜸.
4 중국 고대의 황제. 지금의 하남성 신정현 헌원지구에서 났으므로 헌원씨軒轅氏라 함.

진실로 빅 아니면 風波 萬里 밧긔

진실로 배 아니면 풍파가 심한 만리 밖에서

어닉 四夷 엿볼넌고

어느 오랑캐가 엿볼 수 있겠는가

무숨 일 ᄒᆞ려 ᄒᆞ야 빅 뭇기를 비롯ᄒᆞᆫ고

무슨 일 하려고 배 만들기를 시작했는고

萬世 千秋에 ᄀᆞ업슨 큰 弊되야

만세 천추에 끝없는 큰 폐단이 되어

普天之下애 萬民怨 길우ᄂᆞ다

온 천하[5]에 만백성의 원한을 길렀도다

어즈버 ᄭᆡᄃᆞ라니 秦始皇의 타시로다

아 깨달으니 진시황의 탓이로다

빅 비록 잇다 ᄒᆞ나 倭를 아니 삼기던들

배 비록 있다 하더라도 왜족이 아니 생겼더라면

日本 對馬島로 뷘빅 졀로 나올넌가

일본 대마도로부터 빈 배가 저절로 나올 것인가

뉘 말을 미더 듯고 童男 童女를 그ᄃᆡ도록 드려다가

뉘 말을 곧이 듣고 동남동녀[6]를 그토록 데려다가

海中 모든 셤에 難當賊을 기쳐 두고

바다의 모든 섬에 감당하기 어려운 도적을 만들어 두어

痛憤ᄒᆞᆫ 羞辱이 華夏애 다 밋나다

통분한 수치와 모욕이 중국[7]에까지 미치게 하였는가

5 보천지하普天之下. 넓은 하늘 아래.

6 총각과 처녀. 결혼 전結婚 前의 남녀男女. 진시황과 서불의 고사에 나오는 동남동녀.

7 화하華夏. 중국 대륙.

長生 不死藥을 얼ᄆᆞ나 어더ᄂᆡ여

장생 불사약을 얼마나 얻어내어

萬里長城 놉히 사고 몃 萬年을 사도썬고

만리장성을 높이 쌓고 몇 만 년을 살았던가

ᄂᆞᆷ ᄃᆡ로 죽어가니 有益ᄒᆞᆫ 줄 모ᄅᆞ로다

남들처럼 죽어가니 유익한 줄 모르겠구나

어즈버 ᄉᆡᆼ각ᄒᆞ니 徐市 等이 已甚ᄒᆞ다

아 생각하니 서불의 무리가 너무 심하구나

人臣이 되야셔 亡命도 ᄒᆞᄂᆞᆫ 것가

신하의 몸으로 망명도 하는 것인가

神仙을 못 보거든 수이나 도라오면

신선을 만나지 못했거든 빨리나 돌아왔으면

舟師 이 시럼은 젼혀 업게 삼길럿다

수군 근심은 전혀 생기지 않았을 것 아니겠는가

두어라 旣往不咎라 일너 무엇 ᄒᆞ로소니

두어라 이미 지난 일[8]을 탓하지 않는 것이라는데 말해 무엇 하랴

쇽졀업ᄉᆞᆫ 是非를 후리쳐 더뎌 두쟈

속절없는 시비를 팽개쳐 던져 버리자

潛思 覺悟ᄒᆞ니 내 ᄯᅳᆺ도 固執고야

깊이 생각하여 깨달으니 내 뜻도 고집스럽구나

黃帝 作舟車ᄂᆞᆫ 왼 줄도 모ᄅᆞ로다

황제가 처음으로 배와 수레를 만든 것이 그릇된 줄을 모르는구나

張翰 江東去애 秋風을 만나신들

장한이 강동[9]으로 돌아가 가을 바람을 만났다고 한들

---

8 기왕부구既往不咎. 이미 지나간 일은 허물하지 않음.

9 옛날 중국 진晉나라 오吳땅의 사람인 장한張翰이 양자강楊子江 동쪽 고향의 농어회

扁舟 곳 아니 타면 天淸 海濶 ᄒᆞ다
편주를 타지 않으면 하늘이 맑고 바다 넓다고 해도
어ᄂᆡ 興이 졀로 나며 三公도 아니 밧골
어느 흥이 저절로 나겠으며 삼공[10]과도 아니 바꿀
第一 江山애 浮萍ᄀᆞᆮᄒᆞᆫ 漁夫生涯을
경치 좋은 곳에서 부평초 같은 어부의 생애를
一葉舟 아니면 어ᄃᆡ 부쳐 ᄃᆞᆫ힐ᄂᆞᆫ고
일엽주가 아니면 어디에 의지해 다니겠는가
일언 닐 보건ᄃᆡ ᄇᆡ삼긴 制度야 至妙ᄒᆞᆫ 덧 ᄒᆞ다마ᄂᆞᆫ
이런 일을 보건데 배를 만든 제도야 매우 묘한 듯 하다마는
엇디ᄒᆞᆫ 우리 물은 ᄂᆞᄂᆞᆫ ᄃᆞᆺᄒᆞᆫ 板屋船을 晝夜의 빗기 ᄐᆞ고
어찌하여 우리 무리는 나는 듯한 판옥선을 밤낮으로 빗겨 타고
臨風 詠月호ᄃᆡ 興이 젼혀 업ᄂᆞᆫ 게오
바람을 맞아 달을 읊되 흥이 전혀 없는 것인가
昔日 舟中에ᄂᆞᆫ 杯盤이 狼藉터니
옛날의 배 가운데는 술잔과 술상이 어지러이 흩어져[11] 있었는데
今日 舟中에ᄂᆞᆫ 大劍長鎗 ᄲᆞᆫ이로다
오늘의 배 가운데는 대검과 긴 창 뿐이로다
ᄒᆞᆫ가지 ᄇᆡ언마ᄂᆞᆫ 가진 ᄇᆡ 다라니
똑같은 배건마는 가진 바가 다르니
其間 憂樂이 서로 ᄀᆞᆺ지 못 ᄒᆞ도다
그 사이의 근심과 즐거움이 서로 같지 못하도다

맛을 못 잊어 벼슬을 던지고 감.

10 조정에서 가장 높은 벼슬 셋. 삼정승三政丞.

11 낭자狼藉. 술잔과 술상이 어수선히 흩어져 있더니.

時時로 멀이 드러 北辰을 ᄇᆞ라보며

때때로 머리 들어 님 계신 곳을 바라보며

傷時 老淚ᄅᆞᆯ 天一方의 디이ᄂᆞ다

시국을 근심하는 늙은이 눈물을 변방의 하늘 아래 떨구노라

吾東方 文物이 漢唐宋애 디랴마ᄂᆞᆫ

우리나라의 문물이 한나라 당나라 송나라에 뒤지랴마는

國運이 不幸ᄒᆞ야 海醜 兇謀애 萬古羞을 안고 이셔

국운이 불행하여 왜적의 흉모에 만고에 씻을 수 없는 수치[12]를 안고서

白分에 ᄒᆞᆫ 가지도 못 시셔 ᄇᆞ려거든

백분의 일도 아직 씻어 버리지 못했거든

이 몸이 無狀ᄒᆞᆫᄃᆞᆯ 臣者ㅣ 되야 이셔다가

이 몸이 보잘 것 없지만 남의 신하 되어 있다가

窮達이 길이 달라 몬 뫼ᄋᆸ고 늘거신ᄃᆞᆯ

궁달이 길이 달라 못 뫼시고 늙었다 한들

憂國 丹心이야 어ᄂᆡ 刻애 이즐넌고

우국 단심이야 어느 시각인들 잊을런고

慨慨계운 壯氣ᄂᆞᆫ 老當益壯 ᄒᆞ다마ᄂᆞᆫ

결기에 겨운[13] 장한 기상은 늙을수록 장하다마는

됴고마ᄂᆞᆫ 이 몸이 病中에 드러시니

조그만 이 몸이 병 가운데 들었으니

雪憤 伸寃이 어려올 ᄃᆞᆺᄒᆞ건마ᄂᆞᆫ

분함을 씻고 원망을 풀기[14]가 어려울 듯 하건마는

---

12 만고수萬古羞. 길이길이 씻을 수 없는 수치.

13 나랏일이나 세상일을 근심하고 분히 여기는 마음을 이기지 못하는.

14 분함을 씻고 원통함을 폄.

그러나 死諸葛도 生仲達을 멀리 좃고

그러나 사제갈[15]도 생중달을 멀리 쫓고

발 업슨 孫臏도 龐涓을 잡아거든

발 없는 손빈도 방연[16]을 잡았거든

ᄒᆞ믈며 이 몸은 手足이 ᄀᆞ자 잇고 命脈이 이어시니

아물며 이 몸은 수족이 갖추어 있고 목숨까지 이어 있으니

鼠竊 狗偷을 저그나 저흘소냐

쥐와 개의 도둑질[17]을 조금이나마 두려워하랴

飛船에 ᄃᆞ려드러 先鋒을 거치면

나는 듯한 배[18]에 달려들어 선봉을 무찌르면

九十月 霜風에 낙엽가치 헤치리라

구시월 서리 바람에 낙엽같이 무찌르리라

七縱 七禽을 우린ᄃᆞᆯ 못ᄒᆞᆯ 것가

칠종칠금[19] 고사를 우린들 못할 것인가

蠢彼 島夷들아 수이 乞降ᄒᆞ야ᄉᆞ라

꾸물거리는 왜적[20]들아 빨리 항복을 하려무나

降者 不殺이니 너를 구ᄐᆡ 殲滅ᄒᆞ랴

항복한 자는 죽이지 않으니 너를 구태여 섬멸하겠느냐

---

15 죽은 제갈공명諸葛孔明이 살아있는 사마중달司馬仲達을 이겼다는 〈삼국지연의〉의 고사.

16 중국 위魏나라 장수. 손자孫子에게 패사敗死함.

17 서절구투鼠竊狗偸. 쥐가 도둑질하듯 하고, 개가 남의 것을 훔치듯 함. 여기서는 왜적을 가리킴.

18 나는 듯이 빠른 배. 여기서는 왜구의 배를 말함.

19 일곱 번 놓아 주었다가 일곱 번 다시 잡음. 제갈량이 남만 정벌 때 남만왕 맹획을 일곱 번 잡고 일곱 번 놓아줌으로써 남만을 복속시켰다는 고사.

20 준피도이蠢彼島夷 : 꾸물거리는 저 섬나라 오랑캐.

吾王 聖聽이 欲竝生 ᄒᆞ시니라
우리 임금 성덕이 함께 살고자 하시니라
太平 天下애 堯舜君民 되야 이셔
태평천하에 요순같은 임금의 백성 되어서
日月 光華ᄂᆞᆫ 朝復朝 ᄒᆞ얏거든
일월 빛의 빛남은 더욱 밝았거든
戰船ᄐᆞ던 우리 몸도 漁舟에 唱晩ᄒᆞ고
전선 타던 우리 몸도 고깃배에서 늦도록 노래하고
秋月 春風에 놉히 베고 누어 이셔
가을 달 봄 바람을 높이 베고 누워 있어
聖代 海不揚波ᄅᆞᆯ 다시 보려 ᄒᆞ노라
성군의 치하에 바다[21]의 잠잠한 파도를 다시 보려 하노라

21 바다에 물결이 일지 아니함. 곧 온 세상이 평안함.